汉字的诱惑

陈楠

KB195578

일러두기

- 별도로 '지은이 주'라고 표기하지 않은 주석은 모두 '옮긴이 주'이다.
- 국립국어원의 외래어 표기 원칙에 따라 신해혁명(1911) 이전의 인명과 지명은 한자음으로 표기하고
  이후의 인명과 지명은 중국어 표기법에 따라 중국어 발음으로 표기했다. 신해혁명 이후의 인명과
  지명이라 하더라도 한자음 표기가 자연스럽다고 판단한 경우는 한자음으로 표기했다.
- 한국어판 역서가 있는 경우, 한국어판 역서의 서지 정보를 명시했다.

한자의 유혹
漢字的誘惑

2019년 4월 12일 초판 인쇄 **O** 2019년 4월 22일 초판 발행 **O** 지은이 천난 **O** 옮긴이 유카 **O** 펴낸이 김옥철
주간 문지숙 **O** 진행 서하나 **O** 진행도움 김수진 **O** 편집 한정아 **O** 디자인 박민수 **O** 커뮤니케이션 이지은
영업관리 강소현 **O** 인쇄·제책 스크린그래픽 **O** 펴낸곳 (주)안그라픽스 우10881 경기도 파주시 회동길 125-15
전화 031.955.7766(편집) 031.955.7755(고객서비스) **O** 팩스 031.955.7744 **O** 이메일 agdesign@ag.co.kr
웹사이트 www.agbook.co.kr **O** 등록번호 제2-236(1975.7.7)

이 책의 국립중앙도서관 출판예정도서목록(CIP)은 서지정보유통지원시스템 홈페이지(seoji.nl.go.kr)와
국가자료공동목록시스템(nl.go.kr/kolisnet)에서 이용하실 수 있습니다.
CIP제어번호: CIP2019012885

ISBN 978.89.7059.996.0 (93700)

한자의 유혹

천난 지음 유카 옮김

漢字誘惑

陈楠

인류의 위대한 유산, 한자

오늘날 첨단 기술과 초고속 시대를 사는 중국인은 온라인에서든 오프라인에서든 한자를 쓰지 않는 날이 없을 정도로 한자로 기록하고 정보를 전달합니다. 하늘의 구름 속에도 분명 한자가 가득할 것입니다.

　이 책『한자의 유혹』의 지은이 천난은 디자이너이자 디자인을 가르치는 교수입니다. 그는 10여 년 동안의 연구와 분석을 통해 '삼단 병행 한자', 즉 표준 정자체, 속도감 있게 쓰는 초서체, 일상생활에서 장식용으로 쓰는 도안 글자체 디자인의 실마리와 그 영향을 발견했고 서로 관련된 전통 한자의 디자인 방법을 종합해 그 원리를 이끌어냈습니다.

　또한 천난은 한자와 격물치지格物致知 디자인 이론을 결합해 디자인 사례에 시도함으로써 점진적으로 학술 수준을 높여가고 있습니다. 그는 한자를 활용해 다양한 시도를 합니다. 한자를 예술과 문자학에서 분리해 디자인에서 상대적으로 독립적인 새로운 학술 체계를 만들어가고 있습니다.

　저는 한자가 만리장성보다, 그리스와 로마의 유산보다 위대하다고 생각합니다. 한자는 인류의 위대한 유산이며 중국인에게는 조상 대대로 이어온 유일무일한 보물입니다. 그럼 한자는 무엇이고 왜 어떻게 뛰어날까요? 우리는 한자에 대해 얼마나 알고 있을까요? 저는 현대 중국인은 물론 한자와 문자에 관심이 있는 사람이라면 이를 꼭 알아야 한다고 생각합니다. 그래서 저는 진지하게『한자의 유혹』을 추천하며 꼭 읽어보라고 권하고 싶습니다.

《한성漢聲》 잡지 발행인 황융쑹黃永松

방대하고 신비로우며 아름다운 글자, 한자의 유혹

한자의 유혹

시각 디자인에 관심을 갖는 모든 이에게 한자는 너무나도 유혹적인 글자이다. 많은 디자이너가 한자를 예술 언어 탐색의 귀착점이자 생애의 귀착점으로 삼는다. 이들과 한자의 관계는 독실한 신도가 신에게 품는 경건함과 성실함 같기도 하고 사랑에 빠진 이의 그리움과 미련 같기도 하다.

한자의 신성한 지위와 끝없는 생명력

과연 무엇이 한자를 이토록 방대하면서도 신비롭고 아름다운 글자로 만들었을까? 이런 유혹적인 글자가 만들어진 직접적 이유는 무엇일까? 절대적인 정답을 찾을 수는 없지만, 다음 두 가지 방향으로 이 문제를 분석해볼 수 있다.

우선 문화를 담는 저장 장치라는 시각에서 한자를 보자. 한자는 독특한 문화 체계를 갖추고 문맥文脈을 계승해온 중국이라는 나라에서 숭고한 지위를 차지하고 있다. 한자는 중국 전통문화의 정수를 전달하기에 가장 적합한 운반체이며 시각 부호이고 수천 년에 이르는 중국 문명사의 부호 체계로, 정부 지식인과 민간을 막론하고 한자를 부호로 널리 보급하는 데 힘써왔다. 역대 왕조와 정부 모두 한자 디자인을 중시했는데 진秦나라 때 이사李斯가 만든 소전小篆, 한漢나라 때의 한자 교본『급취장急就章』[1], 영자팔법永字八法, 송宋나라 때 이루어진 정부 공식 글자체 디자인의 수정, 근대의 간체簡體 연구와 보급 등이 정보 전달 문자 부호 체계이자 중요한 예술 표현 언어로서 한자의 이중적 가치를 잘 보여준다.

한자는 고대 이집트 문명, 메소포타미아 문명, 인더스 문명, 황하 문명 등 세계 4대 문명지에서 지금까지 단 한 번도 단절되지 않고 계승된 유일한 문자 체계로, 정치, 경제, 과학기술, 인문, 예술 등 사회 각 영역에서 사용한다. 이렇게 유일하게 계승될 수 있었던 이유 가운데 하나는 통일된 문자 체계가 끊임없이 발전해왔기 때문이다. 한자는 이미 중국은 물론 동아시아 각국의 문화에 깊이 이식되어 있다.

다른 한편으로 한자는 발전 과정에서 탄력적이면서도 혁신적인 면모를 보였다. 이를테면 한자 쓰기는 초기 형태인 암벽화와 도문陶文2에서 시작해 갑골甲骨 조각3, 금속 주조, 죽목간竹木簡4과 짐승 털로 만든 붓, 종이와 조판 인쇄술, 활판 인쇄술의 발명을 거쳐 현대의 컴퓨터 사용에 이르기까지 수천 년 동안 글씨를 쓰는 데 필요한 재료 및 도구의 혁신과 함께해왔으며 전통이라는 토양 위에서 끊임없이 발전했다. 실용적 글씨 쓰기와 예술적 표현에서도 암벽에 그리고 새긴 부호인 암화각부岩畵刻符, 갑골문과 금문金文, 전서篆書, 예서隸書, 진서眞書, 초서草書를 거치면서 인쇄 한자체가 상응해 나타났다. 또한 새로운 기술과 공예에 걸맞은 표현 형식과 예술적 기풍이 등장함으로써 한자 발전의 왕성한 생명력을 증명하며 서양과는 다른 독특한 예술과 과학 체계가 이루어졌다.

제대로 조명받지 못한 한자의 디자인적 사고와 방법론
이 책에서 가장 중요하면서도 가치 있는 부분은 바로 디자인 부호 저장 장치로서 한자의 역사적 문맥을 정리했다는 점과 이전까지 많이 건드리지 않았던 한자 디자인이라는 쟁점을 다루었다는 점이다. 현대 중국과 동아시아 각국의 시각 디자인 전문가들은 보편적으로 거의 필자와 같은 한자 콤플렉스를 갖고 있다. 그들 중 깊이 있는 연구와 혁신적이고 우수한 작품을 내놓은 이가 드물지는 않지만, 전체적으로 봤을 때 한자 연구는 주로 고서의 자구字句 해석과 고증 등 언어 문자학 분야, 한자 서법 예술 감상과 평가 또는 한자 글자체 개발 등의 분야에 치중된 것이 사실이다. 한자의 디자인 표현 방법론과 한자 디자인 사상의 발전 과정을 전문적으로 정리하고 이를 기초로 새로운 기술과 뉴미디어를 한자 디자인의 세계에 도입한 연구와 실천 사례는 그리 많지 않다. 한나라 때 초서를 예로 들어보자. 과거의 연구 자료를 보면 주로 초서의 글자체 양식과 초서의 일종인 금초今草 서법의 계승 관계에 주의를 기울일 뿐 그 신속한 필기 방식에서 나타나는 기능적인 디자인 사고와 방법에는 별로 관심을 기울이지 않았다는 점을 알 수 있다.

　　역사 속에서 또 서로 다른 영역에서 제대로 주목받지 못했던 한자 디자인 역시 디자인 시각에서 분석하고 연구한 사례가 부족하다. 이를테면 한자의 필획을 축약해서 모아 만든 합체자合體字 고금금보자古琴琴譜字5와 한자 필획 회의會意6에 대한 다층적 해독과 탁자점복拆字占卜7 방법, 복잡다단한 한자에서 핵심 필획을 추출한 영자팔법처럼 매우 흥미로운 디자인 방법이 모두 디자인업계에서 주목받지 못하고 있다. 또한 한자의 영향을 받은 중국 고대와 당대의 소수민족 문자인 동파문자東巴文字8와 수서水書9 그리고 전 세계 유일의 여성 문자인 여서女書 등에 대한 체계적 연구와 발굴도 부족한 실정이다.

전통적인 한자 디자인 방법이 중국 당대 디자인에 끼치는 영향

　　한자는 중국의 현대 예술 디자인 발전에 큰 영향을 끼치고 있다. 경제 세계화가 이루어진 오늘날 중국 디자이너들은 노력과 혁신을 통해 국내외 디자인 영역에서 더욱 영향력 있는 위치를 확립하기 시작했다. 이 과정에서 자연스럽게 민족의 어휘와 향토적인 문화 기호를 발굴하고 탐색하게 되었다. 여기에는 시각 요소와 문화 이념, 정보 부호 등 해당하는 종류가 한둘이 아니다.

중국 전통문화를 부흥시키고 민족적 자존심을 드높이는 데 치중한다는 시대적 배경 아래, 수천 년에 걸쳐 축적된 한자 예술 디자인의 문맥을 깊이 있게 발굴하고 연구, 정리해 한자 예술 디자인을 혁신하고 새롭게 창작하려면 디자인적 실천을 이루어가며 연구형 디자인을 보급할 필요가 있다. 로고 디자인에 사용하는 창의적 한자든 출판물에 들어가는 인쇄 글자체나 상품 포장, 브랜드에 사용하는 한자든 디자이너는 한자의 글자 구성 원리, 필획 구조, 글자체 발전의 문맥 등에 관한 지식을 깊게 이해하고 인지할 필요가 있다. 이는 단순히 글자의 형식적 아름다움의 문제만이 아니라 문화 계승과 혁신의 종합이어야 한다.

이 책의 주제어

이 책은 필자가 최근 20년 동안 갑골문, 금문, 동파문자 등 한자 예술 디자인의 창작에 관한 연구 성과를 종합한 것이다. 특히 한자 예술 디자인의 일곱 가지 주제어를 정리했는데 이것이 이 책의 핵심이면서 우리를 매혹하는 한자의 주요 특성이기도 하다. 일곱 가지 주제어란 자원字源, 자맥字脉, 자성字聖, 자법字法, 자기字器, 자진字陣, 자회字繪를 말한다.

'자원'은 한자의 기원을 뜻하는 것으로, 채색 토기에 새겨진 부호에서 시작해 한자 초기 형태의 디자인 법칙을 탐색한다. '자맥'은 다양한 실마리를 통해 정리한 한자 발전 과정의 맥락 관계로, 필기 저장 장치로서 한자라는 문자 부호와 그 예술 기풍의 표현을 포함해 한자와 소수민족 문자, 동아시아 한자 문화권에서 글자 형태, 필기도구 방면으로 계승된 맥락을 다룬다. '자성'은 고대부터 지금에 이르기까지 한자 과학과 예술의 각 영역에서 두각을 나타낸 대표 인물과 그들의 대표 사상 또는 주요 작품을 총칭한다. '자법'에서는 한자의 발전 과정에서 끊임없이 종합하고 추려낸 수많은 실용적 방법, 창작을 통해 얻은 깨달음과 마음가짐을 정리했다. '자기'는 주로 필기 재료와 도구를 연구하는 분야이며, '자진'은 한자 배열 조판과 창의적으로 조합한 한자의 통칭이다. '자회'는 장식용 그림문자, 창의적인 기하학적 글자체 디자인, 더 나아가 한자의 예술적 표현을 통칭한다. 이상의 일곱 가지 주제어 중 자맥, 자법, 자회가 핵심이며 이 책은 바로 이 세 가지 핵심 주제어를 각 장의 표제로 삼아 전개한다.

　　우리에게 한자는 아주 익숙한 것 같으면서도 그 여러 분야가 생소하게 다가오는 것도 사실이다. 중국 최대의 자전 『강희자전康熙字典』에 나오는 한자 4만여 자 중 우리가 아는 것은 몇천 자에 지나지 않으며 중국 북송의 정치가 왕안석王安石의 우문법右文法이 알려진 것도 몇 년밖에 되지 않았다. 간체자가 중화민국 시기에 이미 보급되었다는 사실도 중국판 트위터 웨이보微博를 통해 겨우 알게 되거나, 번체자繁體字를 떠받드는 이가 간체자를 두고 문화적 수준이 떨어진다며 비판하면 그제야 갑골문과 금문에 이미 '云雲구름 운의 간체자' 자가 등장한다며 반격하는 실정이다.

　　이 책은 필자가 한자의 디자인적 사고와 방법을 연구하며 내딛은 첫걸음이다. 책에 소개한 한자 예술 디자인의 다양한 맥락과 한자의 수많은 흥미로운 디자인적 사고, 방법론 등에 대한 분석이 독자들에게 도움이 되기를 진심으로 바란다. 또한 이 책이 이 분야의 많은 스승, 동료와 교류하고 소통하는 데 매개체가 되어 한자 디자인을 위해 함께 더 많은 일을 하게 되기를 바란다.

청화원淸華園에서 천난

인류의 위대한 유산, 한자

방대하고 신비로우며 아름다운 글자, 한자의 유혹

개요

제1장 자맥字脉

제3장 자회字繪

맺음말

주석

참고 문헌

개요

고대 문헌에 나오는 '문자'는 '문文'과 '자字' 두 개념이 합쳐져 만들어진 것으로, 후한 때의 학자 허신許愼이 쓴 자전『설문해자·서說文解字·序』에도 이렇게 적혀 있다. "같은 종류에서 형태를 본뜬 까닭에 이를 '文글월 문'이라 하고 그 뒤에 모양과 소리가 더해진 것을 '字글자 자'라고 한다." 文은 紋무늬 문의 통가자通假字10로 형상을 본떴다는 뜻이며 모양과 소리가 서로 바뀌어 字가 되었다. 이렇듯 한자는 처음부터 하나의 종합 문자 체계였으며 단순하게 소리만 표기하거나 형태만 본뜨지 않았다. 한자는 동시에 표음表音, 표의表意, 상형象形 등 다양한 기능을 하는 하나의 체계이다. 이런 종합성과 다양성으로 한자는 예술적 창작성과 디자인 측면에서 어마어마한 가능성과 매력을 지닌다.

　　한자는 줄곧 문명의 발전 과정을 반영하며 발전해오면서 문명 계승의 기록자이자 설명하는 주체가 되었다. 이러한 문화적 부호와 새로운 기술을 담아내는 저장 장치의 의존 관계는 암석, 갑골, 종정鐘鼎11, 간독簡牘12, 종이와 먹, 인쇄, 디지털화 등에서 분명히 드러난다. 한자는 그 고유의 매력을 고스란히 전하며 이어져왔고 다른 한편으로는 과학혁명과 기술혁신이 일어날 때마다 탄력적으로 적응하면서 모양과 스타일을 끊임없이 새롭게 만들어나갔다. 고대의 생물 종이 새로운 환경 적응과 원래 상태 유지 중 어느 한쪽에만 치우칠 수 없었던 것처럼 말이다.

　　최초의 조판雕版13 인쇄가 등장한 때는 중국 당唐나라 초기로 알려졌으나 그보다 앞선다는 증거를 제시한 연구도 있다. 조판 인쇄는 탁본拓本과 인장印章 두 가지 방법이 점차 발전하면서 하나로 합쳐진 결과물이다. 1940-1950년대 중국의 4대 발명론을 제기한 영국의 한학자 노엘 조지프 테런스 몽고메리 니덤Noel Joseph Terence Montgomery Needham은『중국의 과학과 문명Science and Civilization in China』이라는 저서에서 이와 관련된 증거를 정리했다. 그중 인쇄술의 발명은 『몽계필담夢溪筆談』[14]에 나오는 필승畢昇이란 사람이 진흙으로 움직이는 글자 즉 활자活字 인쇄술을 만들었다는 내용을 근거로 한다.

조판 인쇄와 활판 인쇄가 출현하면서 한자의 형태 디자인에서도 변화가 나타났으며 여기에서부터 한자의 디자인 스타일은 서법書法에 의미를 두는 한자와 매우 큰 차이를 보이게 되었다. 현대 인쇄술이 서구에서 중국으로 전해진 뒤 인쇄 글자체는 더욱 비약적으로 발전했다. 발전과 변혁이 일어날 때마다 한자의 응용력이 분출되고 발전하면서 한자는 새로운 기술적 요구에 순조롭게 부응했고 새로운 시대적 매력을 발산하게 되었다.

사람 얼굴과 물고기가
그려진 채색 토기
세숫대야

갑골문 뼛조각

청동기

석고문石鼓文[15]

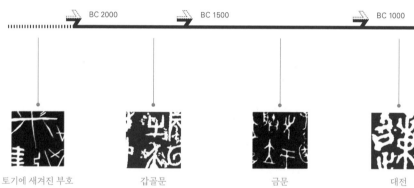

BC 2000   BC 1500   BC 1000

토기에 새겨진 부호   갑골문   금문   대전

태산석각泰山石刻[16]

한漢나라 때의 와당瓦當[17]

『급취장』

왕희지王羲之

마애석각磨崖石刻[18]

안진경顔眞卿

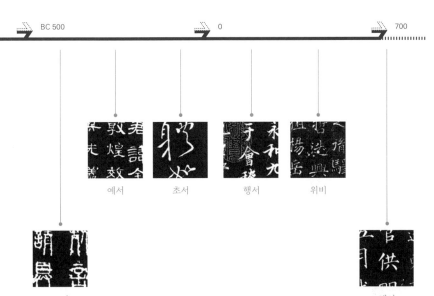

BC 500 0 700

예서

초서

행서

위비

소전

해서

송나라 때 인쇄
제작한 합격자
공고문

『고금도서집성古今圖書集成』19

상무인서관商務印書館이 1909-1919년에
제작한 흑체黑體 모양

정씨 형제가 제작한
취진방송체聚珍仿宋體

상하이미화서관上海美華書館
유적지

중화민국 시기의
광고 글자

1300　　　1500　　　　　　　　　　1900

방송체仿宋體

명나라 때
취진방송체

흑체

務行
印發

청나라
상무인서관에서
제작한 글자

광고 글자

友良
國民日報
星銀
復古
設計
鮮香疑问
門德哈

중화민국 시기

송체宋體

字說
以文

송나라

剛吾
子而

청나라
『고금도서집성』

畧地
球說

청나라
상하이
미화서관에서
제작한 글자

商印
書啓

청나라
상무인서관에서
제작한 글자

중화인민공화국
시기의 포스터

서적에 응용한
글자체 디자인

1960-1970년대의 선전 표어

컴퓨터 글자체
시대의 시작

1949

1975

미흑체美黑體

干丁于
互五示

중화인민공화국 시기

상하이자모소上海字模所

牯羚
牍转

중화인민공화국의
송이체宋二體

도안 문자[20] 디자인

중화인민공화국의 도안 문자

글자체 디자인

综艺体
琥珀体
勘亭流体
粗黑体
海报体
幼圆体

개혁 개방 이후 현재까지

문자는 발전하면서 그 역사가 단절된 적이 없으며 모든 글 자체는 그 시대적 혁신을 이룸과 동시에 역사성을 보존한 유전인자를 전수하고 계승한다. 한자의 발전도 마찬가지다. 거시적 시각으로 봐야만 갑골문과 금문이 하나의 문자에서 비롯된 두 가지 서법일 가능성을 이해할 수 있으며, 간화자 簡化字21와 초서, 상형문자 사이의 전승 관계를 이해할 수 있고, 문자 통일 이전 한자가 다양한 형태로 존재했던 시대가 이후 길상吉祥 도안22 문자 변형에 어떤 영향을 끼쳤는지 비교해볼 수 있다. 또한 이를 통해 입체적이고 거시적으로 갑골문, 금문 그리고 조판組版23 인쇄술에서 공통으로 나타나는 세로 배열을 비교해볼 수도 있다.

예전에는 글자체의 스타일과 디테일을 중시한 반면 한자 발전의 문맥과 연관성에는 큰 관심을 기울이지 않았다. 다양한 실마리를 통해 한자의 이런 맥락을 정리하는 것이 매우 중요하다. 따라서 이 책의 첫 번째 장에서는 기록의 저장체로서 한자의 발전 궤적과 특징을 포함해 한자의 예술적 스타일, 한자와 소수민족 문자의 관계, 한자의 영향 아래 있는 동아시아 한자 문화권 그리고 이들의 상호 비교, 한자 필기도구의 발전 등을 다뤄보고자 한다.

한자의 발전

'한자'[24]라는 단어는 원元나라 때 나온 역사서 『금사金史』에 처음 등장한다. 역사적으로 존재했던 소수민족들의 서로 다른 문자와 구분하기 위해 범주화한 개념으로, '한인漢人이 사용하는 문자'라는 뜻이다. 원나라 이전 고대 중국의 한자는 '字'라고 불렀다. 한자의 숭고한 지위와 정통 사상 때문에 명칭을 다른 나라의 문자와 구별할 필요가 없었으므로 그냥 '字' 혹은 '文字문자'라고 부른 것이다. 소수민족 정권이었던 청나라 전반기에는 공식적으로 만주문자滿洲文字를 사용했으며 중국의 전통 문자는 '한자'라고 불렀다. 이 외에도 한국과 일본 등 한자를 사용하는 국가에서는 자체적으로 창제한 소리 문자인 한글, 가나假名와 구분하기 위해 중국 문자를 '한자'라고 불렀다.

한자는 기나긴 역사 과정을 거쳐 발전했다. 한자가 4대 문명 발상지의 글자 중 유일하게 지금까지 사용하는 문자 체계라는 점은 연구해 볼 가치가 충분히 있는 일이다. 일단 한자는 글자와 그림이 결합된 것이 특징이다. 중국에는 예부터 '글과 그림은 같은 뿌리에서 비롯되었다.'는 말이 있다. 한자는 원시적인 그림 형태에서 시작해 서서히 일종의 '표의 부호'로 변화했다. 더욱 풍부한 내용을 표현하기 위해 소리를 나타내는 형성자形聲字가 지속해서 대량으로 생겨났고 이에 따라 상형문자象形文字와 회의자會意字의 비율은 상당히 줄어들었다. 한나라 때 『설문해자』를 쓴 허신은 한자의 조자법造字法을 육서六書[25]로 종합 정리했는데 후대 학자들도 기본적으로는 모두 이를 바탕으로 정리하고 이름을 붙였다.

한자의 수효, 복잡함과 간단함, 조형, 비례 중 어느 것 하나 고정불변인 것이 없다. 한자의 거대한 생명력은 과학 발전, 사회생활의 변화에 대한 강력한 적응력에서 비롯된다. 최초의 채색 토기, 갑골의 각화, 청동기의 주조, 죽간과 목간에 쓴 글자부터 시작해 종이의 발명, 조판 인쇄술의 출현, 현대 인쇄술의 응용을 거쳐 오늘날 디지털 정보화 시대에 이르기까지 한자는 기술혁명이 일어날 때마다 뛰어난 적응력을 보여주었다. 또한 글자를 가지고 깊이 있는 문화적 색채와 독특한 심미관을 성공적으로 활용해냄과 동시에 순수한 의미의 예술의 길을 점차 발전시켰으며, 심지어 중국의 예술 범주 안에서도 독특한 위치를 차지하게 되었다. 앞에서 언급한 "글과 그림은 같은 뿌리에서 비롯되었다書畵同源."라는 표현의 글자 배열만 봐도 '글書'이 '그림畵'보다 앞에 오는 것을 알 수 있다.

1 사람 얼굴과 물고기가 그려진 채색 토기 세숫대야. 반포 유적지에서 출토된 희귀한 토기이다.

2 일월산도안日月山圖案. 다윈커우 문화大汶口文化, 기원전 약 4300년-기원전 약 2500년 유적지에서 출토된 토기에 새겨진 도안. 이 도안은 반포 유적지에서 발견된 토기에 새겨진 부호와 유사한 점이 매우 많다.

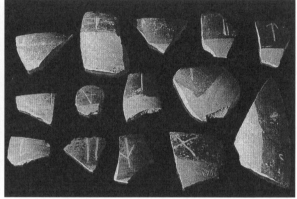

3 반포 유적지에서 출토된 부호가 새겨진 토기. 반포 유적지에서 출토된 토기에서 발견된 부호는 총 113개, 27종으로 분류된다.

 BC 5000   BC 4000   BC 3000

토기에 새겨진 부호

한자의 기원은 신석기시대까지 거슬러 올라가는데 수많은 유적에서 부호가 새겨진 토기가 대량으로 출토되었다. 8,000-9,000년 전에 존재했던 자후賈湖 문화에 등장한 부호가 대표적인 예다. 일반적으로는 중국 시안西安 반포半坡 유적지에서 출토된 토기 부호를 한자의 기원으로 보는데 이런 부호는 갑골문과도 유사성이 매우 커 보인다. 엄격한 의미에서 보면 이런 부호는 문자가 아니며 정확히 그 의미를 해독할 수도 없지만 한자의 초기 형태라는 점은 의심할 여지가 없다.그림 1~5

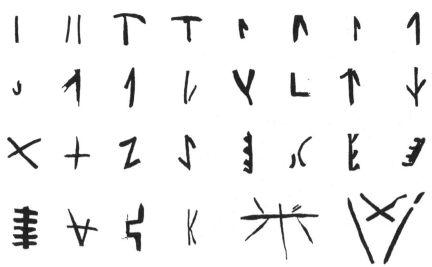

4 반포 유적지 토기에 새겨진 부호

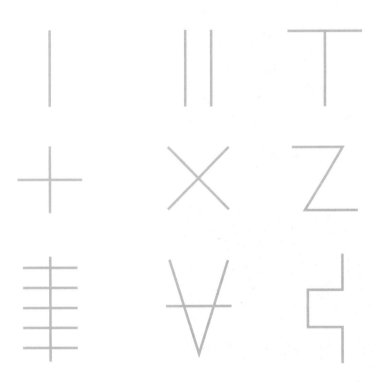

5 이 책에서는 'l'을 기본 단위로 놓고 중첩하는 방법으로
반포 유적지 토기에 새겨진 각각의 부호를 귀납적으로 처리했다.

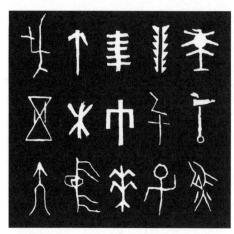

6 수직과 수평으로 골격을 이룬 토기 부호

7 평형, 대칭, 리듬감을 보여주는 조형

8 상형과 회의의 성질을 띤 부호

반포 유적지 토기에 새겨진 부호의 주요 특징

• 토기 부호를 분석한 결과에 따르면 토기와 옥기玉器에 부호를 새겨 넣을 때 비례를 계산하고 미관을 고려해 위치를 선정했다는 사실을 알 수 있다. 이는 그 선택과 평가에 많은 사유 과정을 거쳤음을 뜻한다.

• 부호 자체의 아름다움

①토기에 새겨진 부호를 종합적으로 추론해보면 수직과 수평이 비교적 질서정연하게 관계를 맺고 있으며 디자인 골격이 명확하다.그림 6

②평형, 대칭, 리듬감 등을 심미적으로 처리했다.그림 7

③이미 초기 상형과 회의의 성질이 보인다.그림 8

마자야오馬家窯 유적[26]의 토기 부호

마자야오 문화에서는 토기 하나에 부호가 하나만 새겨진 경우가 거의 대부분이다. 부호의 수가 많고 종류가 다양하며 형태도 비교적 복잡하다.그림 9

9 마자야오 유적의 토기 부호

10 고대의 전설 속 인물 창힐의 초상   11 갑골문의 '子'자   12 동물의 등 껍데기에 새긴 갑골문

BC 1600   BC 1300   BC 1100

기원전 약 1600-1100년 사이에 중국 최초로 체계적인 문자가 나타났다.

갑골문

한자의 기원과 관련해 중국에서는 고대부터 창힐조자설倉頡造字說이 전해 내려오고 있다. 관련 기록 중 유명한 몇 가지가 있는데 우선 한나라 초기 백과사전『회남자淮南子』제8편『본경本經』에 이런 내용이 있다.

"먼 옛날 창힐倉頡 그림 10이 문자를 만들자 하늘이 곡식을 비같이 내리고 귀신이 밤에 흐느꼈다." 한나라 때 허신의『설문해자·서』에도 이런 기록이 있다. "황제의 사관이었던 창힐이 새와 짐승의 발자취를 보고 이치를 분별해 서로가 다름을 알아차리고 처음으로 글자를 만들었다." 서예가 위항衛恒의 서예 이론서『사체서세四體書勢』에는 이렇게 적혀 있다. "저송沮誦과 처음 글자를 만들어 결승結繩27을 대신했으니 대개 새의 발자국을 보고 생각해낸 것이다." 한나라 때『위서緯書』28에도 창힐이 등장한다. 창힐이 "실제로 황제의 은덕을 입었고 태어날 때부터 글자를 썼다. 또한 하도河圖29의 녹색 글자를 받아들여 가난한 천지를 변하게 했다. 둥글고 구불구불한 별자리의 형세를 우러러 바라보며 거북이 등딱지 무늬, 새털 그리고 산천을 손에 굽어 관찰하고 손금 보듯 알아 문자를 만들었다. 하늘에서 곡식을 비처럼 내리고 귀신이 밤에 흐느껴 울었으며 용이 자취를 감추었다."

어쨌든 전설은 고증할 수 없지만, 이런 기록에 공통으로 나타나는

13 응위기雄偉期의 갑골문 형태는
반경盤庚[30]에서 무정武丁[31]까지 약 100년에
이르는 시기에 비롯되었다. 무정이 이룩한
태평성대의 영향을 받아 글자체가 장대하고
웅대하며 위세가 넘친다. 이때는 갑골문의
서풍書風이 최고조에 이른 시기이다.

14 왕의영. 어릴 적 이름은 정유正儒, 호는
염생廉生이며 산둥성山東省 푸산福山, 현재
옌타이시煙台市 푸산구福山區 구셴촌古現村 사람이다.

내용을 통해 몇 가지 사실을 파악할 수 있다. 첫째, 아주 먼 옛날부터 글자 창제는 조정에서 조직적으로 추진해 이루어졌다. 둘째, 최초의 한자 디자인은 대자연의 사물을 관찰하고 거기서 추출한 형상에서 비롯되었다. 셋째, 미개했던 시대의 인류에게 문자의 발명은 크나큰 사건이었다. 문자 설계 초기에 문자의 발명은 분명히 신비하고 신성한 일로 여겨졌을 것이다. 이는 무술巫術, 점복占卜과 밀접한 관계가 있었다. 귀신이 밤에 운 이유는 문자가 천기를 누설할 수 있으니 그렇게 되면 귀신의 신통력이 사라져 앞으로 더는 존재하지 못하게 되기 때문이었다.

진정한 의미에서 중국에 처음 글자가 출현한 시대는 상商나라 때이다. 출토된 문물 자료를 보면 상나라 때 갑골문, 토기 문자, 옥석 문자, 금문 등 몇 가지 형식의 문자가 존재했던 것으로 보인다. 많은 연구자는 이렇게 완결된 문자 체계가 갑자기 나타났을 리 없기 때문에 상당히 긴 변화와 발전 과정을 거쳤을 것이라고 본다. 심지어 우리에게는 알려지지 않은 글쓰기 저장 장치 즉 또 다른 글자가 존재했을 것이라 보고 있다.

위에서 언급한 몇 가지 종류의 문자는 모두 하나의 체계에 속하는데 글자를 쓰는 데 사용한 도구와 재료, 글자를 새기고 그리는 수법이 달라 글자 형태에도 차이가 나타났다. 예를 들어 금문이 모형 주조를 통해 선이 세밀하고 필획이 부드러우며 글자 형태가 균형을 이루는 구조라면

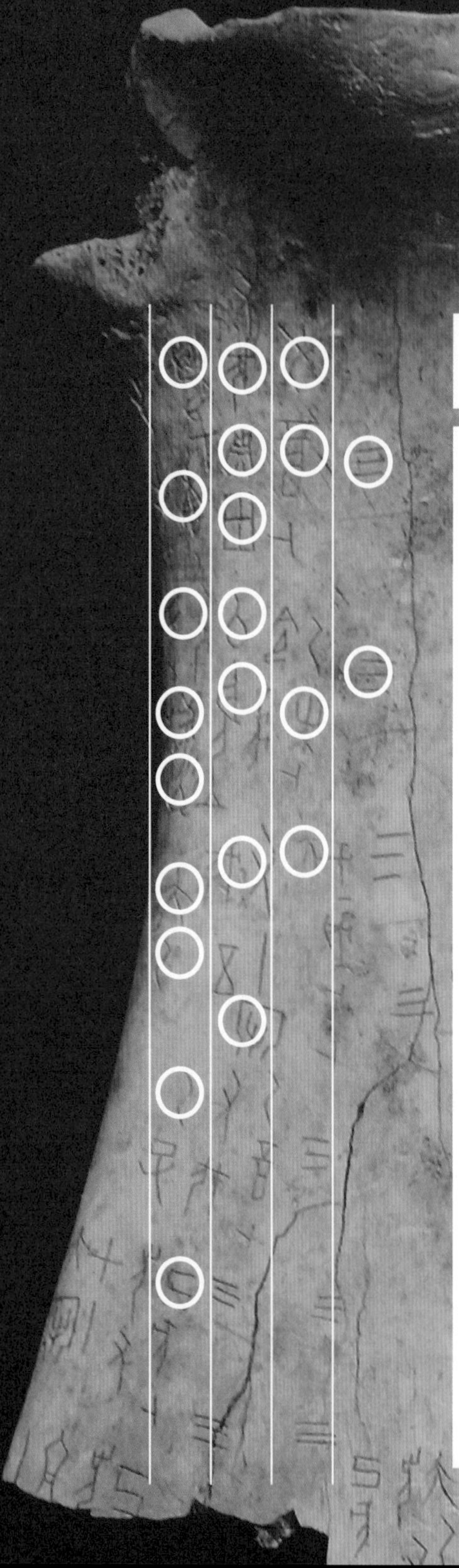

15 글자 배열이 거북이 뼈 방향을 따라 이어지며 수수하고 고풍스러우면서도 호쾌한 스타일을 보여준다.

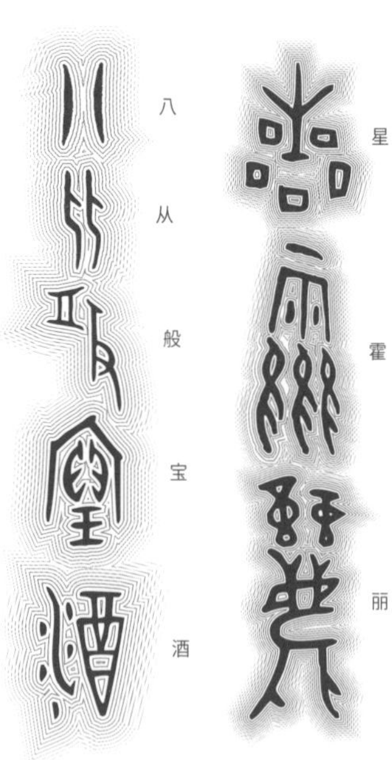

星 霍 丽

八 从 般 宝 酒

16 갑골문의 회의자는 뜻이 명확하다. 갑골문의 크기와 복잡, 단순 정도에 따라 글자의 부피감이 결정되었다.

17 갑골문의 '鼓북 고' 자는 당시 북의 구조 설계와 사용법을 묘사한 글자이다. 이 글자의 왼쪽은 북 형태, 옛날 왕후장상의 수레 위에 씌우던 수레 양산과 북 몸체, 북의 밑바닥 이렇게 세 부분으로 나누어 묘사했고 오른쪽은 북채를 손에 든 모습을 형상화했다. 이 사진은 누각 베이징고루北京鼓樓에 걸린 건고建鼓32 의 복제품으로 수천 년 전 갑골문그림 18에 묘사된 북과 일치한다.

갑골문은 거북이 등딱지나 동물 뼈에 칼로 새긴 탓에 필획이 상대적으로 거칠고 원이나 규칙적인 곡선이 많지 않다. 또 청동기에 새겨진 글자는 문자의 표준 정자체이며 갑골문은 이런 문자의 필기체라고 할 수 있다.그림 11

갑골문은 '계문契文' '갑골복사甲骨卜辭' '귀갑수골문龜甲獸骨文'이라고도 하는데 주로 중국 상나라 말기기원전 14-기원전 11세기에 왕실에서 길흉화복을 점치고 역사를 기록하기 위해 거북이 등딱지나 동물 뼈에 칼로 새긴 문자그림 12~13를 말한다. 주周나라가 멸망하고 상나라가 새로운 왕조를 세운 뒤에도 한동안 갑골문을 사용했다. 갑골문은 중국이 인식하고 있는 최초의 체계화된 문자 형식으로, 원시적으로 새기고 그린 부호 및 청동기에 새겨진 문자와도 밀접한 관계가 있으며 한자 발전의 관건이 된

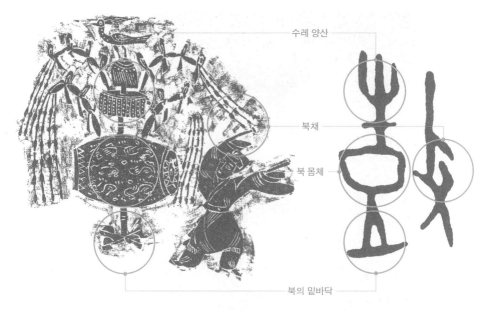

수레 양산

북채

북 몸체

북의 밑바닥

18 '皷' 자를 만든 원리로 북을 치는 고대인을 묘사한 한화상전漢畵像磚 33 도안이다. 갑골문은 상형의 원칙에 따라 만들어졌다.

문자 형태이다. 이 갑골문이 변화와 발전 과정을 거쳐 오늘날의 한자가 된 것이다.

갑골문은 우연한 기회에 극적으로 발견되었다. 청나라 때 국자감 제주國子監祭酒34 왕의영王懿榮 그림14이 우연한 기회에 용골龍骨이라는 한약 재에서 문자처럼 보이는 수많은 부호를 발견했다. 그는 비교 연구를 거듭해 이것이 완전한 체계를 갖춘 은殷나라와 상나라 때 문자임을 확신하게 되었다. 그 뒤 용골의 출토지인 허난성河南省 안양安陽 샤오툰촌小屯村을 조사하면서 비로소 세상에 갑골문이 알려졌다. 이렇게 중요한 역사 문화그림15~18가 수천 년 동안 아무런 기록도 없이 묻혀 있다가 우연한 기회에 발견되었으니 정말이지 안타까운 일이 아닐 수 없다.

19 금문의 字

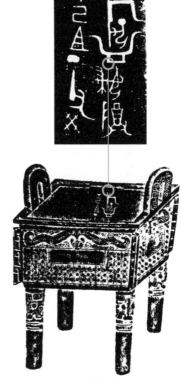

20 '山(뫼 산)' 자 형상을 한 청동기

21 제사도구 정에 새겨진 글자는
눈에 잘 띄면서 아름답다.

BC 1000　　BC 600　　BC 200

기원전 1300년경, 한자 예술의 첫 번째 전성기

금문

중국은 하夏나라 때 이미 청동기시대로 접어들어 구리 제련술과 구리 그릇 제조 기술이 매우 발달해 있었다. 청동이란 구리와 주석의 합금을 말한다. 주周나라 이전에는 구리도 금金이라 불렸고 예식이나 의식에 사용하던 청동 그릇은 길금吉金이라 불렀다. 그리고 그 위에 새겨진 글자를 길금문자吉金文字라 했으며 이를 줄여 금문金文이라고 했다.

청동기시대에 정鼎은 왕과 제후의 계급을 구분 짓는 중요한 제사 도구였고 악기 중에서는 종鍾이 가장 크고 웅대했다. 따라서 종정鍾鼎이 청동기시대의 대명사가 되었다. 수많은 음식 그릇과 술 그릇, 무기에도

22 갑골문에는 없던 '字' 자가 금문에서 나타나기 시작했다. 본래는 여자가 남자 집안의 호적에 이름을 올리고 자식을 낳아기른다는 의미였다. 금문은 새겨진 글자를 주조한 것이다. 공예와 기술의 발달로 금문에서 부드러운 곡선을 표현할 수 있게 되었지만, 주조 모형 위의 글자는 기본적으로 같은 너비의 선만 표현할 수 있었다.

글자가 새겨져 있지만, 계급적 지위로 보나 글자 수로 보나 종과 정이 대표적이다. 그래서 금문을 종정문鍾鼎文이라 부르기도 한다.

　　반포 유적지가 발견된 이후 갑골문과 금문은 한자의 기원을 이해하는 데 아주 중요한 뿌리가 되었다. 금문의 출현은 중국 한자 예술 발전의 첫 번째 전성기를 상징한다. 공예와 기술의 발달로 금문에서 부드러운 곡선 표현이 가능해졌고, 금문이 주조 모형 위에 제작한 글자였기 때문에 기본적으로는 모두 너비가 같은 선으로 이루어졌으며, 규칙적인 등거리 세로 배열 형식을 취했다. 상나라 후기와 주나라 초기에는 식기 도구와 무기 같은 청동기에 새긴 글자가 유행하다가 전국시대全國時代 말기에 이르러 청동기 사용이 점차 줄어들면서 금문도 쇠퇴의 길로 접어들었다.그림 19~24

　　금문 단계의 중국 문자는 엄격한 통일이 이루어지지 못했다. 같은 글자라 하더라도 기본 글자 구성 원리와 자소字素[35]의 기초에 근거한 수많은 필법이 존재했다. 이런 현상은 시간과 공간의 차이에 따라 다르게 전파되어 발생한 것이며, 땅을 나누어 통치하던 제후 분봉 제도諸侯分封制度와 지역별 인문 특색의 영향에 기인했다.

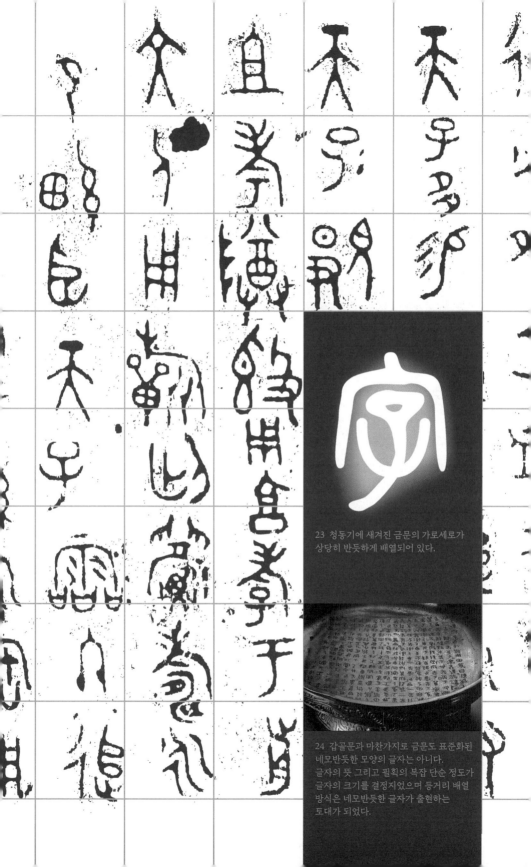

23 청동기에 새겨진 금문의 가로세로가 상당히 반듯하게 배열되어 있다.

24 갑골문과 마찬가지로 금문도 표준화된 네모반듯한 모양의 글자는 아니다. 글자의 뜻 그리고 필획의 복잡 단순 정도가 글자의 크기를 결정지었으며 등거리 배열 방식은 네모반듯한 글자가 출현하는 토대가 되었다.

25 청동기 탁본. 모든 청동기에 독특한 문자가 새겨져 있다.

26 제사도구 정에 새겨진 문자 탁본

27 상호식인유商虎食人卣. 유卣는 술 그릇의 한 종류로, 형태가 독특한 이 상호식인유에는 호랑이가 사람을 잡아먹는 모습이 묘사되어 있다. 이 청동기에서 금문의 龍용, 虎범 호, 人사람 인, 鹿사슴 록 같은 글자를 도형화한 디자인을 볼 수 있는데 입체적인 조형 요소가 모두 문자에서 비롯되었다고 할 수 있다. 사람의 손도 갑골문과 금문의 手손 수와 마찬가지로 손가락 세 개로 표현한 점이 재미있다.

글자 형태의 차이 외에도 글자 디자인에서 각기 다른 성격이 드러났는데 어떤 글자는 장식성이 훨씬 강한 반면, 또 어떤 글자는 사실성이 훨씬 강하다. 특히 종정이 아닌 음식 그릇, 술 그릇, 무기에 새겨진 장식 문자에서는 합체자合體字와 그림에 가까운 장식 문자가 자주 나타났다. 어쩌면 이것이 바로 이후에 다양한 형태 변화를 보인 길상 문자 디자인과의 연관성을 보여주는 부분일지도 모른다.그림 25~31

28 제사 도구 정 위에 새겨진 문자 탁본

29 부호반婦好盤. 은나라 유적지에서 출토된
청동기이다. 1976년 안양의 은나라 유적지
부호묘婦好墓에서 나왔다. 용을 형상화한 가운데
도안의 머리 부분 양쪽에 각각 '婦好부호'라는
글자가 새겨져 있는데 이는 분명히 '婦며느리 부'
자와 '好좋을 호' 자를 중첩해 만든 상징 마크일
것이다. '婦' 자와 '好' 자 안에 서로 얼굴을 맞댄
여자의 형상이 보인다. 또 '好' 자 안의 子아들 자와
'婦' 자 안의 帚비 추가 수직으로 조합되어 얼굴을
맞댄 두 여자의 정중앙에 배치되어 있다.

30 서주西周 선왕宣王 때의 송정. 송정명문頌鼎銘文은
서주 시대 책명 제도冊命制度36에 대한 가장 완벽한
기록 중 하나이다. 서주 시대 청동기에 새겨진 글
중 이렇게 완벽하게 책명 의식을 기록한 문체는
흔하지 않다. 따라서 송정은 당시 책명 제도를
연구하는 데 귀중한 자료이며 이 서체는 서주
말기의 금문 서체 중에서도 가장 대표적이다.

31 송정頌鼎37에 새겨진 문자 탁본

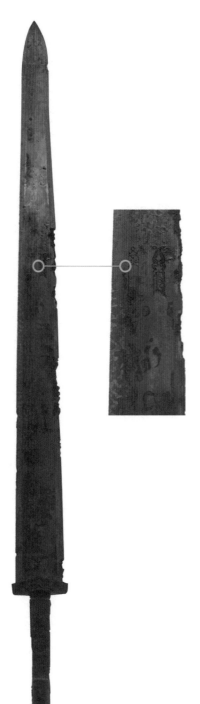

1984년 안후이성安徽省 난링현南陵縣의 문화재 담당자가 현 전체를 대상으로 문물 전면 조사를 하던 중 뤼산촌呂山村 인근의 진컹촌金坑村을 방문하게 되었다. 그때 이 마을의 한 주민이 12년 동안 소장하고 있던 삼단동검三段銅劍을 스스로 내주었다.

난링현으로 돌아온 문화재 담당자는 앞뒤 6단짜리 검의 잔해와 이 삼단동검을 맞춰보다가 깜짝 놀란다. 둘이 완벽하게 맞아떨어졌기 때문이다. 청동기 전문가가 복원하는 과정에서 여섯 조각으로 잘린 채 12년 동안 떨어져 있던 청동 검이 드디어 하나가 되어 본래 모습을 되찾게 되었다. 칼에 상감기법象嵌技法으로 양각陽刻하고 금박을 입혀 새긴 전서篆書38 열두 개도 완전한 모습을 드러냈다.

32 오왕광검. 춘추시대 말기의 청동기이다. 오나라 군주 광이 사용한 것으로 안후이성 난링현에서 출토되었다. 칼 길이는 총 77.3cm에 이르며 원기둥 모양의 손잡이에 볼록 튀어나온 고리 모양 테가 두 개 있다. 칼 몸체에는 칼등마루가 있다. 칼 몸체에 상감기법으로 양각한 전서가 두 줄 새겨져 있다. "왕인 나 광이 몸소 공격해 칼로써 변경을 수비하는 병졸들을 두려움에 떨게 하리라."

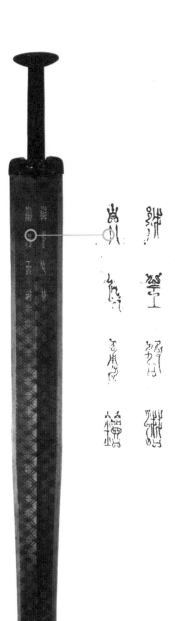

칼에 새겨진 글에 따르면 이 칼은 춘추시대春秋時代 말기 오吳나라 때 합려闔閭가 군주로 있던 시기에 만들었으며 합려의 이름이 광光이어서 오왕광검吳王光劍 그림32으로 불렸다. 오왕광검은 2,000년 동안 땅속에 묻혀 있었지만 지금도 섬광이 번쩍이고 칼날이 날카롭다.

　　무기에 새겨진 글자는 공간의 제약 특히 무기의 기능 때문에 그 수가 매우 적다. 아주 중요한 부위에만 글자가 새겨져 있는데 지역적인 시간의 격차, 심미관의 차이, 심지어 원시종교 무속 신앙의 차이로 수많은 글자가 필획 형태, 자소, 글자 구성 방식, 장식 언어 등에서 적지 않은 차이를 보인다. 그림33

33 『오월춘추吳越春秋』와 『월절서越絶書』의 기록에 따르면 월越나라 왕 구천勾踐이 칼 주조 장인 구야자歐冶子에게 검 다섯 자루를 만들게 했다고 한다. 각각 담로湛盧, 순균純鈞, 승사勝邪, 어장魚腸, 거궐巨闕이라 이름 붙였는데 모두 최고의 날카로움을 자랑하는 보기 드문 명검이었다. 구천의 이 보검은 후베이성湖北省, 즉 당시 초나라 영토에 속한 지역에서 출토되었는데 이 보검이 왜 초나라 영토로 흘러들어갔는지는 초나라가 결국 월나라를 멸망시켰다는 사실에서 어렵지 않게 이해할 수 있다. 이 칼에 새겨진 여덟 글자는 식별이 쉽지 않으나 최종적으로 '월나라 왕 구천越王勾踐39이 몸소 일어나 칼을 사용하다.'로 해독된다. 구불구불 휘감긴 필획에서 조충서鳥蟲書40의 느낌이 전해진다.

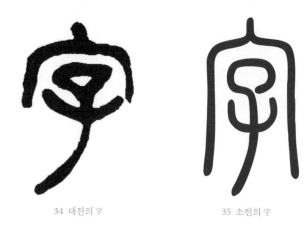

34 대전의 字   35 소전의 字

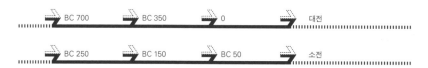

전서는 대전과 소전으로 나뉘며 기원전 약 700년경에 시작되었다.

전서

　전서篆書는 대전大篆 그림 34과 소전小篆 그림 35으로 나뉜다. 넓은 의미의 대전은 갑골문, 금문, 주문籀文, 육국문자六國文字 등을 통틀어 말하며 고대 상형문자의 특징이 뚜렷하게 드러나 있다. 좁은 의미의 대전은 서주西周 시기에 보편적으로 쓰던 글자체를 말한다. 대전은 진秦나라 때까지도 통용되었으며 소전의 전신이다.

　또 대전은 글자를 어디에 썼느냐에 따라 금문종정문과 주문으로 나뉜다. 주문은 춘추시대와 전국시대에 통용되었으며 그중에서도 현존하는 석고문石鼓文 그림 36이 대표적이다. '주문'이라는 명칭은 주나라 선왕 때 태사太史 주籀에게서 유래한 것이다. 태사 주는 기존 문자를 기초로 문자 개혁을 단행했다. 석고문은 북 모양의 돌인 석고에 새긴 글자로 크게 명성을 떨쳤는데, 돌에 새긴 문자로는 지금까지 전해 내려오는 것 중 가장 오래되었으며 '돌조각의 시조'로 불린다.

　진전秦篆이라고도 불리는 소전 역시 진나라 때 통용된 문자이다. 대전을 간략하게 만든 글자체로 균형 잡힌 깔끔한 형태와 더욱더 간결해진 필획이 특징이다. 글자 수가 많고 쓰기도 훨씬 쉽다. 소전은 문자의 정통에 가장 근접한 글자체 형식으로 이루어졌다. 한자의 발전 역사

36 석고문. 베이징 고궁박물원古宮博物院에 소장되어 있다. 석고는 당唐나라 초기에
천흥삼시원지금의 산시성陝西省 바오지시寶鷄市 펑샹판처우위안鳳翔三畤原에서 출토되었으며 나중에
펑상에 있던 공자묘로 옮겨졌다. 오대五代42 시기의 전란으로 석고가 민간 여기저기로
흩어졌고 송나라 때 몇 번의 우여곡절을 거친 끝에 겨우 다 모아 봉상학부鳳翔學府에 두었다.
송나라 휘종徽宗이 1108년에 이 석고문을 변경汴京43에 있던 국학國學으로 옮겨 부자夫子에
금을 박아 넣었다. 이후 송나라와 금金나라의 전쟁으로 석고는 다시 임안臨安, 현재의
항저우杭州으로 옮겨졌는데 금나라 병사가 변경에 왔다가 석고를 보고 기이한 물건이라 여겨
연경燕京, 지금의 베이징으로 옮겨갔다. 그 뒤에도 석고는 수백 년 동안 온갖 풍파를 겪게 된다.
중일전쟁이 일어나자 일본의 문화재 약탈을 막기 위해 당시 고궁박물원 원장 마형馬衡의
지휘 아래 석고를 양쯔강揚子江 이남 지역으로 옮겨놓았다. 이후 중일전쟁이 승리로 끝나자
다시 베이징으로 운반해왔으며 1956년 고궁박물원에 전시했다. 청나라 때인 1790년에
건륭제乾隆帝는 진품 석고를 보호하기 위해 열 개의 석고에 진품 석고의 글자를 그대로
본떠 새기게 했으며 이를 벽옹辟雍44에 보관해두었다. 이때 만든 모조 석고는 현재 베이징
국자감國子監에 있는데 그 형태와 글자가 새겨진 위치가 진품 석고와 큰 차이가 없다.

로 보면 대전과 예서隸書, 해서楷書 사이의 과도기 글자이다.

　　　진시황秦始皇은 중국을 통일한 뒤 문자를 통일했는데 정치가 이사李
斯의 『창힐편倉頡篇』, 중거부령 조고趙高의 『애력편愛歷篇』, 태사령 호무경胡
毋敬의 『박학편博學篇』이 바로 이 통일된 문자로 쓴 책이다. 소전의 개혁과
통일은 시대의 요구에 부응한 조치였으며 이는 중국 문자 역사에서 큰
의미가 있으면서 한자 발전의 이정표가 될 만한 획기적인 사건이었다.
한나라 때 이르자 소전은 좀 장중한 글자체로 변화했는데 『설문해자』에
9,430자가 수록되어 있다. 이후 삼국三國41 시대와 위진魏晉 시대에 가서야
전서가 더 이상 유행하지 않았다.

평평한 가로

위아래의 갈퀴 모양　　　곧게 뻗은 세로　　　좌우의 갈퀴 모양　　　안팎을 둘러싼 모양

37 전서 서법의 특징

전서 서법은 역사가 오래되었으며 가장 널리 전해진 서법 가운데 하나이다. 전서 서법의 독특한 매력은 다음과 같이 정리할 수 있다. 가로획이 평평하고 세로획이 곧게 떨어지며 상하좌우에 갈퀴 모양이 보인다. 선이 부드럽고 막힘이 없으며 굵기가 고르다. 대전과 초기 갑골문, 금문 사이에는 뚜렷한 계승 관계가 존재하는데 수많은 상형문자에서 이 특징을 확인할 수 있다.

　　진나라가 문자를 통일한 이후의 소전이사가 쓴 소전, 태산석각 그림 38에 이르러서는 문자가 정리되는 과정을 거치면서 형식상 통일을 이루었지만, 여전히 형태에 따라 뜻이 정해진 도형 문자의 흔적이 많이 남아 있었다. 전서의 필획, 특히 진나라 때 소전의 필획은 장식성이 아주 강하다. 또한 고른 두께의 선으로 표현한 필획이 오늘날 윗부분을 둥글게 처리한 직선체와 매우 비슷한데, 가장 유명한 것이 이사의 표준 글자체로 오늘날의 디자이너들도 참고할 만한 가치가 크다.

　　한자는 소전 단계에 이르러 점차 글자 형태윤곽, 필획, 구조가 완성되기 시작하면서 기본적으로 네모반듯한 글자 형태를 갖추게 되었다. 모양을 그대로 본뜬 상형의 의미가 약해지면서 한자는 더욱더 부호화되고 글자를 쓸 때와 읽을 때 겪는 혼란과 불편이 많이 사라졌다.

　　이런 글자체를 쓸 때는 붓 끝을 바로 세워 어느 한편으로 기울지 않게 해야 하며 붓털이 나아갈 때 흔들리거나 틀어져서는 안 된다. 이렇게 그은 선에서 비로소 원숙하고 매끄러우면서도 거침없으며, 정교하고 섬세하면서도 빈틈없고 단정한 느낌이 나온다. 글자체 디자인에서는 이를 너비가 같고 윗부분이 둥근 직선체라고 한다.그림 37

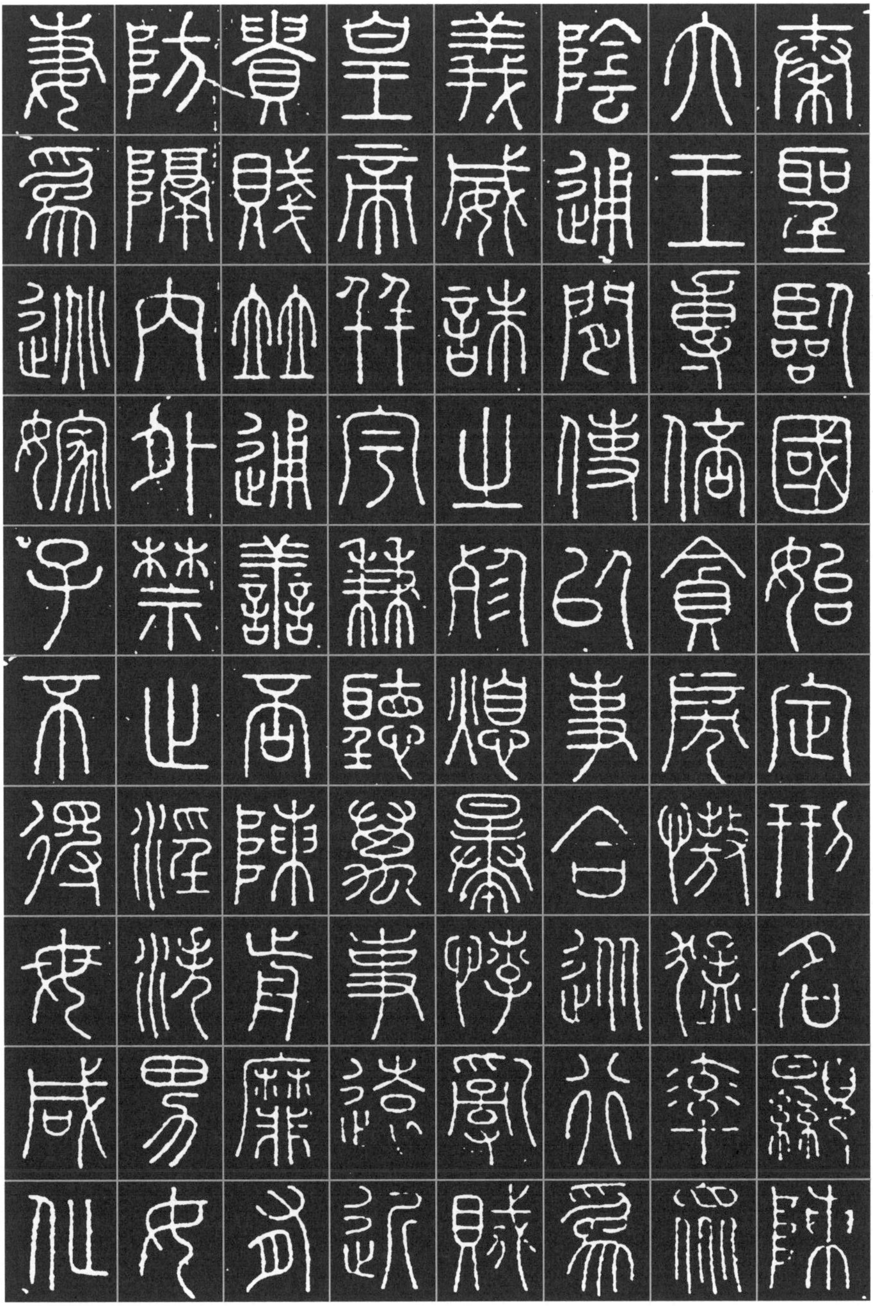

38 이사가 쓴 소전, 태산석각

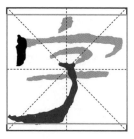

39

40 납작하고 네모난 모양과
잠두연미로 표현한 예서 필획

BC 500 ⟶ 0 ⟶ 500 ⟶ 1000 ⟶ 1500

예서

예서隷書는 예자隷字, 고서古書라고도 불린다. 더욱 간편하고 신속하게 글자를 쓰기 위해 전서를 기초로 발전시킨 글자체이다. 전해지는 바에 따르면 예서는 진나라 말기에 정막程邈이 감옥에서 정리하고 디자인한 글자체로 동한東漢 시대에 최전성기를 맞이했다. 서예계에서는 한나라에 예서가 있고 당나라에는 해서가 있다고 말하기도 한다.

예서와 소전을 비교해보면 다음과 같은 개혁과 변화의 부분이 보인다. 첫째, 예서는 소전의 복잡한 필획이 간소화되었다. 둘째, 둥근 글자 형태가 네모진 형태로 바뀌었다. 즉 장식성이 강한 소전의 매끄러운 선이 예서에서는 평평하고 곧으며 반듯한 필획으로 변화했다. 셋째, 연결된 획이 끊어진 획으로 바뀌어 필획이 선명해졌으며 쓰기가 더 간편해졌다. 넷째, 기필起筆, 돈필頓筆45, 획의 굵기 변화가 나타났고 잠두연미蠶頭燕尾46, 일파삼절一波三折47을 중시하게 되었다. 다섯째, 글자의 너비가 살짝 넓고 납작해졌으며, 가로획은 길어지고 세로획은 짧아지면서 직사각 모양이 되었다.

예서는 진예秦隷와 한예漢隷로 나뉘며 진예는 '고예古隷', 한예는 '금예今隷'라고 불리기도 한다. 예서의 등장으로 고대 문자와 서법에 일대 변혁이 일어났다.그림 39~43

예서는 장중하면서도 시원시원하며 빨리 쓸 수 있고 숙달되기 쉬운 글자이다. 필획은 힘차면서도 꾸밈이 없다. 글자 형태는 네모지면서도 납작하고 평평하다. 예서를 대표하는 필획 열 가지에는 평획平劃, 직획直劃, 절필折筆, 날필捺筆, 파획波劃, 전필轉筆, 약필掠筆, 측점側點, 도점挑點,

萬 遷 近
巳 禮 稱
上 購
君 丕 僚

41 조후소자잔석朝侯小子殘石.
예서로 쓴 글자가 깔끔하고
아름답게 배열되어 있으며
가로세로 모두 질서 정연하다.

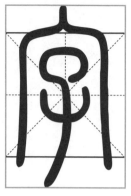

42 세로로 호리호리하게 긴
비율로 쓴 소전

43 조전비曹全碑의 비문. 조전비의 정식 명칭은
한합양령조전비漢郃陽令曹全碑로 한나라 때 비석이다. 한나라
때 예서로 쓴 글자가 꽤 많이 남아 있다. 이 비문을 통해
서한西漢 중엽 이후의 예서가 소전의 구조와 필획에서
완전히 벗어나 독자적인 형식을 갖추었음을 알 수 있다.
글자 형태는 사각형 또는 납작한 사각형이며 자연스럽게
가로 방향으로 뻗어나가는 가로획의 기세가 수직으로
뻗어나가는 소전과는 완전히 다르다.

탁필啄筆이 있다. 예서 서법의 특징은 절필장봉折筆藏峰[48], 잠두안미蠶頭雁尾[49], 안불쌍비雁不雙飛[50], 잠불이설蠶不二設[51], 중탁경청重濁輕淸[52], 참정절철斬釘截鐵[53], 그리고 모든 필획이 끝은 날카롭고 힘차지만 매끄러우면서도 건조하지 않은 것 등으로 요약할 수 있다. 글자를 쓰기 시작할 때는 누에머리처럼 쓰고 글자를 마무리할 때는 기러기 꼬리처럼 쓰기 때문에 거북이 모양이 된다.

　　예서의 특징은 획을 시작할 때 역방향으로 붓을 거슬러 올라간다는 것이다. 이후 해서에서 뚜렷이 나타나는, 획을 시작할 때 무겁게 눌러 느리게 쓰고 획 중간에서 붓끝을 가운데 오게 해 어느 한쪽으로도 치우침 없이 나아가다가 획이 끝나는 곳에서 오던 방향으로 돌아가 마무리 짓는 모습은 전혀 보이지 않는다. 글자를 쓸 때는 파획에 주의해 잠두연미의 자태를 드러내야 한다.

　　약필은 세로획의 시작점을 그을 때처럼 붓이 움직이는 와중에 왼쪽으로 갔다가 끝을 구부리는데, 일단 약필을 한 뒤 붓을 위로 들고 올라가지 않고 아래로 내려가 붓이 원래 내려오던 곳으로 가서 붓을 든다. 절필을 할 때는 사각형 안에 원을 그려야 하는데 모서리가 돌출되어서는 안 된다.그림 44~48

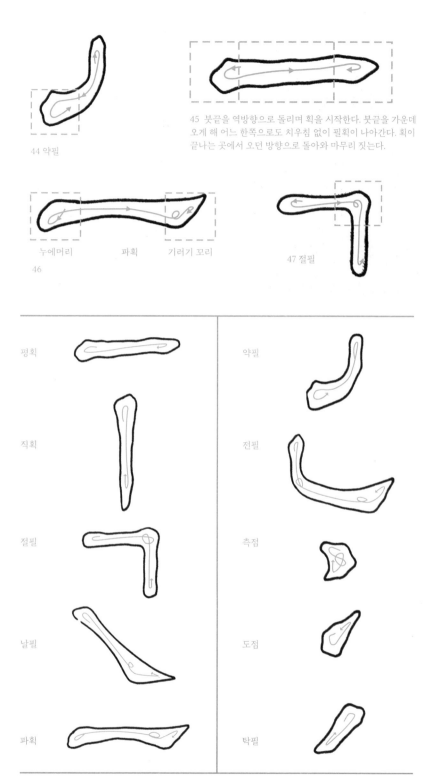

44 약필

45 붓끝을 역방향으로 돌리며 획을 시작한다. 붓끝을 가운데 오게 해 어느 한쪽으로도 치우침 없이 필획이 나아간다. 획이 끝나는 곳에서 오던 방향으로 돌아와 마무리 짓는다.

누에머리   파획   기러기 꼬리   47 절필

46

평획

직획

절필

날필

파획

약필

전필

측점

도점

탁필

48 예서 필획의 특징

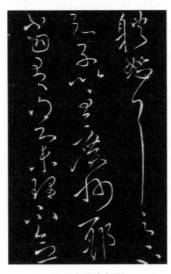

49 초서, 왕헌지王獻之   50 초서의 字

BC 200   0   200   400   600

초서

초서는 한자의 표준 글자체에서 발전한 필기체 형식의 손글씨체로 『설문해자』에는 "한나라가 흥함에 초서가 있었다漢興有草書."라고 나온다. 대전에서 소전을 거쳐 예서에 이르기까지 한자의 발전 과정은 쓰기 쉬운 단순화된 글자를 갈망하던 당시 사회상을 보여준다. 쓰기 편한 글자를 만들기 위해 수많은 글자체의 개혁이 이루어지면서 민중은 오랜 세월에 걸쳐 복잡다단한 글자의 간소화를 받아들였다. 특히 전서에서 예서로 바뀌는 전환기에 민간에서는 간소화된 글자를 흘려 쓰는 손글씨체가 유행했고 그렇게 쓰는 글자가 점점 늘어났으며 쓰는 법도 점차 하나로 통일되었다. 이런 흐름은 크고 작은 변화를 불러왔으며 결국 필획 구조가 표준화된 초서, 장초章草가 출현하게 되었다. 장초는 규정과 규범에 따른 관리 체계가 있는 초서였다.

2,000여 년에 이르는 세월 동안 초서는 끊임없이 다채로워졌고 변화를 거듭하면서 단계적으로 발전했다. 장초 이후에는 금초今草, 광초狂草, 행초行草로 이어지며 발전을 이루었다. 그런데 오늘날 보편적으로 널리 쓰이는 금초는 필획 구조가 계속 표준화되지 않았다. 당나라 때 금초

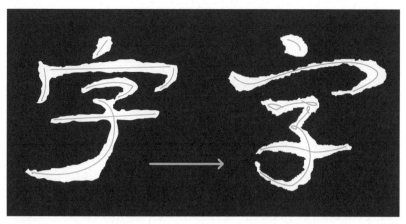

51

의 필획 구조가 더욱 혼란스러워졌는데, 주요 원인은 정보 전달 매개체로서 글자의 기능성은 떨어진 데 비해 예술적 성격의 비중이 늘어난 데 있었다. 몇몇 서예가들이 글자 형태에 구애받지 않고 멋대로 글자에 변화를 주던 것이 하나의 풍조가 되었고, 심지어 붓 가는 대로 거칠게 쓰고서 대충 칠하면 그게 초서라고 생각하는 사람이 많아졌다. 글자가 난해하기 짝이 없어 자기가 써놓고도 못 알아볼 정도였다.

이렇게 문자 식별에 구애받지 않고 예술성만을 중시하는 사고방식은 순수 예술 창작 분야에서도 논쟁이 되었고 당대 예술 디자인 분야에도 부정적 영향을 끼쳤다. 한자를 창의적으로 변형해 디자인할 때 초서에 대한 기본 이해가 없는 디자이너들이 문화 계승의 맥락을 고려하지 않고 자기 마음대로 흘림체나 변형체 한자를 디자인하다 보니 숱한 허점이 발생하게 된다. 이는 반드시 주의해야 할 부분이다.그림 49~50

장초: 한자 속기速記 필기체의 규범 디자인 체계

초서는 한자가 예서를 토대로 변화, 발전하는 과정에서 글자를 편하게 쓸 목적으로 생겨난 빠른 필기체로, 그 표준화되고 규범화된 자형은 근거를 찾아볼 수 있다.그림 51 한나라 때 초서의 자형 규범을 표준화했는데, 민간에서 한자를 간소화해서 쓴 필기체가 혼란을 불러오는 데 대응하기 위해 이를 '장초'라고 불렀다. 이름 그대로 초서가 처음 만들어지고 나서 규범화되는 과정에서 나타났고 문장에 관한 규범인 장법章

楷 → 草 楷 → 草
楷 → 草 楷 → 草
楷 → 草 楷 → 草

52 황상黃象이 쓴 『급취편』은 해서와 장초의 자형이 비교적 규범화된 본보기이다.

53 손과정의 『서보』

54 한도형의 『초결백운가』

法을 따르는 표준화된 초서이다.

이런 표준화된 초서 역시 점차 서법 예술의 형식으로 변화하면서 수많은 발전 단계를 거쳤는데 지금은 이를 모두 '장초'로 통칭한다. 여기에는 ① 진나라에서 한나라로 교체되던 시기에 전서의 필치를 풍기던 예초隸草 ② 동한 시대 소학[54]에 실린 『급취장急就章』규범화된 장초에 속했다. ③ 진서眞書, 해서의 다른 이름의 필치가 융합된 수隨나라 때의 『급취장』④ 송나라와 원나라 때 수많은 화가가 선보인, 행서行書와 해서의 필획 구조와 필치를 풍기는 장행章行 등이 포함된다.

동한 시대에는 서예가 사유史游의 『급취장』, 이사의 『창힐편』, 조고의 『애력편』, 호무경의 『박학편』, 문인 사마상여司馬相如의 『범장편凡將篇』을 소학 교재로 삼았다. 이 중 『급취장』은 장초의 표준 글자꼴을 공부하는 서법 교과서이자 표준화의 근거였다. '급취'는 빠르게 흘려쓴다는 뜻이며 『급취장』을 『급취편急就篇』이라고도 했다.그림 52

이후 한자 서법이 발전하는 과정에서 빠른 필기체는 언제나 일상적인 한자 응용에서 중요한 수단이었으며 초서, 행초, 행서, 행해 등의 서체에도 광범위하게 응용되었다. 한자 자체에 수많은 통가자通假字와 이체자異體字가 존재하며, 초서에도 빠르게 흘려 쓰기 위해 많은 대체 필획이 나타났다. 또한 한자는 『설문해자』 시기에 9,000여 개 글자에서 『강희자전康熙字典』 시기에는 4만 7,000여 개로 끊임없이 증가했다. 그러니 한나라 때 장초의 최초 규범 디자인이 등장하던 단계에서 이후 증가한 모든 표준 글자에 일일이 대응하는 장초가 나올 수가 없었다. 이는 결국 갑골문, 금문, 전서의 글자체 발전의 맥락이 끊기는 현상을 불러왔다.

역사적 시각에서 보면 전서는 한자의 표준 규범 자형이 분명하며 예서는 전서를 간소화한 필기체이다. 이 논리에 따르면 예서에서 진화한 해서와 초서

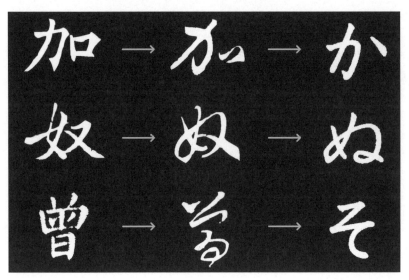

55 초서와 히라가나의 관계

모두 필기체를 본줄기로 하는 새로운 디자인이다. 본래는 전서가 계속 진화를 거듭해 새로운 표준 정자체가 되어야 했지만, 결국 진정한 정자체가 되어 1,000년 동안 굳건히 이어온 글자체는 해서이다. 전서는 숭고한 지위를 유지하면서 오직 옥새 전각과 비석 상단부인 비액碑額 등에만 사용되었으며, 초서는 한층 표준화된 디자인을 선보일 동력을 잃고 말았다.

    오늘날 초서 자형에 공식적인 규범이 존재하지 않게 된 주요 원인은 다음 세 가지이다. ① 한나라 때부터 근대에 이르기까지 한자의 글자 수가 거의 열 배 증가했는데 최초의 규범에는 언급되지 않은 자형이 많다. ② 진일보한 표준 규범 디자인이 부족한 탓에 역대 초서 서예가들은 많든 적든 모두 표준화되지 않은 초서 자형 구조 필기법 중에서 선택해 글자를 쓰거나 심지어 새로운 필기법을 만들어내기도 했다. 당나라 서예가 손과정孫過庭의 『서보書譜』, 한도형韓道亨의 『초결백운가草決百韻歌』가 이에 해당한다.그림 53~54 많은 사람이 초서에 행서를 섞어 썼고 음과 뜻은 같으나 모양이 다른 한자인 이체자를 골라 쓰는 사람도 있었다. 이런 서법가들이 책을 펴내면서 자신의 이론을 정립해 그 이론의 창시자가 되다 보니 서법을 공부하는 사람들이 표준 자형을 선택할 때 핵심을 짚지 못하게 되었다. ③ 인쇄술이 발달함에 따라 초서는 규범화된 해서처럼 실용적인 기술 영역에서 계속 발전하지 못한 채 점차 예술 표현의 방향으로 나아가게 되었고, 글자 식별과 필기 속도 등의 디자인적 사고를 무시하게 되었다.

따라서 초서와 같이 글자를 빨리 쓰기 위해 나온 특수 한자 체계가 역대 서법가들의 끊임없는 노력을 통해 얼마간 규범화되었음에도 한나라 이후에는 국가에서 통일된 디자인이 나오지 않았다. 중차대한 작업이 중단되었다고 할 수 있다.

반면 일본은 당나라 때의 공척보工尺譜55 등 주음부호 설계 원리와 초서의 자형 필기법을 받아들였다. 이를 바탕으로 만든 표음문자 가나를 지금까지 쓰는데 발음 표기와 필기 속도에서 큰 성과를 거두었다.

중화민국 시기 저명한 서법가 위유런于右任은 한때 초서의 규범화와 표준화 운동을 제창하며 1929년 역대 초서 연구에 착수해 1932년 초서 연구사를 결성한 한편 «초서 월간草書月刊»을 창간했다. 이 잡지는 서법 예술 측면에서 초서의 표준화를 논의한 것이기는 하지만, 사실상 빠른 한자 필기 규범을 논한 비교적 초기의 시도라 할 수 있다. 또 위유런이 강조한 규범화는 한나라 때 장초에 깃들어 있던 초서 본연의 정신, 즉 순수 예술 범주가 아닌 한자를 빨리 쓰는 것에 뿌리를 두고 있다. 나중에 완전히 순수 예술 영역으로 나아간 서법 영역에서는 글씨 쓰는 이의 개성을 제한하는 이런 규범과 표준을 받아들이지 않았다. 이런 규범과 표준이 초서 예술의 발전을 저해한다고 생각했기 때문인데 이는 초서 표준화 운동을 잘못 이해한 것이었다.

위유런은 초서의 예술성과 실용성을 결합해 민중에게 보급하려고 힘을 기울였으나 이를 제창한 사람과 사회가 여전히 디자인의 실용성 측면이 아니라 예술 창작 측면에서 이 문제를 논한 탓에 실패하고 말았다. 예술 창작의 관점에서 보면 필법, 문화적으로 내포된 내용, 예술적 소양이 초서를 평가하는 기준이 되고 이는 더 이상 단순한 의미의 글씨 쓰기가 아니다. 그래서 한나라 이후에도 공식적으로 인증된 표준 자형이 나오지 못한 것이다. 또 자형의 옳고 그름을 놓고도 각자 한 치의 양보를 하지 않다 보니 통일이 어려워졌다.

1950년대에 일어난 한자의 간소화 운동에서 장초의 자형은 한자의 간소화 디자인의 아주 중요한 근거가 되었다. 그러나 전체 디자인 맥락이 여전히 연결된 필획과 생략된 필획을 네모반듯하게 만들고 수직 수평으로 처리하는 데 맞춰져 있던 탓에 진정한 의미의 초서는 현대 생활에 응용, 발전하지 못했다. 또한 사람들이 장초를 식별하지 못하고 일상에서 필획을 함부로 연결해쓰는 등 각기 다른 방법으로 초서를 쓰는 일이 벌어지고 말았다. 사실 자형의 표준화는 하나의 역사적 과정으로, 서로 다른 시기에 자형을 확립한 사람의 세력과 역사적 한계가 내포되어 있기도 하다.

'爲할 위'를 예로 들어보자. '爲'의 자형은 코끼리와 관련이 있는데 허신은 이 글자와 코끼리의 관계를 알 수 없었을 것이다.[56] 한나라 때 중원 지역에는 이미 코끼리의 자취가 남아 있지 않았으니 말이다. 하지만 이 글자의 표준형은 국가에서 공식적으로 통일해 이렇게 정해졌다. 진시황 때부터 시작된 역대 왕조의 문자 표준화는 모두 국가 차원에서 이루어진 것이었다. 그러나 초서가 『급취장』 이후 순수 예술 방향으로 나아간 까닭에 장초가 국가에서 공식적으로 인정한 초서의 표준 글자체가 되었다. 이후 초서를 표준화하고 규범화하려는 공식적인 시도는 이루어지지 않았다.

한편 고대의 문헌 연구자들은 역사적 한계, 정보 전달 매개 수단과 문헌의 불완정성 탓에 문자 발전의 맥락을 깊이 있게 연구하기가 너무 어려운 실정이었다. 하지만 현재 특히나 갑골문, 금문의 발굴과 연구는 근대에 이루어진 것으로 옛사람들은 할 수 없었던 일이다. 우리는 도서관, 인터넷 등을 이용해 수많은 관련 문헌과 서첩을 구하고 이를 비교할 수 있다.

초서는 거의 2,000년의 세월을 거쳐 진화하고 발전해왔다. 만일 지금 중국 정부에서 그 표준 필기법을 규범화한다 해도 당나라 이전의 표준만을 근거로 삼아서는 안 된다. 허신이 갑골문만을 근거로 삼지 않았듯 오랜 세월에 걸쳐 일반화된 필획 역시 근거로 삼아야 할 것이다. 그 밖에 초서는 하나의 예술이며 이미 단순한 의미의 글씨체가 아닌 만큼 필획의 정확성에 대해서도 논쟁이 될 만한 부분이 있다. 엄격하게 표준화해야 한다고 보는 사람이 있는가 하면 초서는 예술이니 변형도 가능하다는 시각도 있다.

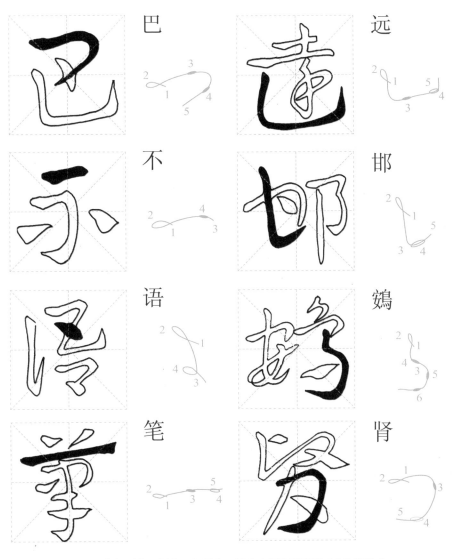

巴

不

语

笔

远

邺

鴳

肾

56 巴꼬리 파, 远멀 원, 不아닐 부, 邺땅 이름 갑, 语말씀 어, 鴳세가락 메추라기 안, 笔붓 필, 肾콩팥 신

한이 천 스타일 장초Hanyi Chen Style Zhangcao

한자는 기나긴 역사 속에서 언어 부호라는 단일한 역할 이외의 방향으로도 발전해왔다. 한자의 자형 진화 과정도 하나의 독립적인 구성으로 이루어져 있지 않다. 적어도 정正, 초草, 음音, 식飾 네 개의 선이 나란히 함께 간다.[57] 이를 토대로 생각하면 단순히 서법의 측면이 아닌 글자를 빨리 쓰는 도구로서 초서를 이해하게 된다. 이와 함께 해서와는 자형이 다른 한자를 공부하는 의미를 깨닫게 되며 더 나아가 이런 글자체를 디자인적으로 개척해낸 의미를 이해하게 된다. 한나라 때 초서 자형을 규범화하기 위해 장초를 만들었다면 우리에게는 전통문화가 부흥하는 오늘날 이 의미 있는 디자인 작업을 완성하고 디자인 언어로 현대판『급취장』을 써 내려가야 할 책임이 있다.

한이 천 스타일 장초는 전 세계에서 최초로 현대적 스타일의 디자인을 가미한 장초 디자인 폰트이다. 장초 디자인체를 보급해 대중이 초서의 기본 필획과 글자 구성 원리를 이해하게 하고, 초서 자형 규범의 표준화 문제와 서법 예술 창작 이외에 한자를 빠르게 흘려 쓰는 차원의 문제에 관심을 갖게 하는 것은 새로운 정보화 시대에 인터넷과 멀티미디어 환경에서 초서라는 중국 전통문화를 빠르게 전파하는 데 진취적이고 중요한 의미가 있다.

이 폰트는 주로 삼국시대 서예가 황상皇象의『급취장』을 자형 디자인의 토대로 삼아 만든 것이다. 또한『급취장』전문에 나오는 1,394개 이외의 글자는 역대 장초 연구 문헌의 비교 분석을 통해 얻은 비교적 정확한 자형을 여러 차례 손으로 써보고 컴퓨터 프로그램으로 다듬어 최종적으로 얻은 자형을 썼다.그림 57~58 글자 구성 원리는 전통 장초 자형의 특징과 배열 방식을 따랐으며 장초의 법도法度 정신을 강조했다. 동시에 이 글자체는 전통 한자 예술 표현에 현대의 디자인 언어를 부여해 기하학의 미와 등선等線 스타일을 갖추게 되었으며 오래된 초서에 현대의 젊은 활력과 시대적 숨결을 불어넣었다. 이 폰트 디자인의 핵심은 다음 세 가지이다.

첫째, 표준 자형의 확립이다. 한이 천 스타일 장초는 주로 삼국시대 황상의『급취장』을 자형 디자인의 토대로 삼았다.『급취장』전문에 쓰인 1,394개 이외의 글자는 역대 장초 연구 문헌을 비교, 대조해서 얻은 비교적 정확한 자형을 사용했다. 초서가 2,000년에 걸쳐 진화하고 발전해온 까닭에 초서의 표준 서법을 규범화하려면 당나라 이전의 초서

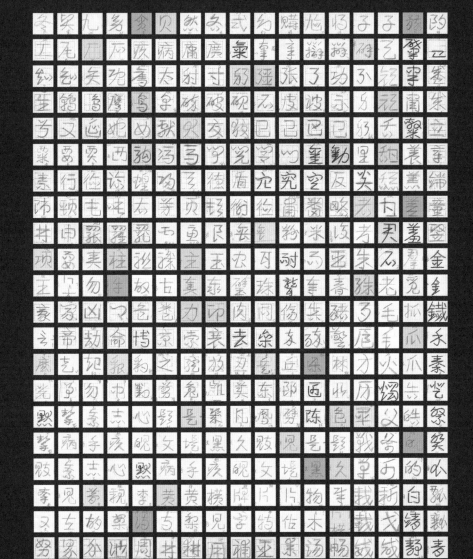

58 한이 천 스타일 장초가 확립한 표준 자형

글꼴만을 기준으로 삼아서는 안 된다. 허신이 갑골문에만 의존하지 않 았듯 오랜 세월을 거치며 일반화된 필획도 고려해야 한다.

둘째, 글자 구성 원리이다. 전통적인 장초 자형의 특징과 배열 방 식을 토대로 현대의 시대정신을 결합하는 한편 기하학적 직선을 사용해 고대 서법 예술을 표현하고 장초의 법도 정신을 강조한다. 장초는 규범 화되기 이전 초기의 초서와 예서가 융합된 결과물이어서 글자 형태에서 파동과 치켜 올라감이 뚜렷하고 필획 연결 부분이 파도 형태를 띠며 글 자 하나하나가 독립되어 있다. 또한 글자 형태가 여전히 납작한 사각형 에 가로획이 두드러지는 느낌을 주며 이후의 금초, 광초의 자형과는 크 기가 다르고 레이아웃 배열도 다르다. 장초가 줄곧 이후의 금초, 광초와 다르게 인식된 중요한 점 중 하나가 글자 하나하나가 독립적이라는 것 이다. 사실『급취장』의 글자가 하나하나 독립되어 있는 이유가 이 글자 가 초서로 쓴 표준화된 홑글자이지 하나의 문장을 이루는 글자가 아니 기 때문이다.그림 59

셋째, 디자인 스타일이다. 이 글자체 역시 전통 한자 예술 표현에 현대의 디자인 언어를 부여해 기하학의 미, 등선 스타일을 갖추게 함으 로써 오래된 초서에 현대의 젊은 활력과 시대적 숨결을 불어넣었다.

59 한이 천 스타일 장초의 글자 구성 원리

酒香国
国多犯
香犯犯
国犯犯

物

瘦十斤   睡的香   去油腻   有对象   涨工资

瘦 睡 去 多 涨
十 犯 油 羔 工
犯 犯 香 犯 资

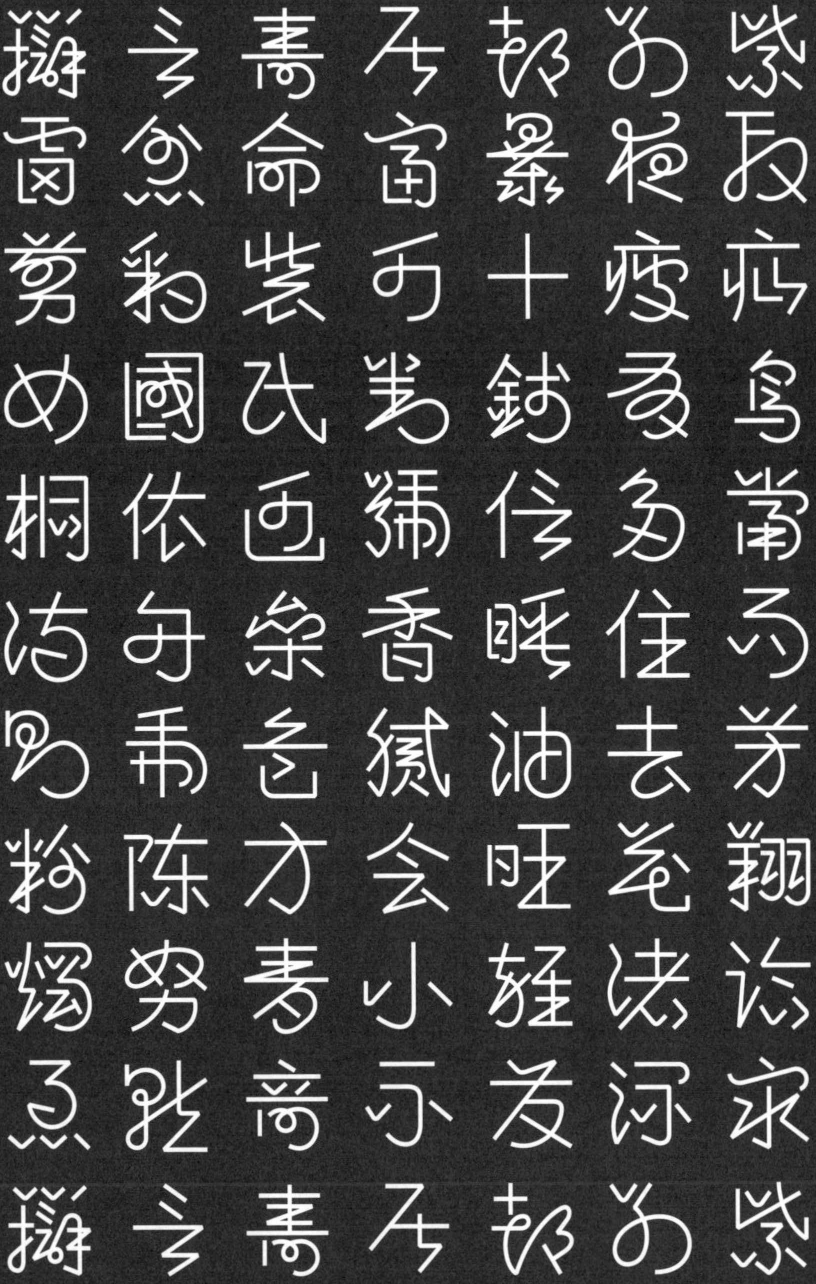

61 한이 천 스타일 장초

금초

금초는 독초獨草라고도 하는데 동한 시대에 장초가 민간에서 널리 사용될 때 함께 나타났으며 동진東晉 시대에 점차 독립되어 새로운 단계로 성숙, 발전했다. 금초는 복잡다단한 글자가 간소화되고, 천천히 쓰는 글자에서 빨리 쓰는 글자로 변화한 장초의 변혁을 이어갔다.

장초는 전서와 예서의 특징을 아우르며 간소화되었고, 필획과 필획이 연결되었지만 여전히 수많은 필획이 가지런한 형태라 쓰는 속도가 제한적이었다. 예를 들면 갈고리, 삐침, 파임, 횡절만橫折彎58 등이 그러한데 금초는 이런 필획을 둥글게 돌리는 형태로 대체함과 동시에 기본적으로는 예서의 파波, 삐침와 책磔, 파임을 없애버렸다. 필획을 연결할 때는 여백으로 더 함축적인 의미를 담아내거나 거미줄처럼 엉켜 드는 필법을 구사했다.

금초는 가로획과 세로획이 평행을 이루는 등거리 바둑판형 규격 글자체에서 벗어나 자유분방하면서 제약을 뛰어넘는 새로운 격식과 규칙을 선보였다. 글자 크기가 저마다 다 다르고 리듬감이 강해 예술성이 한층 높아짐으로써 보는 이의 오감을 자극해 즐거움을 선사한다. 진晉나라 때 서예가 왕희지王羲之의 「초월初月」 「득시得示」 등이 이런 금초를 보여주는 대표작이다. 그림 62~63

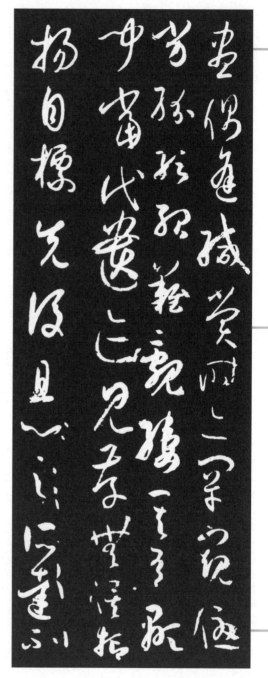

62 금초는 구도상 가로획과 세로획의 평행에서 벗어났으며 홑글자가 길이가 같은 사각형 안에 한정되지 않았다.

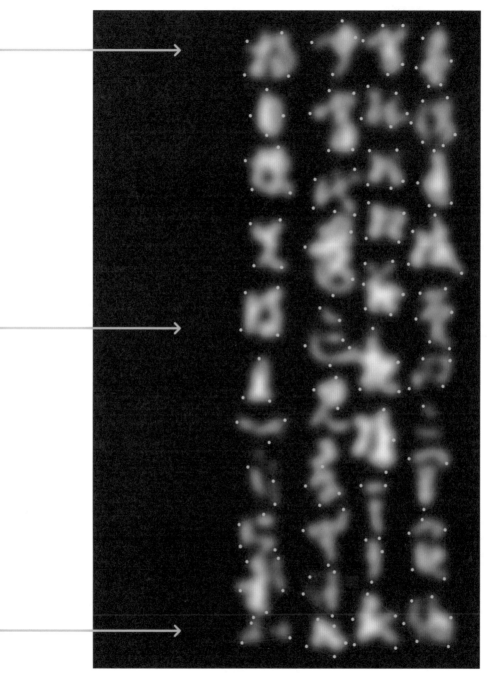

64 서예가 안진경顏眞卿의
「제질첩祭侄帖」에 나온 '字' 자의 필법

65 간결한 구조와 흑과 백의
배치를 중시하는 스타일이라
어떤 글자를 쓴 것인지는
이미 중요하지 않게 되었다.

광초와 행초

금초가 한층 더 발전한 것이 광초이다. 광초는 고도로 단순화되어 네모반듯한 글자 모양에서 완전히 벗어났으며 당나라 때 성숙기에 접어들었다. 광초의 대표 인물로는 당나라 때 서예가 장욱張旭과 승려이자 서예가인 회소懷素가 있다. 광초는 강렬하고 시원시원한 예술적 기풍으로 여러 초서 가운데에서도 독보적 위치를 차지하며, 감정을 고스란히 드러내면서 아름다운 예술적 정취를 표현하기 좋은 초서의 한 단계이다.

광초는 금초와 여러 부분에서 차이점이 많다. 첫째, 광초는 필획이 간소화되다 못해 하나의 획이 글자의 처음과 끝을 관통한다. 이치상 단조롭고 공허해 보여야 하지만, 글자 방향이 바뀌는 변환점에서 크기와 높낮이가 들쭉날쭉해 독특한 시각 효과를 준다. 이 점들이 무수한 별처럼 시각적 초점이 되어 글자의 행간 속에서 반짝이면서 글자 구성 전반을 장악하고 통제한다. 이는 광초에 고도의 예술성을 부여하며, 광초가 하늘을 날고 땅을 자유로이 노니는 듯한 움직임을 주어 자연스럽게 글 전체와 혼연일체가 될 수 있게 한다.

둘째, 광초를 쓸 때는 처음부터 끝까지 전 과정을 단 한 번의 기氣로 관통하는 정신적인 면을 중시하는데, 쓰는 이의 정서 변화와 글자의 전체 구도에 따라 글자가 행간에서 오목한 부분과 볼록한 부분이 서로 맞물리며 호응을 이루도록 한다. 글자마다 크기에 현격한 차이가 있을 수 있고 형태도 사각형과 원형, 비스듬한 형태에서 똑바른 형태까지 다 다르며, '위 글자의 끝을 빌려 아래 글자의 시작으로 삼는' 필획 구조 방법도 쓸 수 있다.

그러나 광초를 배울 때 무조건 기이하게 붓을 휘두르고 덧칠하면서 멋대로 해서는 안 된다. 광초에 담긴 과학적인 규칙을 탐구하고 필획 구조의 규칙과 붓 놀리는 방법을 제대로 파악해야만 한다. 특히 장초로부터 형성된 글자 형태의 간소화 규칙을 존중하고 계승하며, 함부로 변형하거나 무조건 손 가는 대로 휘갈겨 쓰는 방식은 지양해야 한다.

행초는 해서진서의 필획 구조를 바탕으로 금초의 필획 구조와 붓 놀리는 법을 흡수해 파생된 서체이다. 행서와 초서의 중간 단계라고 할 수 있다. 이렇게 중간 단계에 있는 서체의 명칭은 그 둘의 이름을 합해서 표기한다. 이를테면 해서와 행서의 중간 단계인 행해行楷가 그렇다.

행초의 특징은 다음과 같다. 첫째, 해서를 기본 구조로 금초의 붓 놀리는 법을 받아들였다. 둘째, 금초를 기본 구조로 해서의 붓 놀리는 법과 필획 구조를 받아들였다. 셋째, 후대 사람들이 행해와 고초稿草를 합쳐 '행초'라고 통칭했는데 이는 시의적절하게 변화하면서 규범이 사라졌다는 것이 이 둘의 공통점이기 때문이었다.그림 64~66

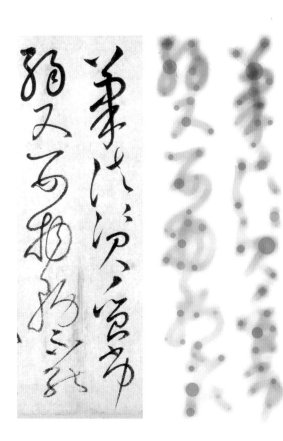

66 회소의 「자서첩自敍帖」일부

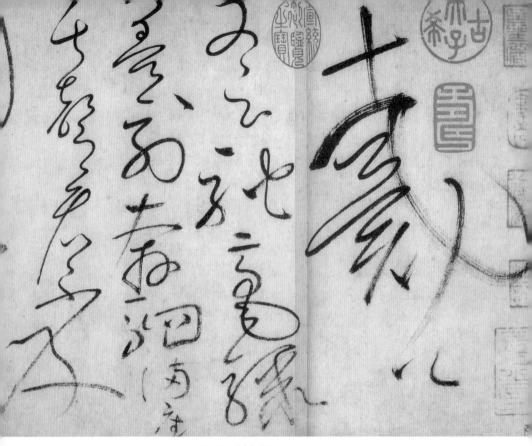

67 회소의 「자서첩」

초서 서법

　앞서 정보 전달에 의미를 두는 문자 발전의 한 단계로 초서를 소개하면서 간결한 필획과 글자를 쓰는 속도감을 그 발전적 특징으로 설명했다. 초서는 속도감 있는 글쓰기를 가르치는 교과서에 처음 등장했으며 실용성을 매우 강조했는데 장초가 가장 대표적이다. 그러나 금초 이후 빠른 속도감이라는 기능성을 만족시키면서 동시에 예술성을 갖춘 서체로서 초서는 순수 예술 창작 영역에서 놀라운 빛을 발하며 회화를 뛰어넘기에 이른다. 이후 '글과 그림은 같은 뿌리에서 비롯되었다書畵同源.' '글과 그림은 나뉘지 않는다書畵不分家.' '서화가書畵家' 등의 문구에서와 같이 항상 '글書'이 '그림畵' 앞에 오게 되었다.

　서예에서 가장 중요한 예술 언어 중 하나가 바로 이미지이다. 왕희지는 거위가 움직이는 모습과 정지해 있는 모습을 자세히 살폈고, 장욱은 당나라 때 칼춤으로 이름 높았던 공손대랑公孫大娘의 춤사위를 유심히 관찰했으며 회소는 강물 소리를 듣고 변화하는 구름을 바라보았다고 한다. 서예와는 아무 상관없어 보이는 이런 행동이 실은 모두 이미지에 깃들어 있는 도道를 탐색하려는 것이었다.

이들은 의식적으로 옛사람들이 처음 한자를 디자인한 방법, 즉 창힐이 글자를 만든 방법을 찾아보았다. 한나라 때 문헌『춘추원명포春秋元命苞』에 이런 내용이 담겨 있다. "그리해 가난한 천지를 변하게 했다. 둥글고 구불구불한 별자리의 형세를 우러러 바라보며 거북이 등딱지 무늬, 새털 그리고 산천을 손에 굽어 관찰하고, 손금 보듯 알아 문자를 만들었다." 또한 예술가로서 이들은 한자 속에서 우주를 관통하는 아름다움을 찾아내고자 했다. "서예의 오묘함은 가깝게는 자기 몸에서 취한다는 데 있다."라고 한 손과정의 말이 이 점을 제대로 설명해준다. 이는 선종禪宗에서 주장하는 것과도 일맥상통한다. 세상을 관통하는 도리는 일상생활 속에 깃들어 있어 그 도가 닿지 않는 곳이 없으며 곳곳에서 찾아낼 수 있다는 것이다.

이런 창작의 사유 속에서 한자는 의미를 표시하는 단순한 부호라는 좁은 속성에서 벗어나 훨씬 더 생동감 있는 예술적 생명력을 얻게 되었다. 당나라 때 이르러 금초는 더욱 자유로워졌고 붓이 끊임없이 이어지며 둘러치는 기세를 보여주었으며, 기이한 글자 형태로 무수한 변화를 이어갔다. 이를 바로 '광초' 또는 '대초大草'라고 한다. 이를 대표하는 서예가 장욱과 회소그림 67는 글자를 쓸 때의 속도감을 중시하는 초서의 실용성에서 완전히 벗어나 순수 예술 창작에 몰두했다. 게다가 초서 이후에는 장초 때 그랬던 것처럼 국가적으로 한자 쓰기의 속도감을 중시해 엄격하게 규정하고 교육을 확대하지 않았기 때문에 초서는 서서히 예술 작품으로 변해갔다. 근대에 와서 행서와 초서를 본받아 나타난 경필硬筆 서예59의 속도감 있는 글자 쓰기는 어느 정도 이런 실용성을 유지하고 있다.

68 안진경의 서법 69 70 해서의 字

BC 200　0　200　400　600

해서

해서의 기원

해서는 정해正楷, 진서眞書, 정서正書라고도 불린다. 예서가 점차 변화해 생겨난 것으로 예서보다 훨씬 간소화되었으며 글자 형태는 옆으로 납작한 사각형에서 정사각형으로 변화했다. 한나라 예서의 특징인 파세波勢[60]가 필획에서 생략되었고 가로는 평평하며 세로는 곧게 서 있다. 1937년 편찬된 사전인 『사해辭海』에서는 해서를 "형체가 반듯하고 필획이 평평하고 똑바르니 본보기가 될 만하다."라고 설명하는데 이 때문에 본보기가 되는 글자라는 뜻으로 해서라는 이름이 붙었다.

해서는 한나라 말기에 나타나 오늘날까지 쓰일 정도로 생명력이 강하다. 해서의 탄생은 한나라 예서의 규격, 법도와 밀접한 관련이 있으며 해서는 더욱 진일보한 형태미를 추구했다. 한나라 말엽 그리고 위나라와 촉나라, 오나라가 각축을 벌인 삼국시대에 이르면 한자의 파波와 책磔이 점차 삐침撇과 파임捺으로 변화하며 '점側' '긴 삐침掠' '짧은 삐침啄' '세로 갈고리趯' 등이 나타나면서 구조적으로 훨씬 더 질서정연해진다. 「무위의간武威醫簡」[61]과 「거연한간居延漢簡」[62]에서 이를 엿볼 수 있다.그림 68~72

字之東

官給靈轝遞還東
京所緣葬事量事
官供明年青龍庚
于朝　　　庚

71 해서는 서법의 본보기로 불리는데 다른 서법과 비교하면 형태가 규칙적이고 정돈되었으며 짜임새가 있다. 네모반듯한 글자이지만 무조건 네모난 틀만 고수하지 않고 필획의 리듬 변화로 공간의 기氣를 만들어내 균형미를 보여준다.

72 안진경이 쓴 「당고공부상서증태자태사곽공 묘지명병서唐故工部尚書贈太子太師郭公 墓志銘竝序」 단정하면서도 반듯한 해서가 가로세로 균등하게 분포되어 있다.

73 서예가 안진경. 해서로 가장 유명하다. 안진경 서체에서 보이는 독체자獨體字[63]는 크기도 하고 작기도 하며 길기도 하고 납작하기도 하는 등 형태가 변화무쌍하다. 필획이 적은 독체자는 상대적으로 붓놀림이 투박하다.

74 해서를 쓸 때 붓 쥐는 법

BC 200   0   200   400   600

해서 서법

해서는 당나라에 들어와 당시의 강성한 국력처럼 전에 없던 전성기를 맞이했다. 글자체가 성숙했으며 유명 서예가가 숱하게 배출되었는데 당나라 초엽의 우세남虞世南, 저수량褚遂良, 중엽의 안진경그림 73, 말엽의 유공권柳公權 등이 그들이다. 후세에 전해진 이들의 작품은 글자를 배우는 사람에게는 최고의 보물이 되었다. 옛사람들은 서법을 배우려면 반드시 해서를 먼저 배워야 하고 게다가 큰 글자를 연습하려면 안진경의 서체를 본보기로 삼아 공부해야 한다고 생각했다. 중간 크기의 해서를 공부할 때는 구양순歐陽詢이나 우세남, 저수량의 해서를 모범으로 삼았고, 중간 크기의 해서에 익숙해지면 왕희지와 종요鐘繇를 본보기로 해 작은 크기의 해서를 연습했다.

하지만 최근에 서법을 배울 때 너무 큰 글자부터 시작하는 것보다는 중간 크기의 해서부터 시작하는 것이 더 적합하다는 연구 결과가 나왔다. 작은 글자를 쓸 때와 큰 글자를 쓸 때 원칙이 서로 다른데, 큰 글자를 쓸 때는 작은 글자를 쓸 때의 정밀함이 있어야 하고 작은 글자를 쓸 때는 큰 글자를 쓸 때와 같은 여유를 가져야 한다. "큰 글자는 빈틈없이 정밀하기 어려우며 작은 글자는 여유롭기 어렵다."라는 송나라 시인 소동파蘇東坡의 말이 바로 이 핵심을 찌른다. 이런 관점은 드넓은 공간에서 멋대로 붓을 놀려 어지럽게 흩어진 글자를 써서는 안 된다는 교훈을 일깨워준다. 이와는 정반대로 작은 글자를 쓸 때는 공간이 너무 작은 탓에 그 안에 글자를 다 쓰지 못할까 봐 크기를 과하게 줄이다가 결국은 글자가 몸을 잔뜩 움츠린 꼴이 되고 만다. 이 모두가 글자를 쓸 때 나타나는 자연스러운 현상으로 쉽게 저지르는 실수이다.그림 74

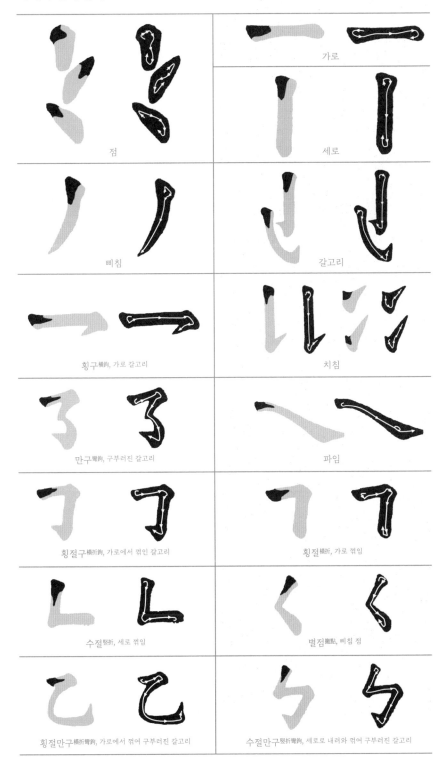

점

가로

세로

삐침

갈고리

횡구橫鉤, 가로 갈고리

치침

만구彎鉤, 구부러진 갈고리

파임

횡절구橫折鉤, 가로에서 꺾인 갈고리

횡절橫折, 가로 꺾임

수절豎折, 세로 꺾임

별점撇點, 삐침 점

횡절만구橫折彎鉤, 가로에서 꺾여 구부러진 갈고리

수절만구豎折彎鉤, 세로로 내려와 꺾여 구부러진 갈고리

76 우세남의 서체. 우세남은 당나라 초기의 서예가이자 문학가로 능연각이십사공신凌煙閣二十四功臣 중 한 사람이며 지금의 저장성浙江省 일대에 속하는 월주越州 여요餘姚 사람이다. 벼슬은 비서감秘書監까지 지냈으며 영흥현자永興縣子에 봉해져 우영흥虞永興으로 불리기도 했다. 81세로 세상을 떠났으며 예부상서禮部尚書로 추증되었다. 비석에 새긴 「공자묘당비孔子廟堂碑」와 「파사론破邪論」, 옛 모사본을 묵으로 쓴 「여남공주묘지명汝南公主墓誌銘」 등의 작품이 전해진다. 서법 이론을 다룬 저작으로 『필수론筆髓論』과 『서지술書旨述』 등이 있다. 편저로는 『북당서초北堂書鈔』 160권, 『군서리요群書理要』 50권, 『토원집兎園集』 10권 등이 있으며 이 외에도 시문집 10권이 『우비감집虞秘監集』 4권에 수록되어 전해진다.

77 구양순의 서체. 구양순은 해서 사대가 중 한 사람으로 해서로 쓴 대표작으로 「구성궁예천명九成宮醴泉銘」「황포탄비皇甫誕碑」 「화도사비化度寺碑」 「난정기蘭亭記」가 있고 행서로 쓴 대표작에는 「행서천자문行書千字文」이 있다. 자신만의 독특한 서법 철학을 팔결八訣로 정리했다. 가장 큰 성취를 이룬 서체는 해서이며 거칠면서도 힘이 넘치는 필치에 독특한 구조를 선보였는데 후대 사람들이 이를 구체歐體라 불렀다. 그의 서체는 한나라 예서에서 뿌리를 두고 있으며 필치가 험하면서도 힘이 있고 서예의 법도를 신중하고 엄격하게 따랐다. 가지런한 반듯함 속에 험준함이 깃들어 있고 단정함 속에 자유로운 흩날림이 느껴지며 교차하는 필획이 적절하게 안배되어 있다.

78 저수량의 서체. 저수량은 초당 사대가初唐四大家 중에서는 후배에 속한다. 왕희지, 우세남, 구양순 등의 서체를 배운 뒤 상당한 수준에 올라 일가를 이루었다. 그는 우세남과 구양순의 필법을 하나로 잘 녹여내는데 사각형과 원형을 모두 갖추고 있으면서도 파세가 자유자재로 변화하고 그 필치가 선배들보다도 훨씬 더 편안했다. 당나라 태종太宗 이세민李世民도 그를 깊이 인정했다. 태종이 조정 내부에서 보관해온 왕희지가 먹으로 써서 남긴 필적을 저수량에게 보이며 진위를 가려내라 명했는데 단 한 번도 잘못 가려낸 적이 없었다 하니 저수량이 왕희지의 서법에 정통한 사람이었음을 알 수 있다.

79 유공권의 서체. 유공권은 당나라 때 서예로 크게 이름을 떨쳐 당시 민간에서는 "유공권이 쓴 글자 하나에 천금의 값어치가 있다."라는 말이 나돌 정도였다. 그의 글씨는 힘이 넘쳤으며 한 글자 한 글자가 빈틈없고 치밀했다. 처음에는 왕희지를 공부했고 이후 안진경을 본보기로 삼았다. 가늘면서도 힘 있는 글자로 명성이 자자했는데 그의 해서체는 강하면서도 아름답고 웅건하며 활력이 넘쳤다. 가장 능한 서체는 행서와 해서였다. 작품의 독특함 때문에 유공권의 서법은 유체柳體로 불렸다. 당나라 목종穆宗이 유공권을 시험해볼 요량으로 글씨 쓰는 법을 묻자 그는 "글씨는 마음에 써야 합니다. 마음이 바르게 서야 필법도 바르게 서게 됩니다."라고 답했고 이에 목종이 크게 감동했다고 전해진다. 송나라 때 주장문朱長文은 글씨 이론서 『묵지편墨池編』에서 "공권의 정서와 행해는 하나같이 최고의 작품이며 초서도 이에 못지않았다. 안진경에게서 그 서법을 익혔고 이를 바탕으로 넘치는 힘과 풍부한 윤기를 더해 일가를 이루었다."라고 적었다. 역사서 『구당서舊唐書』에는 "유공권은 처음에는 왕희지 서법을 공부했으며 가까운 시대의 서법을 두루 익혔고 강하면서도 아름다운 글자체로 일가를 이루었다. 사람들은 유공권의 손을 거치지 않고 비석에 글씨를 새기는 당시 고관대작을 불효자로 여겼다. 외국에서 중국에 조공을 바치러 와서도 모두 별도로 가져온 돈을 꺼내며 이는 유공권에게 글씨를 사려고 특별히 준비해 온 돈이라고 말했다."라고 적혀 있다.

80 풍승소馮承素가 모사한 「난정서蘭亭序」

81 〈한식첩寒食帖〉은 소동파가 평생 가장 마음에 들어간 작품 가운데 하나로 '소동파의 서법 중 최고의 작품'으로 불렸다. 서법가 선우추鮮于樞는 이 작품을 「난정서」와 「제질문고祭侄文稿」의 뒤를 잇는 '천하의 세 번째 행서'라고 극찬했다.

행서

행서는 대략 동한 말기에 탄생해 해서를 바탕으로 발전한, 해서와 초서의 중간 단계 글자체이다. 행서는 해서의 필기 속도감을 높이는 동시에 알아보기 어려운 초서의 난점을 극복했다. 행서에서 '행行'은 '걷다'라는 의미이다. 행서는 초서처럼 거칠지는 않지만 해서처럼 단정하지도 않다. 행서는 해서의 초서화 또는 초서의 해서화라고 할 수 있다.

'행서'라는 명칭은 서진西晉 때 위항이 쓴 『사체서세四体書勢』에 실린 글에 처음 등장한다. "위나라 초기에 종요와 호소胡昭 두 서예가가 행서의 필법을 썼는데 유덕승劉德昇에게 배운 것이었다." 당나라 때 장회관張懷瓘은 『서단書斷』에서 행서를 다음과 같이 정의했다. "행서는 곧 정서진서 또는 해서라고도 함를 낮춰 부른 것이다. 간편하고 쓰기 쉬워 세간에 유행했으니 이를 행서라고 한다." 그는 『서의書議』에서 이렇게도 말했다. "무릇 행서는 초서도 아니고 진서도 아니다. 행서는 사각형에서 벗어나고 원형에서 일탈해 있으며 둘 사이에 적절하게 자리하고 있다. 진서를 겸한 것을 진행이라 하고 초서를 띠는 것을 행초라 한다." 빠른 속도로 흘날리듯 써 내려가는 예술적 표현력과 쉽게 알아볼 수 있는 실용성 덕분에 행서는 처음부터 많은 이의 추앙을 받았다. 위진魏晉과 수당 시대를 거쳐 송나라 때 최전성기를 맞이한 뒤 주류로 자리해 오랫동안 생명력을 유지했으며 시종일관 서법 영역의 현학顯學이었다. 행서는 끊임없이 배우고 연구해야 할 가치가 있는 글자체이다. 그림 80~82

초서

행서

82 해서와 초서의
중간 단계인 행서

해서

83

84 위비의 字

85 위비체를 쓸 때 붓 쥐는 법

위비

동진과 남북조 시기에 중국은 오랫동안 남과 북으로 분열되어 있었고 서법도 남과 북 두 파로 나뉘어 발전했다. 이런 지역적 차이, 서로 다른 민족과 풍속, 지리적 차이로 남과 북의 서법이 확연한 차이를 드러내게 되었다. 북방의 서법은 한나라 예서의 형태가 남아 있었고 소박하면서도 수수한 필법이 특징이었으며 강건하고 네모반듯하면서도 장중한 느낌이 있었다. 그중에서도 위비魏碑가 가장 유명하다.그림 83~84 남방의 서법은 격식에 얽매이지 않으면서도 정교하고 아름다웠으며 특히 편지글에서 그 뛰어남이 돋보였다. 남과 북의 서법 모두 각각 나름대로 장점이 있어 우열을 가릴 수가 없다.

'위비'는 글자를 돌에 새긴 북조北朝의 작품을 이르는 말로 원래는 북비北碑라고 했다. 북위北魏가 북쪽에 들어선 왕조 중 가장 오래 지속된 왕조였기 때문에 이후 동위東魏, 서위西魏, 북제北齊, 북주北周를 포함한 북방 왕조의 비석에 새겨진 글자나 그림을 전부 '위비'라고 불렀다. 위비는 크게 비석에 새긴 글자나 그림碑刻, 묘지명墓誌銘, 조각상의 제기造像題記, 마애석각 이렇게 네 종류로 나뉜다. 북위의 서법은 과거에서 이어받아 후대에 전하는, 과거를 계승해 앞날을 개척한 과도기적 서법 체계로 이후 수나라와 당나라의 해서체에 큰 영향을 끼쳤다. 현존하는 위비는 모두 해서체로 새겨졌기 때문에 비석에 해서체로 새겨진 작품을 모두 '위해魏楷'라고 부르기도 한다.

역대 서법가들은 새로운 혁신을 일으키면서도 위비를 통해 유익한 정수를 받아들였다. 청나라 때 강유위康有爲는 『광예주쌍집廣藝舟雙楫』에서 위비의 열 가지 아름다움을 이렇게 말했다. "첫째, 기백이 웅장하다. 둘째, 기상이 자연스럽고 그윽하다. 셋째, 필법이 솟구친다. 넷째, 점획이 가파르면서도 깊다. 다섯째, 자태가 진기하면서도 빼어나다. 여섯째, 정신이 날 듯이 약동한다. 일곱째, 흥취가 무르익었다. 여덟째, 기개와 법도가 막힘이 없다. 아홉째, 짜임새가 자연스럽다. 열째, 글자의 피와 살이 풍부하고 아름답다. 이것은 오직 위비와 남비南碑에만 있다."그림 85~86

86 「장흑여묘지張黑女墓誌」의 위비 글자체는 붓놀림과 구조가 규범적이고 통일된 경향을 보인다. 위비는 붓놀림이 자유롭고 대범하며 필획 구조에서는 상황에 따라 형태를 부여한다.

87

88 남송南宋 때인 1256년에 송체로 인쇄한 공고문으로 "제2갑 21인 문천상文天祥이 장원급제했다."라는 내용이 적혀 있다.

송체

중국의 인쇄술은 늦어도 수당 시대에 이미 등장했으며 당시에는 조판 인쇄술이 유행했다. 송나라 때 이르러 활판 인쇄술이 발명되면서 정보 유통량이 크게 늘었고 동시에 당시 인쇄 공예에 알맞는 규범 한자 디자인도 나타났는데 이것이 바로 그 유명한 송체宋體 그림 87~88이다. 몇몇 기록에서 남송南宋 초기의 정치가 진회秦檜가 송체를 만들었다고 전하지만, 진회는 나라를 팔아먹은 간신이라 후대 사람들이 진회체가 아닌 송체라고 불렀다. 사실 진회는 글자체를 만드는 국가 기관의 최고 대표자였을 뿐이고 당송 시대에 시작된 송체가 명청 시대까지 유행을 이어갔기 때문에 이후 명체明體라고 불리게 되었다. 이미 1,000여 년의 역사를 가진 명체는 유형有形의 문화 속에서 그동안 큰 변화 없이 사용되어왔으므로 마땅히 첫손가락으로 꼽아야 할 최고의 송체이다.

활판 인쇄술이 발명되기는 했으나 청나라 말기에 서양의 현대식 인쇄술이 들어오기 전까지 중국에서는 여전히 대부분 조판 인쇄 방식으로 서적을 제작했다. 조판 인쇄를 할 때는 직사각형의 목판 조각彫刻을 사용해 인쇄판을 제작했는데 일반적으로 목판의 무늬결이 모두 가로 방향이어서 글자를 새길 때 가로선은 목판 무늬와 일치해 비교적 튼튼하다. 하지만 글자의 세로선은 목판 무늬와 교차하면서 쉽게 끊어지는 탓에 글자체의 세로선을 아주 굵게 했다. 또 가로선이 상대적으로 튼튼하기는 하지만 끝부분이 쉽게 마모되기 때문에 끝부분도 굵게 만들었다.

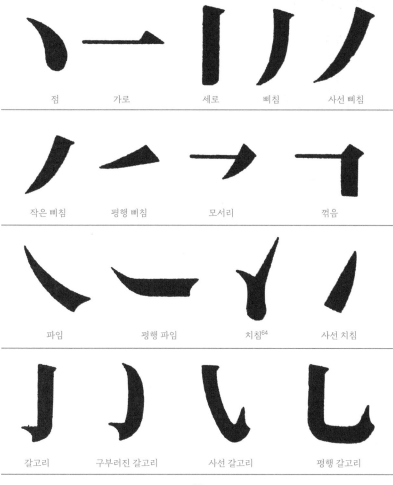

| 점 | 가로 | 세로 | 삐침 | 사선 삐침 |

| 작은 삐침 | 평행 삐침 | 모서리 | 꺾음 |

| 파임 | 평행 파임 | 치침[64] | 사선 치침 |

| 갈고리 | 구부러진 갈고리 | 사선 갈고리 | 평행 갈고리 |

89

이렇게 해서 세로선은 비교적 굵고, 가로선은 가늘면서 끝부분이 굵은 글자체가 만들어졌다.그림 89

　　송체는 해서의 정신을 그대로 이어받았고 이를 자연스럽게 인쇄체로 변화시켰다. 그 발전 과정에서 송, 원, 명, 청 등 각 시대의 심미적 특성과 중화 민족의 인문적 가치, 반듯함과 안정됨, 대칭과 균형, 단정함과 우아함, 자연스러움과 당당함, 정교함과 치밀함 등 정신적 가치와 미학적 기질을 받아들였다. 또한 시시각각 사람들의 행위에 영향을 끼치면서 중국인의 생활 깊숙이 자리매김하게 되었다.

90 용견鄘厕 66

91 방송체로 인쇄 제작한 서적

방송체

북송 시대의 조판 서적은 대부분 구양순체를 사용했는데 명나라 중엽에 이르러 가로세로 비율이 1:3에서 1:5 사이인 노송자老宋字로 발전했다. 방송체仿宋體는 송체에서 발전해 변화한 글자체이다. 20세기 초 화가 정보지丁輔之, 정선지丁善之 등이 청무영전취진판본65을 근거로 북송 각본刻本 구양순체 스타일을 모방해 인쇄 활자체를 만들었는데 이를 취진방송聚珍仿宋이라 부른다. 송체의 구조와 해서의 필법을 결합한 방송체는 가로획과 세로획의 굵기가 일정하고 필치가 확연하게 드러나며 구조가 균형 잡혀 있고 필획이 아름답다. 직사각 모양이면서도 아름답고 우아하며 문서를 조판 인쇄할 때 많이 사용한다. 현재 중국 정부 공문과 사무용 문서의 본문과 주석에 방송체를 많이 사용한다.그림 90~92

국무원판공청國務院辦公廳이 1999년에 공표한 「국가행정기관공문서식GB/T 9704-1999」 공문 종이는 일반적으로 중국에서 통용되는 열여섯 개16開67 종이를 사용하고 국제 표준인 A4 종이 사용을 추천한다. 이 둘을 게시용 공문 용지 규격으로 정했으나 실제로는 필요에 따라 확정해야 한다.

보안 유지 등급 글자체: 일반적으로 3호 또는 4호 흑체를 사용한다.

긴급 정도 글자체: 글자체와 글자 크기는 보안 유지 등급과 같은 3호 또는 4호 흑체를 사용한다.

서두書頭 글자체: 대형 흑체, 변형 흑체 또는 표준 글자체, 송체를 사용하며 색을 일반적으로 붉은색으로 표기한다.

공문 발송 일련번호 글자체: 일반적으로 3호 또는 4호 방송체를 사용한다.

서명인 글자체: 글자체와 글자 크기는 공문 발송 일련번호와 같은 3호 또는 4호 방송체로 한다.

제목 글자체: 일반적으로 송체와 흑체를 사용하며 글자 크기는 본문 글자보다 커야 한다.

주요 발송 기관 글자체: 일반적으로 3호 또는 4호 송체를 사용한다.

본문 글자체: 일반적으로 3호 또는 4호 방송체를 사용한다.

첨부 문건 글자체: 일반적으로 3호 또는 4호 방송체를 사용한다.

저자 글자체: 글자체와 글자 크기는 본문과 같다.

날짜 글자체: 글자체와 글자 크기는 본문과 같다.

주석 글자체: 본문 글자보다 작은 4호 혹은 작은 4호 방송체를 사용한다.

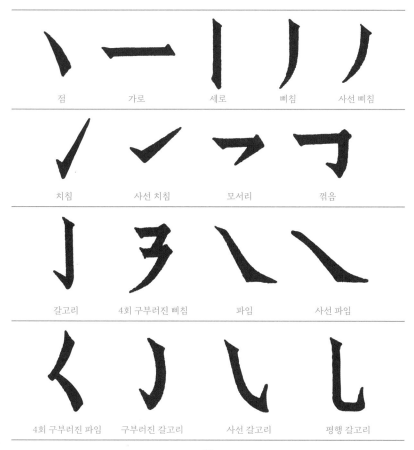

점	가로	세로	삐침	사선 삐침

치침	사선 치침	모서리	꺾음

갈고리	4회 구부러진 삐침	파임	사선 파임

4회 구부러진 파임	구부러진 갈고리	사선 갈고리	평행 갈고리

92

핵심 키워드 글자체: 3호 또는 4호 흑체공문 작성용를
자주 사용한다. 공문 서식 조판 속 글자체는
공문 작성용으로 한다.
초송 기관抄送機關68 글자체: 글자체와 글자 크기는
본문과 같거나 본문보다 1호 작은 글자를 사용한다.
인쇄 배포 설명서 글자체: 글자체와 글자 크기는
문서 초송 기관과 같거나 본문보다 1호 작은
글자를 사용한다.
주제어또는 1급 제목: 2호 송체굵은 글씨를 사용한다.
2급 제목: 3호 흑체를 사용한다.
3급 제목: 굵은 3호 방송체를 사용한다.
본문은 일률적으로 3호 방송체를 사용한다.
이상이 정부 제출 문서 규정이다. 주요 표제 이외의
부분 표제와 본문 모두 작은 3호 글자체를 사용한다.
① 기밀용 3호 흑체 사용
② 긴급 정도: 특급과 긴급은 3호 흑체 사용
③ 문서 진하고 검은 4호 방송체 사용

④ 문서 서명 및 발급인 3호 해서체 사용
⑤ 표제 진하고 검은 2호 송체 사용
⑥ 표제 크기 번호 : 一,二,三……의 경우 3호
흑체 사용, 一二三……의 경우 3호 방송체 사용
⑦ 본문 3호 방송체 사용한 쪽당 19행, 한 행당 25글자
⑧ 지시 및 전달전달, 인쇄 발행 ……통지용 본문
3호 해서체 사용
지시 및 전달된 전달, 인쇄 발행 문건 3호 방송체 사용
⑨ 첨부 문건 표제 2호 송체 사용, 첨부 문건
본문 3호 방송체 사용
⑩ 인쇄 발행 전달 범위 표기 3호 방송체 사용
⑪ 핵심 키워드를 뜻하는 '主題詞' 세 글자
3호 흑체 사용, 핵심 절과 구 3호 송체 사용
⑫ 초송 기관 명칭 4호 방송체 사용
⑬ 인쇄 발행 기관 명칭과 인쇄 발행 날짜 4호
방송체 사용, 인쇄 발행 부수 5호 방송체 사용

한자와 전각

한자의 역사는 의미를 담는 매개체로서 암석 채문 토기에 새겨진 부호까지 거슬러 올라간다. 여기서 갑골문 조각, 금문 주조로 이어지는 과정에서도 알 수 있듯이 한자는 깎고 새기는 것과 밀접한 관계가 있다. 이외에도 권위와 신분, 명예를 드러내기 위해 도장과 옥새그림 1를 만드는 문화가 진나라와 한나라 때 이르러 유례없이 발전했다. 한나라는 옥새를 비교적 엄격하게 관리했는데 황제는 옥인玉印을 사용하고 제후와 왕은 금인金印을 사용했다. 또 민간에서는 이런저런 용품에 신용과 상표를 명확히 하기 위해 도장을 사용했다. 이런 과정에서 조각은 한자 예술의 중요한 표현 수단이자 문화 계승의 도구로 자리매김했다. 흔히 말하는 전각 예술은 금속, 상아, 무소뿔, 옥, 돌 등의 재료에 전각 문자를 새기는 것으로 도장 조각이 주가 되므로 '도장 예술'이라 부르기도 한다.

전각 예술은 1인치의 네 변으로 된 작은 정사각형에 세상 만물을 담아낸다. 이러한 전각 예술은 첫째, 한자 문화를 계승한다. 문자가 처음 만들어진 초기에 등장한 대전은 그 역사가 오래된 까닭에 예서와 해서가 대량으로 보급된 이후에도 서체로서 가장 높은 지위를 차지하며 비문碑文의 머리 부분이나 옥새 등에 사용되었다. 여기서 기능에 따라 등급을 구분해서 문자를 사용했음을 알 수 있다. 둘째, 전각 예술에는 예술적 아름다움의 가치가 있다. 전각 예술은 작디작은 공간에 선과 흑백 그리고 구성을 활용하는 독특한 예술 분야이다. 셋째, 고대에는 사실상 도장이 신용을 보장하는 부호였다. 따라서 도장은 옛날에 사용한 로고 디자인이라고 할 수 있으며 오늘날의 로고 디자인에 숱한 영감을 주고 있다는 의미도 있다. 넷째, 도장과 석각은 인쇄술에 직접적이고 경험적인 시사점을 주었으며 비석 위에 종이를 놓고 먹으로 탁본하는 방법은 조판 인쇄의 방향을 제시해주었다.

1 주나라의 거대한 옥새

전각 예술의 주요 구성 요건은 전법篆法, 장법, 도법刀法이다. 이 셋이 순서대로, 서로 긴밀하게 연결되어야 비로소 하나의 예술 작품이 만들어진다.

전각 예술의 핵심 토대는 역시 전자篆字에 대한 이해와 판별력이다. 전각 예술은 결국 문자를 핵심으로 하기 때문에 갑골문, 주문, 진전秦篆, 무전繆篆에 대한 이해가 필수적이며 『설문해자』 『설문고주보說文古籒補』 『고주회편古籒匯編』 등을 주로 활용한다. 그림 2~7

소전 무전 주문	大부	寸부	山부	巾부	竹부	彡부		子부	尢부	工부	广부	弓부	彳부
	肉부	竹부	网부	耒부	臣부	舌부		穴부	系부	羽부	聿부	至부	舟부
	禾부	米부	羊부	耳부	自부	舛부		立부	缶부	老부	肉부	臼부	艮부
	女부	小부	巛부	干부	弋부	彳부		宀부	尸부	己부	夊부	彐부	弋부

2 전각에서 부분적으로 상용하는 세 종류의 필획 부수

85

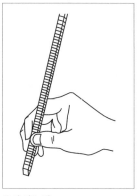

① 칼 잡는 법

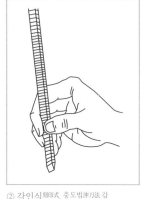

② 각인식衝刀式, 충도법沖刀法 갑
바깥쪽에서 안쪽으로 힘주어
밀면서 조각한다.

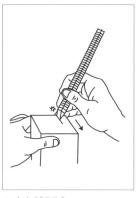

③ 각인식충도법 을
약지와 새끼손가락으로 돌 도장의
뒤쪽 측면을 지탱하면서 조각한다.
파는 방법은 충도법 갑과 같다.

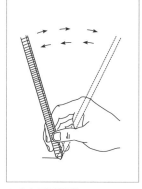

④ 각인식절도법切刀法
안쪽에서 바깥쪽으로 칼을 한 번
일으켰다가 다시 눕혀 나간다.

⑤ 각인식횡충도법橫沖刀法
약지로 도장의 오른쪽 측면을
지탱하면서 칼을 안쪽으로
힘주어 밀면서 조각한다.

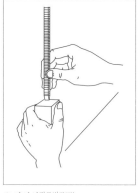

⑥ 각인식평도법平刀法
칼을 수직으로 잡고 칼날 전체가
조각할 면에 닿게 한 뒤 바깥쪽에서
안쪽으로 칼을 힘주어 밀면서 조각한다.

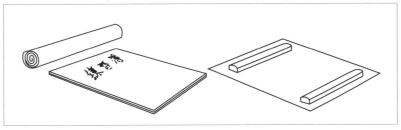

① 종이 아래에 동전 하나 두께 정도의 책을 깔고 종이를 눌러 평평하게 한다.

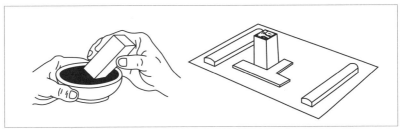

② 도장 찍을 위치를 결정하고 도장에 인주를 고르게 묻힌다.

③ 겨울에는 인주를 묻힌 뒤 입김을 불어넣고 도장을 수직으로 눌러 찍는다.

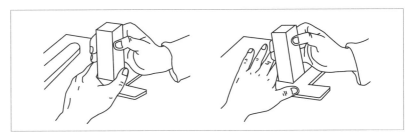

④ 위아래, 오른쪽, 왼쪽과 모서리 네 방향으로 살짝 기울여 힘을 주고, 도장을 뗄 때는
　왼손으로 종이를 누르면서 오른손으로 도장 아래쪽부터 살짝 기울여 들어올린다.

① 먼저 도장의 치수와 크기를
  종이에 그어 표시한다.

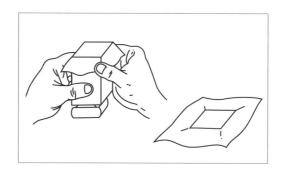

② 종이에 전자篆字를 쓰기
  시작한다. 처음 배우는 사람은
  수정하기 쉽도록 연필을
  사용해도 된다. 그다음에 아주
  진한 묵으로 글자를 완성한다.
  양각의 경우 묵과 글자를
  이용하고 음각의 경우 묵과
  글자의 틈을 이용해 표현한
  다음 마르기를 기다렸다가
  찍는다.

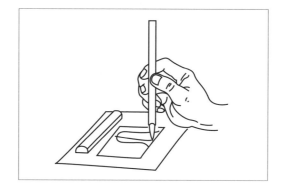

③ 글자를 다 쓴 종이로 도장
  표면을 덮고, 풀로 종이
  모서리를 도장에 잘 붙여
  종이를 고정한다.

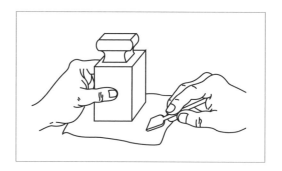

④ 다른 종이에 깨끗한 물을 묻힌
   뒤 글자가 쓰인 종이를 문질러
   적신다.

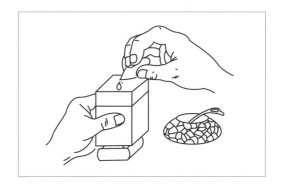

⑤ 글자가 쓰인 종이가 붙어 있는
   도장 표면에 잘라낸 신문지를
   네 겹으로 접어 덮는다.

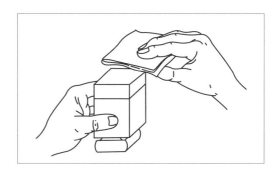

⑥ 도장 표면을 손톱으로
   가볍게 골고루 문지른다.
   먹색이 깔끔하게 찍히도록
   문지르기를 서너 번 반복한다.

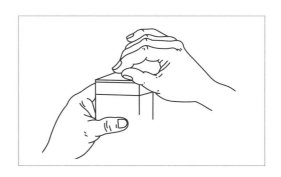

⑦ 도장에 붙어 있던 종이를 떼어내면
   처음에 종이에 쓴 글자가
   도장 표면에 잘 찍히게 된다.

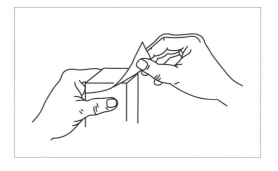

필획 문제	글자체 문제

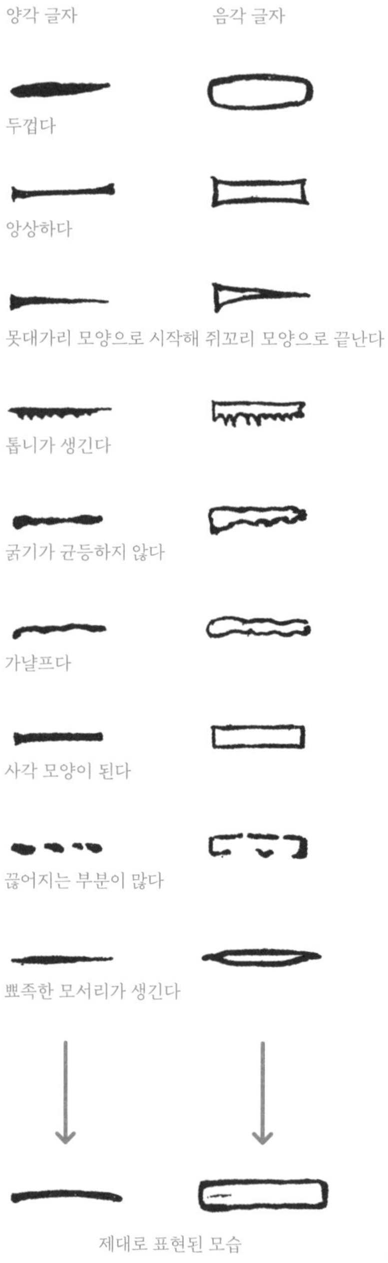

필획 문제

양각 글자 　　　　음각 글자

두껍다

앙상하다

못대가리 모양으로 시작해 쥐꼬리 모양으로 끝난다

톱니가 생긴다

굵기가 균등하지 않다

가냘프다

사각 모양이 된다

끊어지는 부분이 많다

뾰족한 모서리가 생긴다

↓　　　　↓

제대로 표현된 모습

글자체 문제

불균등한 필획 굵기　　　머리 부분은 크게, 발 부분은 작게 새겨진 경우

↓　　　　↓

제대로 표현된 모습　　　제대로 표현된 모습

불균등한 좌우　　　불균등한 필획 배열

↓　　　　↓

제대로 표현된 모습　　　제대로 표현된 모습

구성 문제

분산된 글자 / 조화를 이루지 못한 각 글자의 크기와 너비 / 비스듬히 가울어 안정적이지 못한 각 글자 / 지나치게 납작한 글자체

제대로 표현된 모습 / 제대로 표현된 모습 / 제대로 표현된 모습 / 제대로 표현된 모습

7 고대 전각 모음

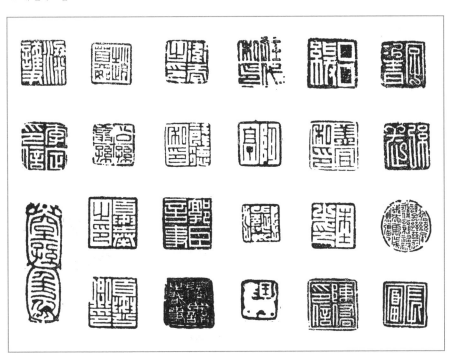

한자와 소수민족 문자의 관계 및 변이 형태

파란만장한 역사 속에서 중국은 여러 차례 민족의 대이동과 대융합을 겪었다. 소수민족이 세운 수많은 정권은 한족의 문화를 받아들여 그것을 토대로 서하문자西夏文字, 거란문자契丹文字, 만주문자 등 자신들만의 독특한 문자를 만들어냈다. 각 민족의 종교, 신앙과 밀접한 관련이 있는 문자도 많이 출현했는데 이를테면 나시족納西族의 동파문자東巴文字가 있다. 갖가지 이유로 많은 문자가 역사의 뒤안길로 사라져 이제는 사용되지 않는다. 몽골에 멸망당한 탕구트족黨項族의 서하문자, 한자를 쓰고 난 뒤의 만주족과 회족回族의 문자가 그렇다.

동파문자 계승자-동파

용희龍戱70

이족彝族의 문자
이문彝文으로 쓴 고서

강영여서江永女書

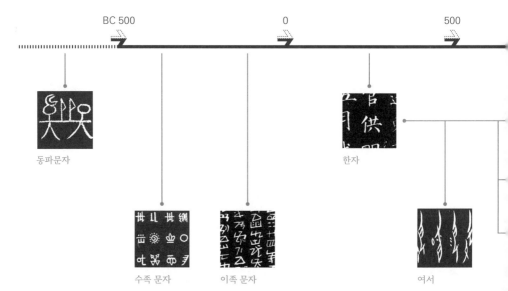

BC 500   0   500

동파문자

한자

수족 문자

이족 문자

여서

중국은 다민족 국가이기 때문에 중화 민족의 유구한 역사를 담아 오늘
날까지 전해오는 문자가 한자만 있는 것은 아니다. 고대부터 오늘날에
이르기까지 중국에서는 다양한 민족의 글자가 등장했다. 쉰다섯 개 소
수민족 중 회족과 만주족은 자신들의 전통 문자를 폐기하고 한자를 쓰
고 있으며, 스물아홉 개 소수민족이 54종의 문자를 사용한다. 문자의 수
가 민족의 수보다 많은 이유는 여러 문자를 사용하는 민족이 있기 때문
이다. 이를테면 다이족傣族은 네 종류의 문자를 사용하고 징포족景頗族은
두 종류의 문자를 사용한다.

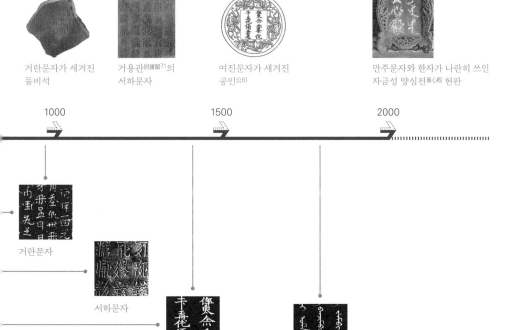

거란문자가 새겨진
돌비석

거용관居庸關[71]의
서하문자

여진문자가 새겨진
공인公印

만주문자와 한자가 나란히 쓰인
자금성 양심전養心殿 현판

1000

1500

2000

거란문자

서하문자

여진문자

만주문자

1 동파문자 사용 지역[72]   2 동파문자 계승자-동파   3 동파문자로 쓴 대련對聯[73]

BC 5000   BC 2000   1000

동파문자

동파문자는 나시족의 백과사전 격인 『동파경東巴經』에 사용한 고대 문자로 그 뿌리가 갑골문과도 상관관계가 있다. 그림과 문자 사이에 걸쳐 있는 모호함, 원시적이면서도 소박하며 아름답고 친화적인 특성이 요즘의 시대적 특성과 잘 맞아떨어졌는지 개인 컴퓨터와 휴대폰 등 디지털 매체의 사용이 많은 일본에서 예상치 못하게 동파문자가 큰 관심과 사랑을 받고 있다. 필자는 일본 출판사 기주쓰효론샤技術評論社의 위탁을 받아 일본 민간에 동파문자를 보급하기 위한 프로젝트를 기획하고 디자인하기도 했다. 컴퓨터 그래픽으로 동파문자 부호 체계를 디자인하는 작업이었는데 이 고대 문자에 현대적 정신을 불어넣어 젊은 사람들의 마음을 움직이는 데 치중했다. 인터넷에서 사람들과 어울릴 때 또는 편지글을 쓸 때 동파문자 하나 아니면 아예 동파문자로 구성된 문장을 사용한다면 분명 사람들에게 따뜻함이 전해지고 흥미와 호기심을 불러일으킬 것이다. 동시에 중국 문화와 훨씬 더 적극적으로 상호작용하게 된다. 다른 문화권의 글자에 호기심을 느끼는 사람들을 충족시키기 위해 필자는 현대적이고 질서정연한 컴퓨터 그래픽 언어를 사용해 공통성이 있는 필획을 찾아내고, 동파문자의 원래 구조와 비례를 기초로 선의 질서감과 색감을 늘렸으며, 현대적 의미의 그래픽 심벌을 부여하는 등 여러 시도를 했다. 새로 디자인한 동파문자는 문화적 정확성을 확보하기 위해 여러 차례 나시족동파연구회의 심사를 거쳤다. 최종 디자인 결과물은 컴퓨터 소프트웨어로 직접 조합해 연하장과 온라인 교류를 위한 디자인에 응용할 수 있게 되었다.그림 1~5

동파문자 / 갑골문 / 동파문자 / 갑골문

吃 孕 日 靠 登 下

火 牧 分 育 森 雨

4 갑골문과 동파문자 비교

5 동파문자를 활용한 작품

6 동파문자를 쓸 때 사용하는 도구

프로젝트의 목적
①현대의 일상에 고대 문화의 신비함을 더한다.
②다른 문화와의 교류 및 참여

프로젝트 구조 설계그림 7
①일본 고문자학 학자, 동파문자 서법
②동파문자 연구 기구, 동파문자 회화
③중국 그래픽 디자인 전문가의 글자체 디자인과 그 보급
④한자, 영문 알파벳, 일본 문자 등 세 가지 문자 활용

구체적인 응용 모델
①일본 고유의 명함과 연하장에 응용
②인터넷 문화에서 개성 표현에 응용
③다른 문화에 대한 흥미 유발

유행 가능성
①이미지를 읽는 시대
②색깔이 다양한 문자
③다른 문화에 대한 호기심, 세계적으로 유일하게
　지금까지 사용되는 상형문자그림 8~14

7 동파문자 보급형 디자인 순서와 방법

프로젝트 구조 설계

① 일본 고문자학 학자, 동파문자 서법
② 동파문 연구 기구, 동파문사 회화
③ 중국 그래픽 디자인 전문가의 글자체 디자인과 그 보급
④ 한자, 영문 알파벳, 일본 문자 등 세 가지 문자 활용

8 최초 디자인 안 1

9 최초 디자인 안 2

10 최종 확정된 글자 형태

愛與友情的東巴文
Dongba Hieroglyphics

12 보급 수단 1: 새롭게 디자인한 동파문자를 오늘날의 어법에 맞게 배치해 문장 만들기

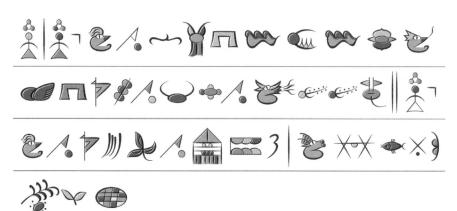

13 보급 수단 2: 동파문자를 활용해 제작한 일상용품

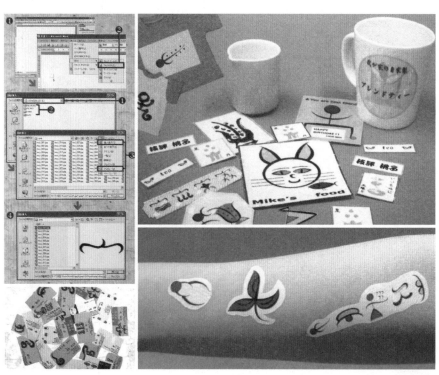

14 전문적으로 개발한 동파문자 글자체의 일부 라이브러리

15 서하문자 사용 지역

16 서하문자의 人. 필획이 매우 복잡하다.

17 서하문자가 새겨진 돌비석 파편

1000　1100　1200　1300

서하문자

1038년 이원호李元昊는 탕구트족 정권인 서하 왕조그림 15를 장악하고 도읍지를 흥경부興慶府, 현재 인촨시銀川市로 정했으며 한자를 바탕으로 서하문자西夏文字 그림 16를 창제해 서하어를 기록했다. 또한 자서字書 열두 권을 집대성해『국서國書』로 정했다. 위로는 불경과 조령 반포에서부터 아래로는 민간의 서신에 이르기까지 모두 서하문자를 썼으며 여기에는 해서와 행서, 초서, 전서 등의 서체가 있었다.

그러다 1227년 몽골제국이 서하를 침략해 도성을 불태우고 나라를 멸망시키자 서하문자는 탕구트족과 함께 역사의 기나긴 강물 속에 자취를 감추며 점차 사라졌다. 서하어는 중국티베트어족에 속하는 치앙어로, 이미 사라져 전해지지 않지만 서하어로 기록한 문헌과 경서는 다수 발견되었다.그림 17~18

서하문자는 한자와는 독립적으로 발전한 전혀 새로운 사각형 문자이다. 문자 구성 방법을 한자에서 빌려와 점, 가로, 세로, 삐침, 파임, 왼쪽 방향 바꿈, 오른쪽 치침 등 기본 필획이 한자와 같다. 그러나 한자에서 자주 보이는 세로 갈고리는 없으며 삐침과 파임 등 붓을 비스듬히 세워 쓰는 필획이 상대적으로 많다. 필획이 다양하고 구조가 복잡해 글자를 식별하고 기억하고 쓰는 데 모두 어느 정도 어려움이 따른다. 한자에서는 아주 간단한 필획의 글자인데 서하문자에서는 상당히 복잡한 필획의 글자로 된 경우가 아주 많다.

서하문자와 한자의 비교

공통점

· 표의문자이다.
· 외형이 사각형이다.
· 글자 구성 방법이 유사하다.
· 어느 위치에 놓이느냐에 따라
  같은 필획도 그 형태가 변화한다.
· 해서, 행서, 초서, 전서 등의 서체가 있다.
· 통치자의 민족주의 영향을 받은
  글자가 존재한다.

차이점

· 서하문자의 경우 대다수 글자의 필획이 5-20획
  사이이므로 배열이 비교적 균형 잡혀 보인다.
· 서하문자에는 삐침과 파임이 상대적으로 많다.
· 서하문자에는 상대적으로 회의자가 많은 데 비해
  한자에는 형성자가 많다.
· 서하문자는 음을 따서 글자를 구성하는 반절反切[74]과
  유사하게 위 글자와 아래 글자를 합해서 글자를
  만드는 법이 하나의 체계로 자리 잡혔다.
· 서하문자는 글자를 구성할 때 보편적으로
  형태를 줄이거나 소리를 생략하는 데 비해
  한자에서는 이런 경우가 적다.
· 서하문자에는 상형문자와 지사자가 아주 적으며
  문자 안에서 의미를 표시하는 부분이 사물의
  형상을 나타내지는 않는다.

18 금박 입힌 서하문자 『금광명최승왕경金光明最勝王經』

거란문자

19 요나라 때 거란문자 사용 지역   20 거란문자가 남아 있는 구리거울   21 거란문자를 넣어 주조한 엽전

거란문자

916년 거란족 족장 야율아보기耶律阿保機가 거란국 즉 요遼 왕조를 세웠다. 건국 후 얼마 지나지 않아 요 왕조는 거란 대문자와 거란 소문자를 연이어 창제했다. 920년에 대문자를 창제하고 소문자는 야율아보기의 동생인 야율질라耶律迭剌의 만년에 창제했다고 알려져 있다. 거란문자는 중국 동북 지역 고대 소수민족 문자 창제의 효시이다. 그 후 창제된 여진문자, 몽골문자, 만주문자 등이 모두 직간접적으로 거란문자의 영향을 받았다.

요 왕조는 금 왕조에 의해 무너졌지만 거란문자는 오랜 시간 동안 사용되었으며 여진문자의 창제 과정에도 큰 영향을 미쳤다. 1191년 금 왕조가 조파거란문詔罷契丹文을 선포했다. 이로써 거란문자는 창제되어 폐기될 때까지 300년 가까이 사용되었다.

합랄거란哈剌契丹, 흑거란黑契丹이라고도 함이 세운 서요西遼가 멸망하면서 거란문자는 결국 사문자死文字의 길을 걷게 되었다. 송나라와 원나라 말기, 명나라와 청나라 초기에 나온 소수의 회화繪畫 서적에 수록되어 전해지는 것과 잇따라 출토된 문물에서 발견된 거란문자 외에는 남겨진 것이 거의 없다. 이런 이유로 지금까지도 거란문자를 해독할 수 없어 다른 문자와 비교하기가 매우 어렵다.그림 20~22

22 거란문자를 넣어 주조한 구리거울

23 수서 사용 지역   24 수서   25 수서

BC 2000   BC 1000   0   1000

수족 문자, 수서

수족水族의 문자를 '수서水書'라 부르며 수족 말로는 '러수이'라고
한다. 지금까지의 연구 결과에 따르면 수서는 나시족의 동파문자와 흡
사하며 일종의 주술呪術 문자로 '귀신을 보는 사람鬼師'인 주술사들의 전
용 문자였다. 주술사는 사회적 지위가 높았으며 수서를 금과옥조로 여
겼다. 수서는 오직 남성에게만 전해졌고 보통 비밀로 여겨져 사람들에
게 노출하지 않았다. 대대손손 입에서 입으로, 또 손으로 베끼는 방식으
로 수천 년 동안 전해져 지금에 이르고 있다.

이렇듯 역사가 매우 오래된 수서는 그 형상이 갑골문, 금문과도
유사하다. 또한 수서와 하나라의 부호 문자가 많은 부분에서 유사하다
고 보는 연구자들도 있다. 수서는 수족의 천문, 지리, 종교, 민속, 윤리,
철학 등 문화 정보를 기록하는 데 주로 사용했다. 수서는 구조적으로 크
게 셋으로 나뉜다. 첫 번째는 갑골문, 금문과 유사한 상형문자로, 주로
꽃과 새, 벌레, 물고기 등 자연의 사물과 토템 동물의 모습을 본떴으며
풍부한 고대 문명의 메시지를 담고 있다. 두 번째는 한자를 모방한 글자
로, 한자를 반대로 쓰거나 뒤집어서 쓰고 한자의 형태를 변화시킨 글자
이다. 세 번째는 수족의 원시종교에 나타나는 각종 비밀 부호 즉 종교
문자이다. 수서는 오른쪽에서 왼쪽으로 세로쓰기를 하며 문장부호를 사
용하지 않는다. 현재도 수족이 거주하는 지역에서 널리 쓰이며 '살아 있
는 문자 화석'으로 불린다.그림 24~26

26 수서

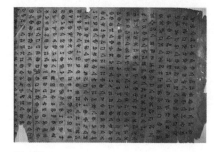

27 이문 사용 지역　　　28 이문

BC 1000　　BC 500　　0　　500

이문

　　이문彝文은 윈난雲南, 쓰촨四川, 구이저우貴州 등의 이족彝族이 사용한 일종의 고대 문자로 찬문爨文 또는 위서魋書라고도 한다. 명나라와 청나라 때의 몇몇 책에는 '글자가 올챙이를 닮았고 자모는 1,840개'라고 나와 있다. 전설에 따르면 이문은 역사가 매우 오래되었음에도 명나라 이후에 이르러서야 최전성기를 맞이했다. 한자와 마찬가지로 전설 속의 이문 역시 새와 짐승의 발자국과 사물의 형상을 본떠 만든 문자이다.

　　고대 이족 사회에서 이문은 하나의 통일된 부호 체계였으며 비모毕摩, 베이마오貝耄라고도 함라고 불리는 제사장이 대대로 저서와 족보를 통해 전해왔다. 이족에 대한 최초의 기록은 한나라 때 등장하는데 그 이전부터 존재했다고 보는 학자도 있다. 지금까지 발견된 유물 중 가장 오래된 것은 명나라 때의 고대 이문 명문銘文이다.

　　현재 전통 이문은 북부 방언 지역, 동부 방언 지역, 남부 방언 지역 및 동남부 방언 지역의 사니족撒尼族 방언 지역과 아저족阿哲族 방언 지역에 분포해 있다. 각 방언 지역의 문자 사이에는 유사성이 있지만 다른 점도 상당히 많다.

　　윈난성 사니족의 긴 서사시「아시마阿詩瑪」의 원작이 이문으로 쓰여 있다. 윈난성은 1983년부터 이문 표준화 작업을 시작했다. 구이저우도 현지동남부 방언 지역의 전통 이문을 정리해서 표제자와 이체자를 구분한 『간명이문자전簡明彝文字典』을 1991년에 출간했다구이저우본.그림 28~29

29 이문

고대 이문 체계의 특징

① 이문은 필획이 적다. 한 글자당 평균 다섯 개이다. 기본 필획에는 점, 가로, 세로, 반원, 원, 가로 꺾음, 세로 꺾음 등이 있다.

② 이문에는 독체자가 많고 합체자는 적다. 이문의 독체자는 음이 같은 글자를 통가해서 사용한 비율이 상대적으로 높으며 글자와 단어가 어구 속에 있을 때 비로소 의미가 드러난다. 여기에 언어가 분화되면서, 각 계통의 방언이 사용하는 이문은 전체적으로 형태는 비슷하지만 전하려는 의미에는 차이가 나게 되었다.

③ 기본 필획은 점, 가로, 세로, 갈고리 등과 같이 돌출된 반원과 원형, 활 모양으로 구성된다. 이런 기본 필획이 올챙이처럼 머리는 굵고 꼬리는 가느다란 이문의 형태를 만들어낸다.

④ 이문의 기본 단어는 동사를 제외하면 대부분 접두사나 접미사로 만들어졌다. 예를 들어 火불 화의 경우 중국어로는 하나의 음절이지만 이문에서는 '熱더울 열+燃탈 연'의 두 개 음절, 즉 동사燃와 형용사熱가 조합되어 있다. 이렇듯 이문은 갑골문과 같은 뿌리에서 나와 다르게 발전해간 문자로, 음양 구조의 형태를 띤 표의 음절문자이다.

⑤ 고대 이문은 파생법에 따라 음을 빌려 뜻을 표시했다. 이를 가차假借라고 한다. 음절문자의 시초가 된 가차가 대량으로 나타나면서 원시 이문은 뜻이 없는 글자로 변해갔으며 문장 안에서만 그 의미를 이해할 수 있게 되었다. 이문의 가차는 음절문자의 특징이 있지만 그렇다고 이문을 음절문자라고 할 수는 없다. 현재의 이문 서적에는 동음 이체자가 비교적 많다.

30 티베트 문자 쓰기의 예

31 티베트 문자

상가자

모음

제2 후가자

전가자

기본 자음

하가자

제1 후가자

700   1200   1700

티베트 문자

티베트 문자는 티베트어의 문자 체계로, 자음 자모를 주요 구성 요소로 하는 특수한 표음문자이며 서른 개의 자음 자모와 네 개의 모음 자모로 되어 있다. 모음 자모는 독립적으로 쓸 수 없으며 자음 자모의 윗부분과 아랫부분에만 붙여 쓸 수 있다. 자음 자모에는 또 두 가지 특수한 자음 자모, 즉 상가자上加字와 하가자下加字가 있는데 다른 자모의 윗부분 또는 아랫부분에만 붙여 쓸 수 있다.

그림 30은 티베트 문자 음절을 가장 복잡한 형태로 표기한 것이다. 사각형 하나하나가 하나의 자모를 나타내는데 자정字丁, 음절을 표기한 가로 방향의 기본 단위 하나하나를 말함을 기본 식별 단위로 한다. 티베트 문자의 글자 형태는 기본 자음, 전가자, 제1 후가자, 상가자, 하가자, 제2 후가자로 구성된다.

티베트 문자의 기원에 대해서는 두 가지 설이 있다. 불교 학자들은 티베트 문자가 7세기 산스크리트 문자의 자모를 인용해 창제했기 때문에 티베트 문자의 자모를 산스크리트 문자의 자모로 바꿔 쓸 수 있다고 주장한다. 반면 티베트 문자는 전적으로 상웅象雄75 문자를 개량한 것이라고 보는 학자들도 있다.그림 31~32

32 티베트 문자

33 만주문자와 한자가 나란히 쓰인 황제의 성지聖旨

34 만주문자와 한자가
나란히 쓰인 자금성
양심전 현판

35 만주문자와 한자가
나란히 새겨진 옥새

1500　1600　1700　1800

1599년 누르하치의 명에 따라 어르더니額爾德尼와 가가이噶蓋가 몽골문자를 바탕으로 만주문자를 창제했다.

만주문자

청나라의 태조 누르하치努爾哈赤는 여진족 각 촌락과의 전쟁에서 승리를 거둔 뒤 1587년 새로운 정권을 세웠다. 정권 초기 정책 강령과 포고문을 공포하고 각종 공공 사무 내용을 기록해야 하는 일이 잦았다. 그런데 만주족은 문자가 없다 보니 몽골문자를 써야 해서 너무나 불편했고 이는 새로운 정권의 발전에 좋지 않은 영향을 끼쳤다. 누르하치는 다음과 같은 말로 만주족의 문자를 창제해야겠다는 결심을 드러냈다. "중국인은 한자를 읽는다. 이는 한자를 배우지 않은 사람도 모두 아는 바이다. 몽골인은 몽골문자를 읽는다. 이 또한 몽골문자를 배우지 않은 사람도 모두 아는 바이다. 우리말은 몽골문자로 옮겨야 문장이 되어 읽을 수 있으니 몽골문자를 배우지 않은 사람은 알 수가 없다. 어찌하여 우리말을 옮기는 문자는 만들기 어렵고 다른 나라 말을 배우기는 쉽다 여긴다는 말인가." 이에 만주족 언어의 특성을 바탕으로 몽골문자의 자모를 모방한 만주문자滿洲文字가 창제되었다. '옛 만주문자' 또는 '방점을 찍지 않는 만주문자'가 그것이다.

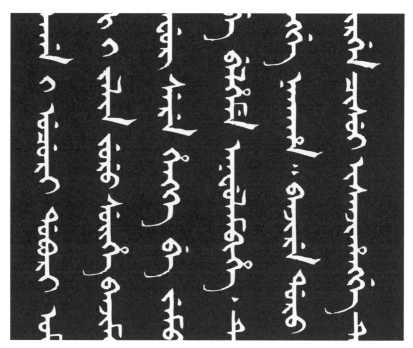
36 만주문자

33년 뒤 청나라 태종 홍타이지皇太極가 '옛 만주문자'를 수정하고 개량한 만주문자를 내놓았는데 이것이 '새로운 만주문자' 또는 '방점을 찍는 만주문자'이다. 지금 우리가 만주문자라고 하는 것은 거의 '새로운 만주문자'를 말한다. 만주문자의 창제는 만주족 사회를 발전시키고 민족 간 왕래를 확대했으며 이후 여진족의 전면 통일과 후금後金 정권의 성립, 더 나아가 중원 진출에 매우 큰 영향을 미쳤다. 청나라 건립 뒤 만주문자가 공식 문자가 되어 널리 보급되면서 수많은 만주문자 서적과 문헌이 만들어졌다. 중국 소수민족의 고서적과 고문헌 중 만주문자로 쓰인 것이 가장 많은 게 이 때문이다.

하지만 현재 중국에서 만주문자를 읽을 줄 아는 사람을 찾기란 하늘의 별 따기이다. 만주어는 사라질 위기에 처해 있으며 「만문당안滿文檔案」 등 진귀한 사료마저 해독하지 못하는 상황이다. 한 지역의 기록인 사료, 특히나 당안에는 그 지역의 사회 및 역사 발전과 관련된 정보가 담겨 있다. 「만문당안」은 청나라와 만주족의 역사 연구에 진귀한 1차 자료이며 옛것을 오늘에 맞게 써야 함을 보여주는 역사 유물이다.그림 33~36

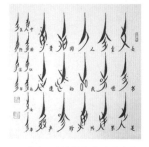

37 여서 사용 지역　　38 여서 문자를 활용한 서예 작품　　39 태평천국太平天國 시기에 여서를
　　　　　　　　　　　　　　　　　　　　　　　　　　　　넣어 주조한 구리 동전

1800년　　1900년　　2000년

여서

　여서女書는 여자女字라고도 하며 전 세계 유일의 여성 문자로 중국어 방언에 속하고 일종의 음절문자이다. 후난성 융저우시 장융현江永縣에서 생겨나 이 지역에서 주로 사용그림 37했기 때문에 '장융여서'라고도 한다. 여서를 주로 사용한 이들은 현지의 한족 여성과 야오족瑤族의 말을 포기하고 중국어를 사용한 펑디야오平地瑤76 여성들이었다. 여서는 문자 형태, 기록하는 언어, 언어를 표기하는 수단, 심지어 유행했던 지역, 사회적 기능과 계승 과정 등이 모두 기이한 문자이다.

　여서에 대한 최초의 기록은 청나라 함풍咸豐 연간에 발행한 조모전雕母錢77에서 찾아볼 수 있다. 여서의 출현과 존재는 중국 봉건사회의 사상적 체계, 사회적 관계와 밀접한 관련이 있다. 전통 사상에서 비롯된 억압과 속박으로 여성들은 책을 읽고 글을 배울 수 없었다. 문자는 신성한 것으로 오직 남성만 사용할 수 있었다.

　이런 이유로 이 지역 여성들은 한자를 '남서男書'라고 불렀으며 정보 전달의 필요성으로 여서를 발명해 소수 여성들끼리 비밀스럽게 연락을 주고받는 수단으로 활용했다. 지역 사투리로 여서를 낭독하거나 노래로 불렀는데, 이 사투리는 여러 개의 성조로 나뉘어 있었으며 본질적 특성상 일종의 음절문자였다. 이는 일본어의 가나 음절과 흡사하지만 가나는 한자와 함께 사용하므로 결코 독립적인 문자라고 할 수 없는 데 비해 여서는 형식적으로만 한자의 특징이 있을 뿐 상형문자인 한자와는 본질적으로 전혀 다르며 가나처럼 한자와 같이 쓰지 않는다.

　최근 많은 연구자가 여서를 연구하는데 그중 일부는 여서에서 갑

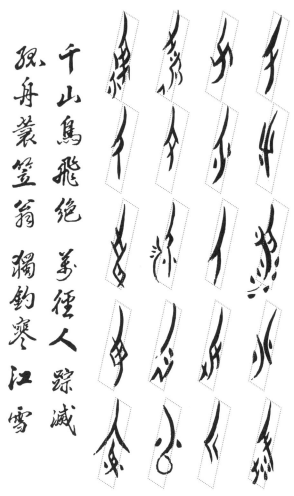

千山鳥飛絶 萬徑人蹤滅 孤舟蓑笠翁 獨釣寒江雪

40 여서의 글자 형태와
배열 분포의 특징

골문과 금문의 특징이 뚜렷이 보인다며 여서를 갑골문과 밀접한 관련이 있는 고대 문자의 변형으로 보기도 한다. 여서가 한자에서 비롯되었거나 한자의 필획을 빌려 온 경우가 80퍼센트이므로 여서와 고대 문자의 연원은 사실상 여서와 한자의 연원이다. 현재 수집된 여서 문자는 2,000자에 달하며 이체자와 잘못 쓴 글자를 제외하면 실제 사용 글자는 600여 자에 불과하다. 여서를 유네스코 문화유산에 등재 신청할 때 동양학의 거장 지셴린季羨林이 이제 거의 사라지다시피 한 여서의 자연 계승자로 허옌신何艷新을 언급했다. 이 사람은 지금도 장수이江水에 살고 있으며 자연적으로 여서를 물려받은 마지막 계승자이다. 그림 38~40

동아시아 한자 문화권

휘황찬란한 중국 문화는 수천 년에 걸쳐 동아시아, 더 나아가 전 세계에 큰 영향을 끼쳤다. 문화를 매개하는 부호로서 한자는 중국 인접 국가와 지역의 응용 문자가 되었다. 한국, 북한, 일본, 베트남 등이 역사적으로 한자를 사용했고 지금까지 한자를 사용하는 나라도 있다. 티베트와 고대 몽골 지역의 문자 체계는 중국 문화와 차이를 보이지만 문화 발전 과정에서 이들 지역 역시 중국 문화의 영향을 받아왔다. 한자는 오랫동안 공식 문자이자 문화 교류의 다리인 국제 문자로 존재해온 셈이다.

서한 말기 한자가 베트남에 유입되어 점차 그 영향력이 확대되었다.

중국

일상에서 수천 개의 간체 상용한자를 사용한다.
중국 국가 표준 간체 한자 문자 세트 GB2312-80에
간체 한자 6,763자가 수록되어 있다.

홍콩, 마카오, 대만 지역

중국과 달리 홍콩, 마카오, 대만 지역에는 역사적인
이유로 여전히 절대다수의 번체 한자가 남아 있다.

일본

일본은 비교적 일찍부터 한자를 사용했으며
이후 한자의 초서와 필획을 근거로 가나를
만들었다. 현대 일본의 문자는 한자와 가나
두 가지로 이루어져 있으며 가나는 다시
가타카나와 히라가나로 나뉜다.

한국과 북한

역사적으로 한국어를 한자로 표기한 이두吏讀를
사용했다. 이후 표음문자인 훈민정음을
창제했는데 훈민정음이 바로 현대 한글의
전신이다. 현재 북한은 한자 사용을 전면 폐기하고
한글 자모로 모두 표기하며 한국은 일부
한자를 사용한다.

기원전 3세기 전후로
한자가 한반도에 유입되어
위만조선衛滿朝鮮 시대부터
한자를 사용하기 시작했다.

베트남

역사적으로 베트남에서는 이전에 사용했던 한자와
쯔놈字喃을 혼용한 문자를 '한놈漢喃'이라고 불렀다.
현대에 와서는 알파벳을 기초로 몇 개의 새로운
자모와 성조 부호를 추가한 국문자를 쓰며 한자는
역사 유적이나 민간 풍속에만 남아 있다.

일본인은 한자의 독음과 의미를
바탕으로 중국 당나라 때 사용하던
한자를 개량했으며 이것이
현대 일본 문자로 발전했다.

싱가포르

싱가포르의 공식 언어는 영어이지만 인구의
다수가 중국인이기 때문에 중국어 또한 매우
중요한 언어이다. 싱가포르는 중국 다음으로
가장 먼저 한자 간체화를 추진한 나라이다. 여러
차례 변화를 거쳐 1976년 간체자총표, 이체자표,
신구자형대조표를 공표했는데 기본적으로
중국의 간체자와 일치한다.

명나라와 청나라 때 수많은 중국인이
동남아시아로 이민을 가면서 중국어와
한자도 이 지역에 유입되었다.

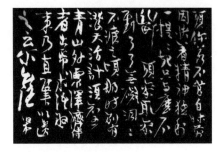

1 일본 문자 사용 지역   2 일본의 서예

일본 문자

일본어와 중국어는 떼려야 뗄 수 없는 관계에 있다. 일본어는 한자, 가타카나, 히라가나, 영문 알파벳 네 가지 문자를 사용하는데 이 가운데 한자, 히라가나, 가타카나가 모두 중국 한자를 빌려 쓰거나 중국 한자를 기초로 만들어졌다. 한편 한자의 원래 개념과 조어 방법이 일본 사회의 영향을 받으면서 새로운 한자와 어휘가 많이 만들어졌고 그중 일부 한자가 간소화되면서 일본 한자와 중국 한자 사이에 차이가 생겼다.

역사가 발전함에 따라 일본어는 수많은 외래어를 흡수했다. 1868년 메이지유신 이전에는 한자로 외래어를 표기했는데 수많은 새로운 어휘에 적합한 한자를 찾아내 번역하거나 조합하는 것이 매우 불편했다. 그러다 메이지유신 이후 모든 외래어를 가타카나와 히라가나로 표기함으로써 이런 불편함을 덜어냈으며 이로써 외래어의 흡수와 전환이 매우 편리해지고 빨라졌다.그림 2~8

일본에 고유문화는 있었지만 토착 문자는 매우 늦게 창제되었다. 일본인은 역사적으로 아주 오랫동안 한자를 자신의 사상과 감정을 전하는 매개체로 사용했으며 이런 한자를 마나眞名라고 불렀다. 최종적으로 일본 문자의 창제는 기비노 마키비吉備眞備와 고보대사弘法大師 구카이空海가 완성했다. 이 두 사람은 모두 당나라 때 오랫동안 중국에 머물렀으며 한자에 조예가 깊었다. 기비노 마키비는 한자의 음을 표기한 해서체의 편방偏旁을 근거로 가타카나를 만들고 구카이는 한자의 초서를 빌려 와 히라가나를 만들었다. 오늘날 세계적으로 중요한 위치에 있는 일본 문자에는 여전히 약 1,000개의 간체자가 남아 있다.

용 용　　　　　　관계할 관　　　　　　필 발

竜　関　発

3　일본의 독특한 한자

龙　关　发

4　중국의 간체자

龍　關　發

5　중국의 번체자

沢の鶴

[青々庵]

服飾科学

ONGAKUZA
音楽座

朝2新聞

東京電力

7 일본은 전통문화 계승을 중시하고 광범위하게
한자를 사용해온 까닭에 한자 디자인이 매우
발달했다. 한자 글자체의 창의적인 응용과 응용
폰트 디자인은 배울 만한 가치가 있다. 이렇듯 한자
디자인이 발달했지만 몇몇 문제도 생겨나고 있다.
젊은 디자이너들이 한자 글자 형태의 계승 관계에
관심을 갖지 않고 한자의 글자 형태를 만들어낸
상형, 회의 등의 기본 원리도 제대로 알지 못하다
보니 멋대로 필획을 늘이거나 줄이고
함부로 필획을 흘려 쓰는 현상이 나타나고 있다.

한자의 계승이라는 측면에서 중국과 일본 두 나라는
일치하는 모습을 보이기도 하고 차별화되기도 한다.
이것이 동아시아의 풍요로운 한자 문화를 이끌어냈다.
아래 그림은 칭화대학교와 도쿄예술대학교가 함께
주최한 중일예술교육학술회를 위해 필자가 작업한
VIS Visual Identity System 작품으로 현대 중국 한자와 일본
한자의 대비와 결합을 창의적으로 풀어냈다. 중국과 일본
모두 한자로 예술을 표현할 때 간화자를 사용하는데
두 나라의 간화 방식에 차이가 있다. 이는 중국과
일본의 예술 교육 분야가 각각 어떤 교류를 하고 무엇을
논의하는지 은유적으로 보여주는 것이기도 하다.

藝 艺 芸
術 术 術

中日艺术教育研讨会
日中芸術教育シンポジウム
主办：清华大学美术学院　东京艺术大学

清华大学美术学院
东京艺术大学
中央美术学院
金泽美术工艺大学
中央音乐学院
爱知县立艺术大学
京都市立艺术大学
冲绳县立艺术大学

9 한글 사용 지역

10 한국 사회에서 상당한 논쟁을 불러일으킨 광화문 현판. 많은 한국인이 광화문 현판에는 한글을 써야 마땅하다고 여기지만, 정부는 역사를 존중한다는 이유로 여전히 한자 현판을 고수하고 있다.

11 세종대왕이 보급한 『훈민정음』

12 «조선일보»는 한국에서 가장 영향력 있는 언론 매체이며 한국에서 가장 역사가 오래된 신문으로 로고에 한자를 사용했다.

한글

역사적으로 한반도그림 9에서는 훨씬 더 실질적으로 한자를 사용했다. 한반도에는 토착 언어는 있지만, 문자가 없는 상태가 오랫동안 지속되었다. 한자가 한반도에 유입된 역사는 2,000여 년에 달하는데 늦어도 기원전 4-3세기 중국 전국시대에 육지 무역을 통해 한반도 북부 지역으로 한자가 전해졌다. 한반도에서 출토된 대량의 전국시대 화폐가 이를 증명해준다. 한반도에서는 오랫동안 한자를 사용해 서적을 만들었다. 한자를 사용한 지 700년이 흘렀을 즈음 한자로 한국어를 표기하기 시작했는데 이것이 이두이다. 하지만 한자로는 한국어 발음을 제대로 옮겨 적기 어려웠고 이를 개선해도 여전히 문제가 많았으며 언어와 문자가 다른 탓에 널리 보급되지 못했다.

이에 다른 민족의 문자 창제 경험을 참고하고 불교의 표음문자에서 영감을 얻어 1446년 세종대왕이 만든 표음 자모를 반포하고 이와 함께 『훈민정음訓民正音』그림 11을 간행했다. 열한 개 모음과 열일곱 개 자음, 총 스물여덟 개의 자모로 구성된 이 문자는 『훈민정음』이라는 서명을

13 암석에 새겨진 한글

그대로 따 '훈민정음'이라 했다. 또 이를 언문諺文이라고도 했으며 한자,
이두와 함께 통속 문자로 사용했다. 1895년에는 국가 법률 문서에 한자
와 한글을 혼용하도록 하고 한글을 정식 문자로 규정했다. 한자와 한글
이외에도 한자의 조자造字 원리를 모방해 새로운 한자를 만들어내기도
했는데 이를 국자國字라고 했다.

　　1945년 조선은 일본 식민 통치에서 벗어나 대한민국과 조선민주
주의인민공화국이라는 두 나라가 되었다. 북한은 1945년부터 한자 사
용을 폐기하기 시작했고 한국은 계속 국한문 혼용 정책을 펴왔으나 사
용하는 한자의 수는 줄어들었다. 1972년 한국 교육부는 초등학생과 중
학생들이 알아야 할 교육용 상용한자한국인이 만든 한자는 포함하지 않은
1,800자를 공표했다.그림 12~15

15 한자는 한국 전통문화에서 중요한 역할을 했다.

16 베트남 문자 사용 지역   17 베트남의 쯔놈

văn hóa Việt Nam

18 프랑스 식민지가 된 이후 지금까지 베트남에서는 라틴 알파벳을 기본으로 한 국문자를 사용한다.

베트남 문자

진나라와 한나라 시대부터 수나라와 당나라 시대까지 베트남그림 16은 중국의 군현이었다. 따라서 중국 문화의 영향을 깊이 받았으며 독립한 이후에도 한자를 사용했다. 그러다 13세기 무렵 한자를 기초로 한 형성, 가차, 회의 등의 방법으로 베트남 말을 표기하는 새로운 문자 쯔놈을 창제했다.그림 17 베트남어에 사용하는 한자를 쯔뇨儒字라고 하는데 보통은 중국어에서 온 외래어를 표기할 때 사용했으며 고유 어휘는 쯔놈으로 표기했다.

예로부터 베트남은 한자 교육을 중시했기 때문에 왕족과 지식인은 모두 한자를 읽고 쓸 줄 알았다. 쯔놈은 베트남의 쩐 왕조 이전에 이미 등장했으며 호 왕조와 응우옌 왕조 때 잠깐 공식 문자로 지정되었다. 그 외에는 대부분 일반 민중만 사용했으며 공식 문자는 아니었다. 베트남에서 일반적인 공식 문자는 한자였다. 쯔놈은 종종 한자를 보조하는 기능을 하면서 한자 문헌이 베트남 사회로 진입하는 과정에서 매개체 역할을 했다. 쯔놈과 한자는 상호 보완적으로 오랫동안 공존하며 조화로운 관계를 이루었다.

chữ hán
𡨸漢

chữ nho
𡨸儒

hán tu
漢字

19 베트남의 쯔놈

126

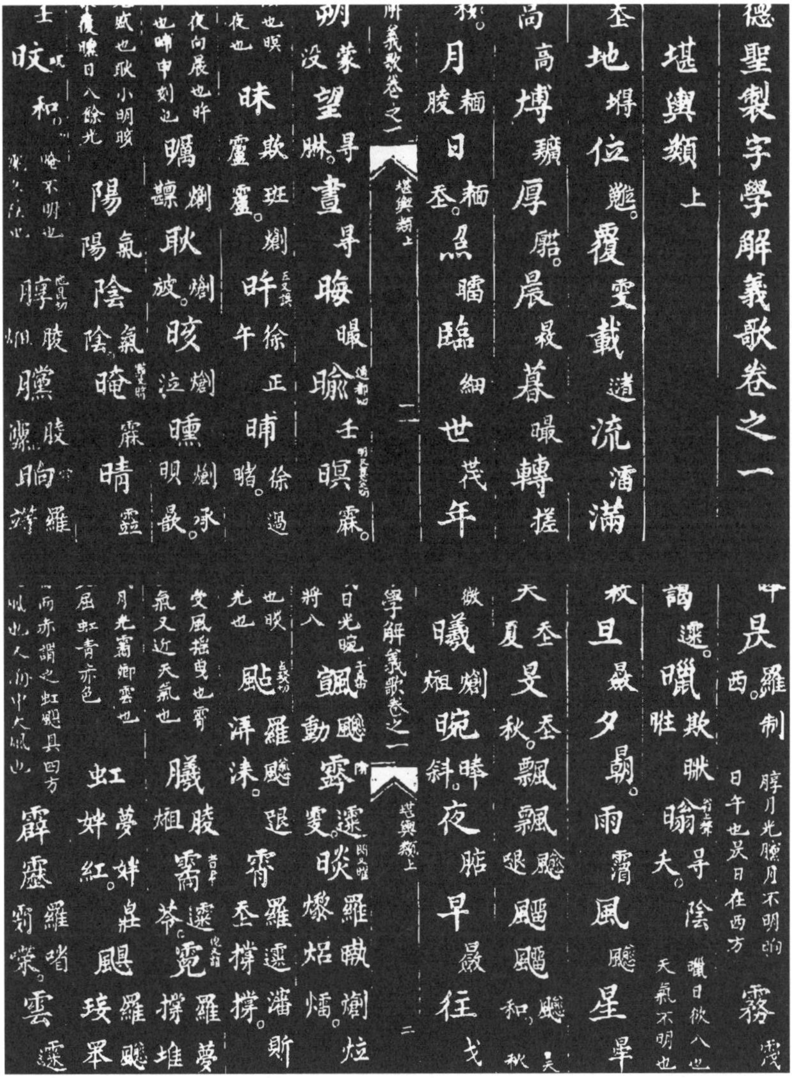

20 베트남의 쯔놈

그러다 근대에 이르러 베트남이 프랑스 식민지가 되면서 라틴 알파벳을 기초로 한 국문자를 주로 사용하게 되었다.^{그림 18} 한자의 수를 제한한 일본과 이따금 한자를 사용하는 한국에 비하면 베트남에서 한자 사용 빈도는 훨씬 더 낮다. 다시 한자를 사용해야 한다고 주장하는 학자들도 있지만 이런 목소리는 여전히 비주류에 지나지 않는다. 현재 베트남에서는 명절 때나 유물, 유적에서만 한자를 볼 수 있다.^{그림 19~20}

21 몽골문자를 넣어 주조한 화폐
22 몽골문자가 찍힌 공인公印

몽골문자

몽골은 몽골제국과 원나라 시기를 전후로 두 개의 몽골문자를 사용했는데 하나는 몽골 위구르 문자이고 다른 하나는 파스파문자八思巴文子이다. 몽골문자는 몽골 민족의 문화 발전과 몽골제국 및 원나라 시기의 풍부한 문화유산 보존에 중대한 영향을 끼쳤다. 몽골 위구르 문자는 칭기즈칸成吉思汗 시대에 창제되었다. 칭기즈칸이 몽골제국을 세우던 당시 위구르 자모로 몽골의 고어를 표기했는데 이를 몽골 위구르 문자라고 한다. 몽골 위구르 문자는 위구르 문자의 자모로 몽골어를 옮겨 쓴 것으로, 왼쪽에서 오른쪽으로 쓰는 세로쓰기 방식이었다. 1206년 이후 몽골족은 점차 이 문자를 사용하게 되었다. 원나라가 세워진 뒤 비석에 몽골 위구르 문자를 새겼는데 현재 중국 각지에 여러 개가 남아 있다.

원나라 세조世祖 쿠빌라이忽必烈가 티베트의 승려 파스파八思巴에게 몽골문자를 제작해 반포, 시행하라는 명령을 내리고 나서 몽골 위구르 문자는 이후 다시는 공식 문자가 되지 못했지만 일반 민중은 계속 사용했다. 쿠빌라이는 즉위 후 파스파를 국사國師에 임명하고 문자를 만들라는 명령을 내렸다. 이에 1269년원나라 6년 몽골신자蒙古新字라는 문자를 정식으로 반포, 시행했으며 다음 해에 몽골 국자國字로 명칭을 바꾸었다.

파스파는 몽골문자의 모양을 네모꼴로 바꾸고 위에서 아래로 향하는 세로쓰기와 오른쪽에서 왼쪽으로 행을 배열하는 방식을 택했다. 이는 당시 몽골 위구르 문자와 한자의 표기 및 글자 구성 방식을 참고한 것이다. 파스파문자에는 총 40여 개의 자모가 있으며 몽골어는 물론 중국어도 옮겨 적을 수 있다.

파스파문자가 쓰인 유물 중 현재 남아 있는 것은 주로 중국 각지의 비석과 대대로 전해 내려온 탁본, 관인官印, 동전, 지폐 등이다. 이 외

23 몽골문자

에 파스파문자로 티베트어를 옮겨 적은 불경 조각이 남아 있다. 1269년 쿠빌라이는 조서詔書를 반포해 새로 제정한 몽골문자로 모든 문자를 옮겨 적을 것을 명확하게 규정했다. 사실상 이것은 일종의 통용 자모로 몽골어와 중국어, 티베트어 등 각 민족의 언어를 옮겨 적으려는 데 그 목적이 있었다. 이는 창의적인 시도이자 중국 문자 역사상 소리 나는 대로 중국어를 표기하는 글자를 만든 첫 번째 시도이기도 하다.그림 21~23

대만 지역	裡面	為什麼	夠了
홍콩	裏面	爲什麼	够了
중국	里面	为什么	够了

24 중국, 홍콩, 대만 지역에서
사용하는 글자체 서법 비교

홍콩, 마카오, 대만 지역의 문자

　고대 중국에서는 필획이 복잡한 한자를 오랫동안 사용했는데 그 과정에서 상대적으로 필획이 간소한 간체자가 나타났다. 필획이 복잡한 원래 글자체를 번체자라고하며 간체자가 없는 글자는 아무리 필획이 복잡해도 번체자라 하지 않는다. 간체자와 번체자는 각각 간필자簡筆字와 심필자深筆字라고도 하는데 엄밀히 말해 간필자는 민간에서 사용하는 쓰기 편한 간화자簡化字이다. 예를 들어 한자 劉죽일 류를 간소화한 刘는 중국 명나라의 고전 소설 『수호전水滸傳』에 등장한다.

　한편 한나라 때부터 위진 시대까지 한자 글자체의 편방偏旁[78] 구조가 일치하는 경향을 보이기 시작했다. 일반적으로 이런 규범의 글자체에 맞게 쓴 글자를 정체正體라고 했다. 이 명칭은 당나라 때 안원손顏元孫이 편찬한 『간록자서干祿字書』[79]에 처음 등장한다.

　홍콩, 마카오, 대만 지역 사람들은 오랫동안 중국의 공통 언어와 문자를 사용했지만, 각 지역에서 한자는 서로 다른 정치, 경제, 문화의 발전과 변천의 영향을 받았고 그에 따라 각기 차이가 생겨났다. 간화자를 공식적인 표준 한자로 사용하는 중국과 달리 번체자를 사용하지만, 이 세 지역이 사용하는 한자는 서로 조금씩 다르다.

　대만 지역에서는 서면은 물론 일상적인 한자 표기의 표준 글자체로 정체자를 사용한다. 상용국자표준자체표常用國字標準字體表와 차상용국자표준자체표次常用國字標準字體表, 한용자체표罕用字體表 등이 정체자의 표준이다. 수많은 표준 서법이 전통적인 해서 서법과 차이를 보인다. 역사적인 이유로 중국과 홍콩, 마카오, 대만 지역은 많은 글자 구조에서 차이가 나타난다. 이를테면 홍콩에서는 '骨뼈 골' 자를 쓸 때 민갓머리ㄱ 위 네모꼴 안 오른쪽에 꺾음 필획이 들어가고 민갓머리 아래에 가로획이 두 줄 들어간다. 대만 지역에서도 민갓머리 위 네모꼴 안 오른쪽에 꺾음 필획이 들어

남박복[복자들]...

25 홍콩, 마카오, 대만 지역에서
사용하는 번체자표

骨　중국의 서법

骨　홍콩의 서법

骨　대만 지역의
　　서법

26 중국, 홍콩, 대만 지역에서
사용하는 글자체 서법 비교

가지만 민갓머리 아래에는 '끌어 올린 점' 필획이 들
어간다. 중국의 경우 민갓머리 위 네모꼴 안 왼쪽에 꺾
음 필획이 들어가며 민갓머리 아래에는 가로획이 두
줄 들어간다. 대만 지역에서는 衞지킬 위의 간체자 卫를
쓰는데 홍콩과 마카오에서는 같은 뜻을 가진 卫와 衞
두 글자가 통용된다.

　이 외에 대만 지역에서도 간화자를 사용한다.
여기서 말하는 간화자란 앞에서 언급한 간필자를 뜻
한다. 1935년 중화민국 교육부가 처음으로 정리해서
보급한 제1차 간략 한자표에는 324개의 간화자가 수
록되었다. 이 간화자와 중화인민공화국 성립 이후 반
포한 간화자는 조금 다르다. 예를 들어 번체자 經지날
경, 글 경의 1932년판 간화자는 経인데 현재 중국에서는
经을 쓴다. 또 우리에게 익숙한 台는 臺대 대의 간필자
이며 胜은 勝이길 승의 간체자이다. 그림 24~26

　번체자를 사용한다는 점 외에도 대만 지역에서
쓰는 중국어는 중국에서 쓰는 중국어와 비교했을 때
상대적으로 더 예스러운 느낌을 준다. 예를 들어 "그는
요 몇 년 동안 진학을 포함한 각 방면에서 학교가 보여
준 출중한 능력과 쑹치리 사건 등 사회적으로 연이어
발생한 괴력난신怪力亂神 사건을 고려해 교육 방면에 더
심혈을 기울일 필요가 있다고 생각한다."라는 문장과
"지명수배범이 배수로로 뛰어내려 오토바이를 훔쳐 달
아나자 경찰 측은 주먹을 불끈 쥐며 분통을 터뜨렸다."
라는 문장을 보자. 여기서 '괴력난신'은 유교 경전『논
어』의 '자불어괴력난신子不語怪力亂神'[80]에서 나온 표현이
며 '주먹을 불끈 쥐며扼腕'도 옛 느낌이 난다.

　고대 중국어는 단음절 어휘 위주였으나 현대 중
국어는 쌍음절 어휘 위주로 변화했다. 대만 지역에서는
여전히 단음절 형식의 어휘를 자주 쓰는데 이 역시 예
스러운 느낌을 준다. 예를 들어 採캘 채의 간자체 '采'와
'具갖출 구'를 중국에서는 보통 采取캘 채, 가질 취와 具有
갖출 구, 있을 유 등의 쌍음절 어휘로 표현한다.

	1	2	3	4	5	6	7	8	9	10	11
중국에서 쓰는 한자	要	信	窗	貌	嘴	留	答	覆	算	解	剃
싱가포르에서 발표한 502 간체자표의 예	乑	仪	囱	児	咀	畄	荅	覄	祘	觧	杀

27 싱가포르 한자 사용 지역   28 싱가포르 한자와 중국에서 사용하는 번체자

싱가포르 한자

싱가포르의 공식 언어는 영어이다. 그러나 인구의 다수가 중국인이기 때문에 이 나라에서 중국어는 매우 중요한 위치를 차지하고 있다. 싱가포르는 중국을 제외하고 가장 먼저 한자의 간체화를 추진한 나라이다. 싱가포르에서는 중국어를 보통 화원華文이라고 한다.

싱가포르는 일찍이 1969년에 자체적으로 간화자를 추진했으며 1976년 이후에는 중국의 간화자를 사용하고 있다. 싱가포르 정부는 공식적으로 간체자를 사용하지만 민간에서는 여전히 번체자를 쓰며 도심 곳곳에서 번체자의 사용을 확인할 수 있다. 그림 28~30 싱가포르의 한자 사용은 세 시기로 나누어볼 수 있다.

첫 번째, 1969년 이전으로 전통적인 번체자를 사용하던 시기이다. 두 번째, 1969-1976년으로 중국의 한자간화방안과는 다른 간체자표를 반포한 시기이다. 1차로 502개의 간체자를 공표했는데 이 중 예순일곱 개가 이체 간화자로 중국이 공표한 간화자와는 다르다. 1974년 또다시 간체자총표를 공표했는데 간체자 2,248자가 수록되었으며 중국에서 발표한 모든 간화자와 중국에서는 아직 간화하지 않은 열 개의 한자가 포함되었다. '要요긴할 요' '窗창 창, 굴뚝 총'이 이에 속한다. 세 번째, 1976년 이후로 간체자총표의 수정본과 이체자표, 신구자형대조표를 반포한 시기이다. 열 개의 간화자와 이체 간체자를 제외하고 중국이 제정한 간화자를 전면적으로 받아들임으로써 중국의 간화자총표와 완전히 일치하게 되었다. 1976년 이후 싱가포르와 중국의 간체자는 글자체로는 차이가 없어졌으나 어휘 사용 방식과 외래어 번역에서는 어느 정도 차이가 존재한다.

29 간체자를 사용한 싱가포르 신문

30 민간에서 여전히 번체자를 사용하는 모습

한자 발전의 이정표

한자는 기나긴 과정을 거쳐 발전해왔다. 한자는 정치, 문화, 과학기술의
변화와 발전에 끊임없이 적응해왔는데 그중 몇몇 부분은 상당히 중요한
열쇠로 작용했다. 그리고 이것이 오늘날 중국의 말과 글, 글자 형태의
형성과 사용에 촉진 작용을 했다.

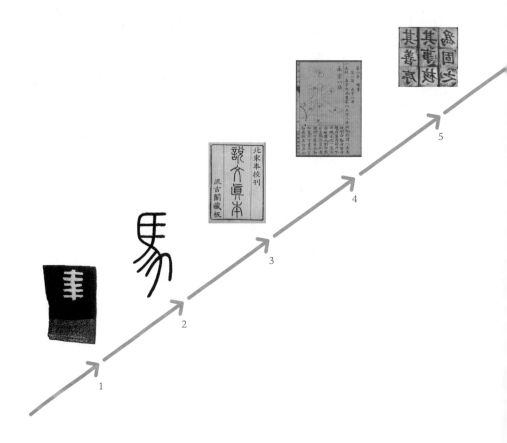

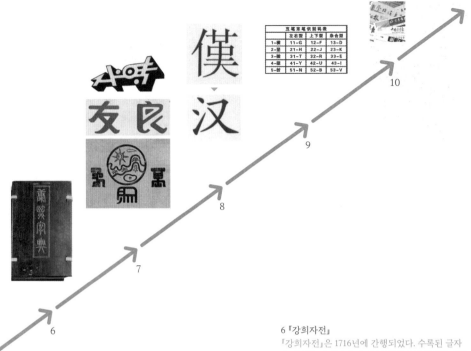

1 토기에 새겨진 부호
한자의 초기 형태로 한자 발전의
시발점으로 볼 수 있다.

2 진나라 때의 문자 통일
진은 전국시대 여섯 나라를 통일하고 문자를
통일했다. 동그랗고 반듯한 글자체에 필획을
간략화한 소전이 나왔으며 그 뒤 다시 에서가
등장했다. 문자 통일은 문화 전파라는 측면에서
긍정적인 역할을 했으며 그 영향이 매우 컸다.

3 『설문해자』
허신의 『설문해자』는 부수에 따라 한자를
배열하고 찾아볼 수 있게 한 중국 최초의
사전이다. 고대 문자와 고대 문헌, 고대 역사
연구에 큰 공헌을 했다.

4 영자팔법
위진 시대에 등장한 해서체 서법의 기본 법칙으로,
후대 사람들이 영자팔법을 서법의 대명사로
여겼다는 점에서 그 중요성을 충분히 알 수 있다.

5 활자 인쇄
현존하는 가장 오래된 조판 인쇄물은 중국의
『금강경金剛經』으로 이를 통해 중국 고대 인쇄술이
얼마나 일찍 등장했는지 알 수 있다. 더욱이
필승畢昇이 발명한 활자 인쇄술은 중국의 4대
발명 중 하나로 꼽히는, 세계 인쇄술 역사상
위대한 기술혁명이다.

6 『강희자전』
『강희자전』은 1716년에 간행되었다. 수록된 글자
수가 많고 가치가 높으며 그 영향이 지대하다. 중국
고대 자전의 최고봉으로 사서辭書 편찬 역사에서
매우 중대한 의미를 지닌다.

7 중화민국 시기
중국의 근현대 장식 문자 디자인은 청나라 말기
사회 및 중화민국 시기의 정치, 경제, 문화, 과학의
대변혁과 밀접하게 연관되어 있으며 유럽과 미국,
일본의 글자체 디자인에서도 영향을 받았다.
오늘날 글자체 디자인의 싹이 튼 시기이다.

8 간화자
중화민국 시기에 이미 간화자가 제기되었으나
중화인민공화국 성립 후 정식으로 간화자를
공표해 사용하게 되었다. 1977년에 공표한 제2차
간화자는 1년 뒤 폐기되었다.

9 한자의 컴퓨터 입력
소프트웨어 개발 회사 왕마Wangma의
사장 왕용민王永民은 최초로
한자근주기표漢字字根週期表를 만들었고 이어서
1983년 오필자형五筆字型이라는 입력 방법을
발명해 한자의 컴퓨터 입력 속도와 정확성을
크게 개선했다.

10 한자 레이저 스캐닝 사진식자
중국 IT 업계의 대부 왕쉬안王選이 이끄는 팀이
한자 레이저 조판 시스템을 만들어내면서 출판과
인쇄업계에 혁명적인 변화가 일어났다. 중국의
거의 대부분 신문과 잡지, 서적에 이 시스템을
사용하는데 기존 활자 인쇄에 비해 효율이 최소
다섯 배 높아졌다.

1 필기도구는 토기 각화, 갑골 각화, 청동기
주조, 죽간·목간과 비단에 글쓰기, 종이에
글쓰기, 인쇄술의 발명과 함께 발전했다.

한자 필기도구의 변혁

한자 필기도구는 갑골문, 금문, 석고문과 소전, 예서, 초서, 진서 정서와 해서, 행서를 거쳐 간화자와 인쇄 글자체에 이르는 일련의 발전과 보조를 맞춰 변화했다. 채문 토기에 새긴 최초의 문자 부호에서 시작해 거북이 등과 짐승 뼈에 새긴 갑골문을 지나 청동기에 주조한 금문, 죽간과 목간에 붓으로 쓴 전서와 예서에 이르렀다.

과학기술의 발전은 필기도구의 발전을 가져왔고 그중 종이의 발명은 붓글씨의 발전을 크게 촉진했다. 또한 인쇄술이 발명되자 한자는 인쇄술의 실용성을 바탕으로 독창적인 예술성과 심미 체계를 갖추게 되었다. 정보화와 인터넷 시대인 오늘날에도 사람들은 여전히 한자를 표현할 새로운 형식과 방법을 계속 탐색하고 있다.그림 1~4, 7

2 중국의 전통 필기도구 붓

3 중국의 먹은 고체와 액체의 전환과 응고라는 독특한 성질이 있다.

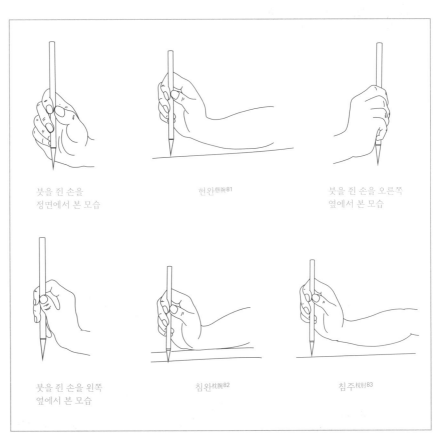

붓을 쥔 손을 정면에서 본 모습

현완懸腕81

붓을 쥔 손을 오른쪽 옆에서 본 모습

붓을 쥔 손을 왼쪽 옆에서 본 모습

침완枕腕82

침주枕肘83

4 붓을 쥔 모습

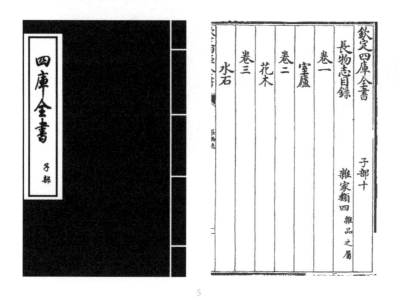

오늘날 경필 서예는 속도감 있는 실용적 글씨 쓰기가 요구되는 상황에서도 여전히 기필起筆, 돈필頓筆[84] 필법과 초서의 필획 형태 등의 서예 규율을 따른다. 실제 생활에서 사용하는 필기도구는 대다수가 두께가 일정한 사인펜이나 볼펜인데 필획의 너비가 일정하면 기필과 돈필 효과를 낼 수 없다.그림 6

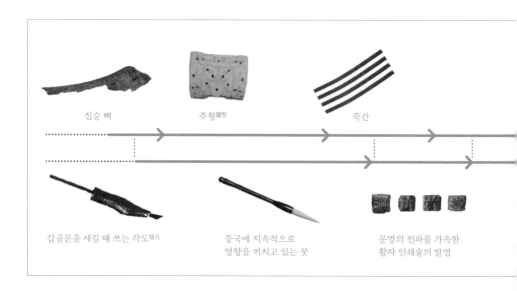

짐승 뼈   주형鑄型   죽간

갑골문을 새길 때 쓰는 각도刻刀   중국에 지속적으로 영향을 끼치고 있는 붓   문명의 전파를 가속한 활자 인쇄술의 발명

6 경필 서예

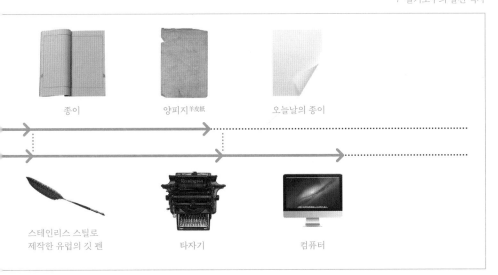

종이 양피지羊皮紙 오늘날의 종이

스테인리스 스틸로
제작한 유럽의 깃 펜 타자기 컴퓨터

벼루
명나라 때 만든
징니화중군자연澄泥花中君子硯

종이
청나라 건륭 연간에 제조한
금율산장경지仿金粟山藏經紙 모조품

먹
용향어묵龍香御墨

붓
상아자단축백수문필象牙紫檀軸百壽文筆

도장
전황석田黃石

수적水滴
송나라 때 만든 영청影靑 수적[85]

붓통
자단누각산수필통紫檀樓閣山水筆筒

붓 빠는 그릇
청나라 때 만든
마노도형필선瑪瑙桃形筆選

붓 받침대
오산필가五山筆架

연병
청나라 때 용천요龍泉窯에서 만든
청자운용문연병青瓷雲龍紋硯屏

연상硯箱86
소창산시회연상小倉山時繪硯箱

묵상
조용백옥감입묵상雕龍白玉嵌入墨床

문진
비취방서진翡翠紡書鎭

완침
조죽완침雕竹腕枕

8 문방사우文房四友와 문방청공文房淸供

문방용품은 한나라와 당나라 때부터 발전하기 시작해 명나라와 청나라 때 최전성기를
맞이했으며 붓과 먹, 종이, 벼루라는 독특한 문화를 만들어냈다. 또한 문방용품은 기능성을
갖추면서도 감상하고 즐길 수도 있는 수많은 필기도구로 이루어졌다. 전문적으로 문방청공을
기술한 저작에는 이런 필기도구의 발전, 변화 과정과 사용 방법이 자세히 설명되어 있는데
소개된 도구의 이름만 수십에서 100여 종에 이른다. 청나라 때 총서『사고전서四庫全書』를
수록한 문인화가 문진형文震亨의『장물지長物志』그림 5, 명나라 때 문인 도륭屠隆의
『고반여사考槃餘事』와『문방기구전文房器具箋』이 그 예다. 문방청공은 붓과 먹, 종이, 벼루와 함께
발전해온 각종 보조 도구를 말한다. 용도에 따라 붓꽂이붓 받침대, 배 모양의 붓 받침대, 붓통, 붓
빠는 그릇, 필첨筆添, 수승水丞, 연적硯滴, 수주水注라고도 함87, 연병硯屏, 문진文鎭, 직사각형의 문진,
묵상墨床, 비각臂擱, 도장, 도장함, 인규印規, 방권仿圈, 종이 자르는 칼 등이 있다.88 그림 8

9 제지술을 발전시킨 동한의 채륜

10 서한 시대의 종이 유물

BC 200년 ▷ 0년 ▷ 200년 ▷ 400년 ▷ 800년

종이의 발명

종이의 발명과 사용으로 인류의 정보 전달력이 빠르게 촉진되었다. 고대 이집트인이 파피루스로 원시 종이를 만들어 글을 썼으나 진정한 의미의 제지 기술은 중국이 발명했다. 간쑤성 톈수이시天水市 팡마탄放馬灘에서 출토된 서한 시대 지도가 그려진 종이가 현재까지 발견된 세계 최초의 종이이다.

제지술을 발전시킨 이는 동한의 환관 채륜蔡倫이다. 후한의 역사서인 『후한서後漢書』 열전 제78권 『환자열전宦者列傳』에 따르면 당시에는 죽간과 목간에 글을 써 서적과 문서를 만들었는데 죽간은 너무 무거웠다. 이후 가볍고 보드라운 비단이 등장했지만 비용이 많이 들었다. 이에 채륜은 새로운 기술로 나무껍질, 낡은 천, 삼베 조각, 그물 등 값싼 재료로 종이를 만들었다. 이로써 종이 제작 원가가 크게 낮아져 종이가 널리 보급될 수 있는 환경이 마련되었다. 한나라 때인 105년 채륜이 새로운 제지술을 황제에게 보고하자 황제는 이 기술을 각 지역에 널리 퍼뜨렸다. 제지술의 발명은 이후 중국은 물론 세계 역사를 바꿔 쓰는 계기가 되었으며 채륜은 동서고금을 막론하고 위대한 인물이 되었다. 그림 9

현재 세계적으로 수많은 종이가 존재하지만, 붓으로 글씨를 쓰고 그림을 그릴 때 쓰는 가장 독특한 수제手製 종이는 여전히 화선지이다. 화선지는 질감이 보드랍고 새하얗고 매끈하면서도 색깔과 광택이 오래가며 흡수력이 좋아 '천년을 가는 종이'라 불린다. 명나라 학자 송응성宋應星의 산업기술서 『천공개물天工開物』에는 종이 제작 과정과 가공 작업 그림이 실려 있으며 중국의 전통 피지皮紙 제조 가공 작업에 대해 기술해놓았다.

『천공개물』에 묘사된 종이 가공 과정은 다음과 같다.그림 11

① 원료를 모으고 나무껍질을 벗긴다.

② 나무껍질, 부드러운 대나무와 삼베를
모두 욕조에 담근 뒤 석회 풀을 솥에
넣고 흐물흐물해질 때까지 끓인다.

③ 수작업으로 대나무 발 등을 사용해
종이를 뜬다.

④ 종이 모양을 잡은 뒤 마르기를
기다린다.

⑤ 종이 말리는 받침대에 열을 가해
완성된 종이를 내려놓을 준비를 한다.

⑥ 종이를 종이 말리는 받침대에
올려놓고 말린다.

11 종이 가공 과정

12 『금강경』 대영박물관 소장

13 『몽계필담』에 따르면 필승이
교니 활자를 발명했다.

인쇄술과 한자

중국의 조판 인쇄술은 수당 시대부터 시작되었다. 현존하는 세계 최초의 조판 인쇄물은 868년에 인쇄된 『금강경』그림 12이다. 조판 인쇄술은 매우 중요한 발명이었으나 단점도 분명히 존재했다. 우선 판목에 글자를 새기는 데 시간이 많이 걸리는 데다 손이 많이 가고 재료가 많이 든다. 또 대량의 서판書板을 보관하기 불편하다. 가장 큰 단점은 일단 오자가 나오면 수정하기가 매우 어려워 서판 전체를 폐기하고 다시 새겨야 한다는 점이다.

최초의 활자 인쇄술은 1040년경에 등장했는데 송나라 때 필승이 점토로 만든 교니 활자膠泥活字 인쇄술이 조판 인쇄술을 대체하게 되었다. 필승과 동시대 사람인 학자 심괄沈括이 『몽계필담』에 자세한 기록을 남겼다.

"점토에 글자의 좌우가 바뀐 방향으로 볼록 튀어나오게 새겼고, 두께는 동전 두께 정도였으며, 불에 구워 딱딱하게 만들었다. …… 글자마다 몇 개의 활자를 만들었고 之갈 지와 也어조사 야 같은 글자는 활자를 20여 개 만들었다. 활자를 철로 만든 주형 두 개에 배치했는데 활자가 가득 차면 이것이 한 판이 되었다. 동시에 두 개의 판을 사용하면서 하나로 인쇄를 하면 다른 하나에는 글자를 배치해 교체 사용했다. 두세 권만 인쇄할 때는 활자를 사용하기가 결코 쉽지 않았고 수십 권 이상 인쇄할 때는 활자를 이용하면 속도가 아주 빨랐다."

현존하는 세계 최초의 금속활자 문화재는 13세기 말 고려에서 인쇄한 『청량답순종심요법문淸凉答順宗心要法門』이다[89].그림 12~16

144

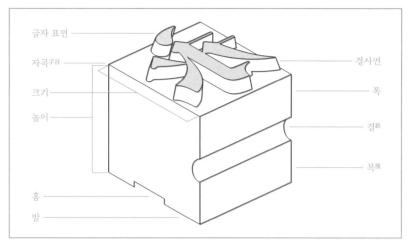

글자 표면
자곡字谷
크기
높이
홈
발

경사면
폭
결缺
복腹

14 활자판 구조

15 판각으로 찍은 『이소離騷』

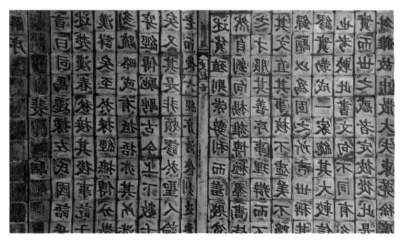

16 목판 활자 실물도

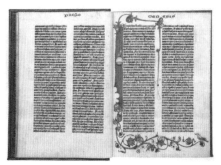

17 구텐베르크는 필사본의 전통적인 레이아웃 디자인을 그대로 답습해 매 쪽에 두 개의 가지런한 직사각형 칸을 배치하고 사방에 많은 여백을 두었다. 양쪽을 펼쳐놓으면 두 개의 직사각형이 만들어지는데 본문 글은 오른쪽으로 정렬하고 여백을 남겼다. 지금 보면 너무나 자연스러운 형식이지만 손으로 베껴 쓰던 시대에는 위대한 혁신이었다. 당시 필사원들로서는 단어 수를 엄격하게 통제해서 완벽하게 정렬할 방법이 없었기 때문이다. 구텐베르크가 붙임표 '-'를 만들어 이 문제를 해결했다.

구텐베르크의 활판 인쇄

필승이 발명한 교니 활자가 유럽에 전해지고 400년이 지난 뒤인 1440년경 독일인 요하네스 구텐베르크Johannes Gutenberg 그림 18가 당시 유럽에 이미 존재하던 인쇄술을 종합해 첫 활판 인쇄기를 제작했다.그림 19 이 인쇄술이 아주 빠른 속도로 유럽 전역에 퍼지면서 사실상 인쇄업의 세계적인 산업화가 촉진되었다.

구텐베르크가 제작한 인쇄기는 활자를 사용했다. 이는 납, 안티모니antimony, 주석으로 만든 합금으로 제작한 활자로 중국이 이미 몇백 년 동안 사용하던 인쇄술에서 한발 더 나아간 것이었다. 1455년에 출판한 『성경Bible』그림 17은 구텐베르크의 가장 유명한 작품으로 300권만 인쇄했다. 매 쪽이 두 단으로 나뉘어졌으며 한 단에 마흔두 개의 행이 들어가고 전부 라틴어로 쓴 책이었다. 중세 초기 유럽에서 책은 부의 상징이었다. 수도사나 필사원이 글자를 일일이 베껴내는 수고 끝에 책이 만들어졌기 때문이다. 책 한 권 만드는 데 오랜 시간이 걸렸음은 물론 들어가는 비용도 상당했다. 구텐베르크가 발명한 활판 인쇄기는 이 모든 것을 바꾸어놓았으며 르네상스 시대의 지식과 문화의 전파를 가속화했다.

18 현대 인쇄술을 발명한 구텐베르크. 스페인의 역사학자이자 전도사였던 후안 곤잘레스 데 멘도사Juan Gonsales de Mendoza는 1584년에 쓴 『중국대제국사Historia de las cosas más notables, ritos y costumbres del gran reyno de la China』에서 구텐베르크가 중국 인쇄술의 영향을 받았다고 설명했다.

스크루　　　　손잡이
　　　　　　　잉크 볼
　　　　　　　압지틀
압인판틀印版

19 구텐베르크가 설계한 활판 인쇄기

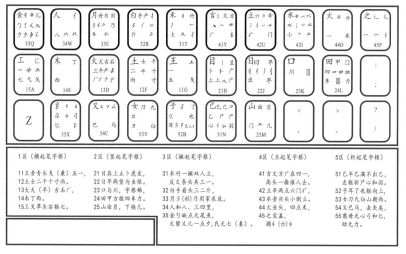

金钅鱼儿 勹勹夕夕 35Q	人 亻 八 巜 乁 34W	月 丹 用 冂 彡 彡 乃 丹 丰 氒 33E	白 手 扌 氕 斤 匸 32R	禾 禾 竹 丿 夂 攵 彳 丿 31T	言 讠 文 方 亠 亠 亠 广 亠 门 41Y	立 六 辛 卒 讠 亠 亅 门 亠 门 42U	水 氺 氺 氺 氺 氺 小 水 灬 43I	火 业 灬 灬 米 44O	之 辶 辶 宀 宀 人 45P
工 匚 一 廿 廾 七 弋 戈 15A	木 丁 西 14S	大 犬 古 石 三 丰 厂 長 厂 ナ 十 13D	土 士 干 二 十 十 二 五 寸 12F	王 主 一 五 戋 11G	目 且 卜 卜 广 上 止 止 卜 21H	日 早 刂 刂 刂 刂 虫 早 22J	口 川 川 23K	田 甲 皿 四 四 田 皿 车 川 力 24L	
Z	纟纟纟 马 弓 弓 匕 匕 55X	女 刀 九 巛 彐 臼 53V	子 子 孑 《 也 耳 阝 阝 了 52B	巳 己 己 已 乙 尸 尸 心 小 羽 51N	山 由 贝 冂 丬 几 25M	<	>	?	

1区（横起笔字根）	2区（竖起笔字根）	3区（撇起笔字根）	4区（点起笔字根）	5区（折起笔字根）
11王旁青头戋（兼）五一， 12士二干十寸雨。 13大犬（羊）古石厂， 14木丁西。 15工戈草头右框七。	21目具上止卜虎皮， 22日早两竖与虫依， 23口与川，字根稀， 24田甲方框四车力， 25山由贝，下框几。	31禾竹一撇双人立， 反文条头共三一。 32白手看头三二斤， 33月彡（衫）乃用家衣底。 34人和八、三四里， 35金勹缺点无尾鱼， 犬留乂儿一点夕,氏无七（妻）。	41言文方广在四一， 高头一捺谁人去。 42立辛两点六门广， 43水旁兴头小倒立， 44火业头，四点米， 45之宝盖， 摘礻（示）衤。	51已半巳满不出己， 左框折尸心和羽， 52子耳了也框向上， 53女刀九臼山朝西。 54又巴马，丢矢矣， 55慈母无心弓和匕， 幼无力。

20 오필자형 어근표

1그룹 가로획부터 시작되는 어근, 2그룹 세로획부터 시작되는 어근, 3그룹 삐침획부터 시작되는 어근, 4그룹 점부터 시작되는 어근, 5그룹 꺾음 획부터 시작되는 어근

BC 200   0   200   400   800

한자와 컴퓨터 시대

1970년대 전 세계가 컴퓨터 시대에 접어들자 알파벳 자모 스물여섯 개에 맞게 설계된 컴퓨터 자판 입력 시스템에 글자 수가 수만 개에 이르는 한자를 적용할 수 있겠느냐는 난제에 부딪혔다. 당시에는 한자 전용으로 설계한 거대 자판을 만들자는 의견이 주류를 이루었다. 그런데 왕융민이 이런 정형화된 사고에서 벗어나 오필자형 입력법을 만들어내면서 처음으로 한자의 컴퓨터 입력 속도가 분당 타자 수 100타라는 큰 관문을 넘어섰다. 왕쉬안이 이끄는 팀이 발명한 한자 레이저 스캐닝 사진식자 기술 역시 세상을 놀라게 하면서 왕쉬안은 활자 인쇄술을 발명한 북송 시대 인물인 '필승의 현신畢昇'이라 불리게 되었다.

한자 레이저 스캐닝 사진식자는 컴퓨터를 통해 한자를 점 행렬로 분해한 뒤 레이저를 조절해가며 감광 필름 위에 스캔하고 감광점의 점 행렬을 이용해 문자와 이미지를 조합한다. 이 시스템으로 활자 조판의 효율을 높일 수 있었고 인쇄 노동자들의 납 중독 위험 등 건강에 미치는 악영향에서 벗어날 수 있었다. 게다가 수정이 쉽고 원가가 낮으며 효율

오필자형 구조	구성도	예
좌우형		他 湖 侶 封
상하형		呂 菜 品 咒
접합형		凹 回 巡 司 厅 冈 巨 凼

21 왕쉬안과 그가 이끄는 과학기술 연구팀이 연구 개발한 한자 레이저 스캐닝 사진식자 시스템은 신문과 출판 전 과정의 전산화 기초를 마련해주었다.

22 오필자형 구조

이 높다는 특징이 있었다.

　　현재 중국에서는 신문과 잡지, 서적을 대부분 이 시스템으로 인쇄하는데 작업 효율이 과거 활판 인쇄에 비해 적어도 다섯 배 이상 높다. 한자의 글자 모양은 디지털 정보로 구성된 점 행렬의 형식으로 표현되는데 한자는 서구의 자모보다 글자체와 글자 수가 많다. 예를 들면 号이름 호, 號의 간체자 한 글자가 8만여 개의 점으로 구성된다. 따라서 전체 한자의 폰트 저장량은 놀라울 정도이다. 글꼴 정보를 압축하고 신속하게 복원하는 기술이 개발됨으로써 폰트 저장량이 1/5,000,000로 줄어들어 속도가 엄청나게 빨라졌다. 이 혁신적인 고해상도 글꼴 생성기와 패턴 생성기, 고속 글꼴 복원 방법으로 한자 레이저 스캐닝 사진식자의 핵심 난제가 해결되었다.그림 21

　　한자 입력은 줄곧 골치 아픈 문제였다. 영문 타자기가 일찍 나올 수 있었던 것은 영어가 소수의 자모로 구성되어 있고 조합 방식이 간단하다 보니 자연히 입력도 간편했기 때문이다. 그러나 한자 입력은 오랫동안 큰 골칫거리였다. 한자 표준화 입력은 활자에 의지해 실현하는 수밖에 없었다.

　　오필자형약칭 오필 입력법은 왕용민이 1983년 8월에 발명한 한자 입력법이다. 발명자의 성을 따서 왕마오필王碼五筆이라 부르기도 한다. 오필자형은 전적으로 필획과 글꼴의 특징에 따라 한자에 일련번호를 매긴

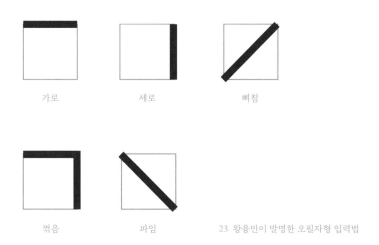

가로 　　　　　 세로 　　　　　 삐침

꺾음 　　　　　 파임 　　　　　 23 왕융민이 발명한 오필자형 입력법

전형적인 코드 입력 방식그림 22~23으로 현재 중국과 싱가포르, 말레이시아 등 몇몇 동남아시아 국가에서 가장 일상적으로 쓰는 한자 입력법 중 하나이다. 한어병음漢語拼音 입력법과 비교했을 때 코드 중복 비율이 낮고 숙련되면 입력 속도가 매우 빨라진다. 1983년 탄생 이후 86오필, 98오필, 신세기오필新世紀五筆 세 가지 버전이 나왔다.

　　1984년 9월 국제연합에서 오필자형 한자 코드 입력법을 시연했는데 분당 120자 입력 속도가 나왔다. 최대 네 번의 자판 터치만으로 모든 글자와 구절을 입력해냈고 이로써 한자의 컴퓨터 입력 문제가 근본적으로 해결되었다. 그 뒤에도 한자 입력 기술이 점점 더 선진적으로 발전했지만 모두 알파벳 자판을 이용해 한자에 일련 코드를 매기고, 이 코드를 입력하면 그에 상응해 한자 입력이 완성되는 방식이었다. 오필자형에서는 한자를 좌우형과 상하형, 접합형 등의 구조로 나눈다.그림 22

24 한자의 간소화 예시

한자의 간소화

한자의 간소화는 결코 근대의 산물이 아니다. 일찍이 한자가 막 형태를 갖추기 시작한 갑골문과 금문 단계에 이미 간체가 있었다. 이후 소전, 예서와 해서 시기를 거치면서 간소화된 한자가 더 많아졌다. 한나라와 위나라 때 비석에 새겨진 글자와 그림, 당나라 때 필사 경전에서도 상당히 많은 간체자를 찾아볼 수 있다. 송나라 때부터는 조판 인쇄 서적에도 간체자가 나타나기 시작했다. 이렇게 해서 간체자의 사용 범위가 한층 더 확대되었으며 이에 따라 간체자 수도 급증했다. 근대에 들어와 문화 전파의 필요성이 절실해짐에 따라 적지 않은 학자들이 한자를 간화해야 한다는 주장을 펴며 간소화 운동을 일으켰다.

출판사 상무인서관商務印書館 편집부장 루페이쿠이陸費逵는 1909년과 1921년에 각각 발표한 논문 「보통 교육에 속자俗字를 도입해야 한다普通教育應當採用俗字」와 「한자 정리에 대한 의견整理漢字的意見」에서 한자 간소화의 필요성을 제창하며 통속적으로 쓰는 글자 수 제한, 필획 줄이기 등 한자를 정리하기 위한 많은 방법을 제시했다. 1922년 국어통일주비위원회國語統一籌備委員會에서 언어학자 첸쉬안퉁錢玄同이 제기하고 루지陸基, 언어문화학자 리진시黎錦熙, 양수다楊樹達 등이 연서한 '현행 한자 필획 줄이기 방안減省現行漢字的筆劃案'에서는 간체자 확산 운동을 펼치자고 호소했다. 이 안은 문자란 본디 일종의 도구로, 실용성이 문자의 우열을 가르는 표준이 된다고 보았다. 심지어 중국어 병음화 구상을 내놓았는데 병음화야말로 문제의 근본을 해결할 방법이지만 일단 임시방편으로 한자부터 간소화하자는 것이었다. 이들은 과거에 평민 사회에서만 통용되던 간체자를 정식으로 정규 문서에 사용하자고 주장했다.

1949년 중화인민공화국이 성립되고 다음 해에 중앙인민정부 교육부 사회교육국에서 상용간체자등기표常用簡體字登記表를 제작했는데, 당시 이미 통용되던 간체자를 원칙으로 삼아 정리하면서 필요한 경우에는 현재의 간소화 규칙에 따라 적절하게 보충했다. 해서를 중심으로 때때로 행서와 초서를 차용하면서도 간편한 글자 쓰기와 인쇄의 편리성을 고려했다. 간체자는 가장 자주 사용하는 한자를 대상으로 선정해 보충하고 전면적인 간소화를 실시하지는 않았다. 1년 뒤 '기존에 존재하는 간체자를 기술하기만 하고 새로운 자를 보태지는 않는다.'라는 원칙에 따라 555자를 수록한 제1차 간체자표를 입안했다.

　　중국문자개혁연구위원회가 성립된 뒤인 1954년 말에는 한자 간화방안漢字簡化方案 초안이 나왔다. 이 초안은 세 부분으로 나뉘는데, 798개 한자 간화표 초안, 400개 이체자표 폐기 초안, 한자의 편방 쓰기 간화표 초안이다. 다음 해에 중국문자개혁연구위원회는 중앙 정부의 1급 신문에 이 초안을 발표하고 그중 261자를 전국 각지의 수십 종에 달하는 신문에서 시범 사용하도록 했다. 그리고 그해 7월 국무원에서 한자간화방안심정위원회漢字簡化方案審訂委員會를 만들었다. 이 위원회는 대부분 정치가와 문인 들로 구성되었는데 둥비우董必武가 주임 위원을 맡고 궈모뤄郭沫若, 마쉬룬馬敍倫, 후차오무胡喬木가 부주임 위원을 맡았으며 장시뤄張奚若, 천옌빙沈雁冰, 쉬광핑許廣平, 주쉐판朱學范, 사오리쯔邵力子, 장슈주張修竹, 샹난項南, 쉬신徐忻, 라오서老舍, 쩡자오룬曾昭掄, 덩퉈鄧拓, 푸빈란傅彬然 등이 위원으로 참여했다.

　　9월 중국문자개혁연구위원회는 의견을 듣고 종합한 결과에 따라 수정 초안을 제출했다. 이 안은 초안에 실려 있던 '400개 이체자표 폐기 초안'과 '한자의 편방 쓰기 간화표 초안'을 삭제하고 간화자를 798개에서 512개로 줄였으며 간소화한 편방을 56개로 늘려 수록했다. 1955년 10월 전국문자개혁회의 토론을 거친 끝에 이 수정 초안에 수록된 간화자는 512개에서 515개로 늘었고 간소화한 편방은 56개에서 54개로 줄었다. 수정을 거친 수정 초안은 국무원 한자간화방안심정위원회의 심사, 결정을 거쳐 1956년 1월 28일 국무원 전체 회의 제23차 회의에서 통과되었다. 그리고 1월 31일 《인민일보人民日報》를 통해 이를 공표했다.

이 안의 몇몇 단점과 부족한 점은 1964년 중국문자개혁연구위원회에서 출간한 간화자총표를 통해 수정하고 조정했는데 간화자총표는 세 개의 표로 나뉜다. 첫 번째 표는 편방용으로 사용하지 않는 352개 간화자표이고, 두 번째 표는 편방용으로 사용 가능한 132개 간화자와 14개 간화 편방표이며, 세 번째 표는 편방의 종류에 따라 유추해서 만든 1,754개 간화자표로 이 셋을 합하면 총 2,236자가 된다. 이렇게 해서 한자의 간소화 1단계가 마무리되었다.

한자의 간소화에 대해서는 국내외에서 여러 다른 의견이 나오고 있지만, 1단계에서 정리된 간화자는 글자 형성의 문맥 원리는 물론 논리성 면에서도 비교적 성공적이었다. 이는 사용을 통해서도 증명되어 싱가포르도 이를 전면적으로 받아들였다.

이에 비해 중국문자개혁연구위원회가 1977년에 내놓은 제2차 한자간화방안 초안은 문제점이 매우 많아 1986년 정식으로 폐기되었다. 그리고 같은 해 국가어언문화공작위원회國家語言文化工作委員會에서 수정을 거친 간화자총표를 새롭게 발표했다.그림 24~27

26 1964년의 간화자표 일부 예시

번체	간체	번체	간체	번체	간체
個	个	劃	划	協	协
僅	仅	劇	剧	卹	恤
傘	伞	奮	奋	卻	却
價	价	陸	陆	叢	丛
償	偿	甎	甎	吳	吴
兒	儿	匯	汇	喪	丧
實	实	噁	恶	嘗	尝
囑	嘱	囑	嘱	團	团
報	报	堊	垩	圖	图
塊	块	塵	尘	壇	坛

27 간화자총표의 일부 예시

p'ing ts i
瓶 子

ㄆㄧㄥˊㄗㆍ
瓶 子

대만 지역에서 사용하는 주음부호

píng zi
瓶 子

중국에서 사용하는 한어병음　　　　28 간화자총표의 부분 예시

한어병음과 한자

　한어병음漢語拼音 방안은 한자의 음을 표기하고 표준어를 확대하기 위한 것이지 한자를 대체할 표음문자로 만든 것이 아니다. 중국 최초 표음화는 당나라 때 산스크리트 문자 자모를 활용한 표기였다. 명나라 때 회족은 한자가 아닌 아랍어를 배워 아랍어 자모로 중국어 입말을 받아 적고 이를 소아금小兒錦이라 했다. 종교, 신앙과 학습을 위해 도입한 중국 최초의 이 한어병음은 지금도 중국 서북 지역 민간에 전해지고 있다.

　명나라 말기 가톨릭교회 예수회 선교사였던 니콜라 트리고Nicolas Trigault가 1610년 중국에 도착해 서양인의 한자 학습을 돕기 위해 한자 발음을 로마자로 표기한 어휘집을 출간했다. 근대에 들어와 중국 지식인 사이에서는 로마자로 한자를 표기하려는 사례가 적잖이 나타났다. 1906년 언어학자 주원슝朱文熊이 출간한 『강소신자모江蘇新字母』, 1908년 류멍양劉孟揚이 저술한 『중국음표자서中國音標字書』 그리고 1926년의 국어로마자國語羅馬字, 1931년의 로마자화 신문자拉丁化新文字 운동 등이 그 예다. 또 1936년 미국 신문기자 에드거 스노Edgar Snow가 출간한 『중국의 붉은 별Red Star Over China』에서도 산시성陝西省 북부 소비에트 지역에서 교육가 쉬터리徐特立가 진행한 한자 로마자화 병음 방안 실험을 소개했다.

　이런 일련의 병음 방안이 중화인민공화국 건국 후 문자 개혁 기반의 일부가 되었다. 그러나 영향력이 좀 더 컸던 것은 역시나 주음부호와 웨이드식 로마자 표기법이다. 1918년 중화민국 정부가 정식으로 공포한 한자 주음부호는 지난 100년 동안 변화를 거치면서 서른일곱 개의 자모자음 스물한 개, 모음 열여섯 개로 변화했다. 중국 주재 영국 공사였던

자음표									
b	p	m	f	d	t	n	l
g	k	h	j	q	x	zh	ch
sh	r	z	c	s	y	w
모음표									
a	o	e	y	u	ü	ai	ei
ui	ao	ou	iu	ie	üe	er	an
en	in	un	ün	ang	eng	ing	ong
일체형 발음 음절									
zhi	chi	shi	ri	zi	ci	si	wu
yi	yu	ye	yue	yuan	yun	yin	ying

29 한어병음 자모표

토머스 프랜시스 웨이드Thomas Francis Wade가 영국으로 돌아가 1888년 케임브리지대학교 교수로 재임하며 중국어를 가르치면서 로마자 자모로 한자 발음을 표기하는 웨이드식 로마자 표기법을 창안했다. 이 표기법을 나중에 영국의 중국학자 허버트 앨런 자일스Herbert Allen Giles가 수정했다. 예전에는 중국 인명과 지명을 표기할 때 보편적으로 웨이드식 로마자 표기법을 사용했으나 1958년 중국이 한어병음 방안을 보급하면서 점차 폐지되었다.

주음부호는 주요 중국어 사전에서만 사용되고 있지만 여전히 중요한 발음 표기 기호 역할을 하고 있다. 대만 지역은 2000년 중국의 한어병음과 다른 통용병음通用拼音으로 바꾸었다가 2008년 9월 중국에서 사용하는 한어병음으로 바꾸었다. 국제연합은 1979년부터 로마자로 쓴 각종 문서의 중국 인명과 지명을 한어병음으로 표기하기로 했다. 또 1981년 국제표준화기구는 중문병음방안中文拼音方案을 중국 관련 명칭과 어휘를 표기할 때 기준이 되는 국제 표준으로 규정했다. 1997년에는 미국의회도서관이 한어병음 방안을 채택했다.

예전에는 중국의 일부 도시나 성이 웨이드 로마자식 표기법에 따라 영문 지역명을 표기했다. 베이징을 Peiking, 난징南京을 Nanking으로 표기한 것이 그 예다. 1970년대 말부터 1980년대 초까지 한어병음으로 대체되었으나 유명 기관과 역사가 오래된 교육기관에서 여전히 오래된 명칭을 고수하는 경우도 적지 않다. 칭화대학교의 Tsinghua University, 베이징대학교의 Peiking University 등이 이에 해당한다. 그림 28~29

문자를 소재로 한 예술 창작과 창의적인 디자인은 주관적인 상상으로 가능한 작업이 아니며 모든 한자의 창의적 작업에는 문맥과 연원이 담기게 된다. 그런데 근현대 글자체 디자이너의 상당수가 한자의 전수와 계승에 대한 지식과 문자 발전의 맥락에 대한 이해가 없다 보니 주관적이고 독단적인 창의 한자가 수없이 나오고 있다. 어울리지도 않게 필획을 줄여버리거나 공용 필획을 그냥 연결해버리기도 한다. 한자 디자인은 반드시 학습과 이해를 통해 기초를 닦은 뒤 진행해야 하는 작업임을 잊어서는 안 된다.

이론과 실천은 늘 긴밀하게 연결되어 있다. 한자가 발전해오는 동안 수많은 학자, 예술가, 더 나아가 정부 관리들이 끊임없는 노력으로 많은 실용적인 방법과 창작 정신을 종합하고 추출해냈다. 예를 들면 허신은 부수로 글자를 찾는 방식을 처음으로 도입해 중국 최초의 자전을 발명했다. 또 영자팔법永字八法, 『간가결구적요 92법間架結構摘要九十二法』과 연관된 오필자형 입력법의 출현으로 복잡한 한자를 컴퓨터에 입력할 수 있게 되었다. 이런 방법론이 나오면서 한자는 매번 새 생명을 얻었다.

중국은 글자체 디자인 영역에서 새로운 혁신과 발전을 촉진하는 역량을 발휘해야 한다. 그리고 이런 변화를 위해서는 한자 역사 속의 예술과 디자인 사고 그리고 그 방법에 대한 연구가 선행되어야 한다.

이 장에서는 한자의 디자인 방법론, 한자의 아름다움, 중국 문자의 계통, 한자의 지혜, 한자의 신비한 속성, 한자와 율격律格 디자인관, 길상 문화 속의 합체자와 픽토그램을 다룰 것이다.

한자의 디자인 방법론

영자팔법

영자팔법의 유래

알려진 바에 따르면 한자는 총 10여만 자에 이르며 방대한 문자 체계이다. 스물여섯 개 자모로 구성된 영어와 비교하면 중국인이 일상 생활에서 자주 쓰는 3,000-5,000개의 한자는 복잡하기 그지없다. 하지 만 모든 한자는 다 뜻을 가진 기본 형태소나 어휘로, 자모와 대응될 가 능성이 낮다.

로마자는 엄격한 골격 선을 기본으로 설계되었는데 중국인 역시 수많은 글자에 적용할 수 있는 귀납 방법을 찾아냈다. 이것이 바로 영자 팔법그림 1으로, 米쌀 미 자 형태의 기본 그림에 복잡하고 간결한 한자 필 획을 추가한 것이다. 영자팔법은 가로, 세로, 삐침, 꺾음, 점, 파임, 갈고 리 등 여덟 개의 필획으로 귀납된다. 복잡한 한자를 이렇게 간결하게 단 축시킨 영자팔법의 디자인은 오늘날에도 큰 영향을 끼치고 있다.

한자가 처음으로 컴퓨터 시대를 맞이할 무렵 우리는 골치 아픈 문 제에 맞닥뜨렸다. 이렇게 복잡한 글자를 어떻게 영어의 사고방식으로 편집하고 입력하겠는가. 이 문제는 결국 오필자형 한자 입력이 발명되 고 한어병음이 짝을 이루면서 해결되었다. 오필자형 한자는 영자팔법과 긴밀한 관계가 있는데 오필자형 한자는 한자 필획의 기초 단위를 훨씬 더 고도로 귀납한 것이다. 파임과 점, 갈고리를 하나의 필획으로 합치고 꺾음을 세로획과 가로획에 넣음으로써 결국 가로, 세로, 삐침, 꺾음, 점 으로 간소화되었다. 오필자형 한자가 발명된 이후 한자의 입력 속도는 영어에 손색없을 정도로 빨라졌다.

영자팔법은 중국의 서법 필획의 근간으로, 여덟 개 필획에 숙달되 면 다양한 필획을 쓸 수 있으며 각 필획을 품격 있게 쓰게 된다. 영자팔

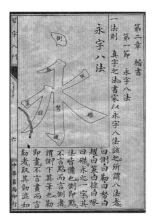

1 동진 시대의 대서예가 왕희지는 몇 년 동안 '永영원할 영' 자만 썼다고 전해진다. 그는 해서의 팔법八法이 모두 들어 있는 '永' 자를 잘 쓰면 모든 글자를 잘 쓸 수 있게 된다고 보았다. 전통 영자팔법에는 각각 측側, 륵勒, 노努, 적趯, 책策, 략掠, 탁啄, 책磔의 여덟 개 필획이 있는데 제종원諸宗元의 『중국서학천설中國書學淺說』에 명확하게 설명되어 있다.

첫 번째 필획: 측점획. 붓끝을 종이에 대고 오른쪽을 향해 천천히 힘을 더하면서 압력을 가한 뒤 다시 천천히 위에서 거두어들이며 방향을 바꾼다. 붓을 돌려 장봉藏鋒90하면서 상태를 보며 각도를 바꾼다.

두 번째 필획: 륵가로획. 붓끝을 종이에 대고 오른쪽으로 압력을 가하면서 가로로 획을 긋고 천천히 붓을 거두어들여 가로 방향의 필획을 긋는다.

세 번째 필획: 노세로획. 세로 직선의 필획으로, 붓을 수직으로 세워 잡는 직필법으로 시작해 수직으로 선 붓을 천천히 아래로 내리며 선을 긋는다. 왼쪽으로 약간 치우쳐서 구부린 뒤 다시 방향을 틀어 돌아오는데 필획의 방향이 완전한 직선이 되어서는 안 된다. 그러면 획에 힘이 없어진다.

네 번째 필획: 적갈고리. 세로획을 마치고는 잠시 붓을 멈추었다가 다시 왼쪽 위로 기울인다. 붓이 나가는 즉시 거두어들이며 위를 향하게 한다.

다섯 번째 필획: 책치침. 붓끝을 종이에 대고 오른쪽으로 향하면서 압력을 가한 뒤 다시 오른쪽으로 돌아 올라가서 비스듬하게 그리다가 천천히 거두어들인다. 가볍게 들어 올려서 들어가는 것이 핵심이다.

여섯 번째 필획: 략긴 삐침. 왼쪽 아래를 향하는 필획으로 재빠르고 정확하게 그어야 한다. 이 필획을 긋는 과정에서는 기운찬 힘이 중요하다. 붓이 깔끔하게 나가야 한다.

일곱 번째 필획: 탁짧은 삐침. 왼쪽 아래로 향하는 필획이다. 새가 나무를 쪼는 듯한 힘과 기세가 필요하다.

여덟 번째 필획: 책파임. 오른쪽 아래로 향하는 필획으로 느릿느릿하지만 힘 있게 긋는다. 마무리 지을 때 압력을 가하며 다시 오른쪽으로 방향을 돌려 가로획을 그리면서 천천히 붓을 거두어들인다.

법은 표면적 글자체 디자인 뒤에 숨겨진 하나로 연결된 체계적 사유 방식이자 방법론이며 디자인의 중심축이다. 만약 우리가 오늘날 다시 한자 글자체를 디자인한다면 또 다른 중심축을 찾아낼 수 있을까? 우리가 아직 모르는 방법이 한자 뒤에 숨어 있지는 않을까? 이것을 생각해보는 것 자체가 참 힘든 일이라는 점은 의심할 필요도 없으나 한번 시도해볼 만한 가치가 있다.

영자팔법의 현대적 응용

오필자형 한자는 컴퓨터에 한자를 입력하는 문제를 해결해주고 어마어마한 양의 한자를 최소 단위로 단순화했다. 영자팔법 정신을 확장한 이런 디자인 철학은 중국의 전통 서법 방법론을 오늘날의 새로운 디지털 시대에 응용할 수 있게 해주었다.그림 2

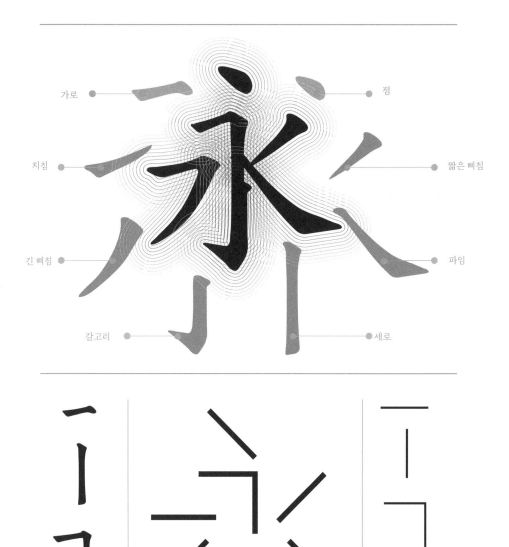

가로 · · 점

치침 · · 짧은 삐침

긴 삐침 · · 파임

갈고리 · · 세로

2 팔필八筆에서 추출된 오필자형이 오필 입력법의 기초가 되었다.

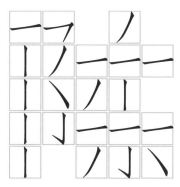

3 '永' 자의 필획 순서는 위에서 아래로 향하는 큰
흐름에서 가운데 획을 먼저 긋고 양쪽 획을 긋는
기본 원칙을 따른다.

4 필획을 해체하는 방식으로 한자 '陈陳베풀 진의
간체자' 자를 재조합했다. 모든 한자에 응용할 수 있는
방법이다.지은이 작품

한자의 필획 순서

한자는 필획 순서가 명확하게 규정되어 있다. 이를 필순筆順이라
하며 기본 규칙은 다음과 같다. 가로획을 먼저 쓰고 세로획을 나중에 쓴
다, 삐침을 먼저 쓰고 파임을 나중에 쓴다, 왼쪽에서 오른쪽으로 쓴다,
위에서 아래로 쓴다, 먼저 들어갔다가 나중에 닫는다, 가운데를 먼저 쓰
고 나중에 양쪽을 쓴다, 밖을 먼저 쓰고 안을 나중에 쓴다 등이다. 예를
들어 '永영원할 영' 자는 점, 횡절구橫折鈎, 가로획에서 꺾인 갈고리, 치침, 긴 삐
침, 짧은 삐침, 파임 순으로 쓴다. 필순이라는 형식을 둔 목적은 글자 쓰
는 속도를 높이면서 글자 모양을 제대로 잡기 위해서이다.

한자의 필순은 예부터 지금에 이르기까지 차이가 있으며 지역에
따라서도 달라지기 때문에 넓게 보면 정답이 없고 통일된 엄격한 규정
이 있는 것도 아니다. 단지 특정 시대에 특정 지역에서 규정된 '상대적
으로 정확한' 필순이 있을 뿐이다. 이를테면 1988년 3월 25일 국가어언
문자공작위원회國家語言文字工作委員會와 신문출판서新聞出版署가 공동으로 발표
한 현대한어통용자표現代漢語通用字表는 오늘날 필순의 기본 규범으로 7,000
개 한자의 필순이 명시되어 있다. 현대한어통영자필순규범現代漢語通用字筆
順規範은 이를 조정하고 개선한 것으로, 수면 아래 있던 필순 규범을 수면
위로 끌어올렸다. 여기에서는 세 가지 형식의 필순을 열거했다. 이와 더
불어 현대한어통용자표에서 글자 색인에 따라 필순을 추정하기 어려운
'火불 화' '爽시원할 상' 등 몇몇 글자의 필순을 명시했다.그림 3~6

한자 규칙			예시	필획 순서
기본 규칙	가로획을 먼저 쓰고 세로획을 나중에 쓴다.		十	一 丨
	삐침을 먼저 쓰고 파임을 나중에 쓴다.		人	丿 乀
	위에서 아래로 쓴다.		亐	一 一 ㄅ
	왼쪽에서 오른쪽으로 쓴다.		孔	ㄱ 丿 ノ ㄴ
	바깥쪽을 먼저 쓰고 안쪽을 나중에 쓴다.		月	丿 丨 一 一
	바깥쪽을 먼저 쓰고 안쪽을 나중에 쓰며 마지막에 입구를 닫는다.		日	丨 丨 一 一
	중간을 먼저 쓰고 나중에 양쪽을 쓴다.		小	丿 丿 丶
보충 규칙	점이 들어가는 글자	점이 가운데 위와 왼쪽 위에 있을 때는 점을 먼저 찍는다.	门	丶 丨 ㄱ
		점이 오른쪽 위에 있을 때는 나중에 찍는다.	犬	一 丿 乀 丶
		점이 안에 있을 때는 나중에 찍는다.	瓦	一 ㄴ 乚 丶
	양면을 포위한 구조의 글자	오른쪽 위에서 둘러싼 구조일 때 바깥쪽을 먼저 쓰고 안쪽을 나중에 쓴다.	勺	丿 ㄱ 丶
		왼쪽 위에서 둘러싼 구조일 때 바깥쪽을 먼저 쓰고 안쪽을 나중에 쓴다.	庆	丶 一 丿 一 丿 乀
		왼쪽 아래로 둘러싼 구조일 때 안쪽을 먼저 쓰고 바깥쪽을 나중에 쓴다.	近	丿 丿 一 丨 丶 ㄱ ㄴ
	삼면을 포위한 구조의 글자	입구 없이 위로 터진 구조일 때 안쪽을 먼저 쓰고 바깥쪽을 나중에 쓴다.	击	一 一 丨 ㄴ 丨
		입구 없이 아래로 터진 구조일 때 안쪽을 먼저 쓰고 바깥쪽을 나중에 쓴다.	内	丨 ㄱ 丿 丶
		입구 없이 오른쪽으로 터진 구조일 때 위아래를 먼저 쓰고 오른쪽 아래를 나중에 쓴다.	区	一 丿 丶 ㄴ

5 한자 필순의 기본 규칙

干방패 간
가로획을 먼저 쓰고
세로획을 나중에 쓴다.

八여덟 팔
삐침을 먼저 쓰고
나중에 파임을 쓴다.

主주인 주
위에서 아래로 향한다.

陳베풀 진
왼쪽에서 오른쪽으로 쓴다.
먼저 阝언덕 부를 쓰고
나중에 東동녘 동을 쓴다.

回돌아올 회
바깥쪽을 먼저 쓰고
안쪽을 나중에 쓴다.

田밭 전
먼저 들어갔다가
나중에 닫는다.

爽시원할 상
가로획을 먼저 쓰고 왼쪽에서
오른쪽으로 乂벨 예를 네 개 쓴 뒤
마지막에 人을 쓴다.

送보낼 송
关옷을 소를 먼저 쓰고
辶쉬엄쉬엄갈 착을 나중에 쓴다.

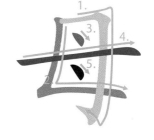

母어미 모
이 글자의 마지막 세 개
필획은 점, 가로획, 점이다.

6 한자의 필순 예시

7 『간가결구적요 92법』

『간가결구적요 92법』

청나라 때 서예가 황자원黃自元의 『간가결구적요 92법』그림 7은 당나라 초기 4대 서예가 중 한 명인 구양순의 『결자 36법結字三十六法』과 명나라 때 이순李淳의 『대자결구 84법大字結構八十四法』을 기초로 체계적이고 전면적으로 한자의 구조와 조합 법칙을 연구 분석해 아흔두 가지 한자의 결체結體 즉 필획 구조 쓰기 방법을 종합, 정리하고 그 전형적인 실례를 덧붙인 것이다. 황자원은 책에서 이렇게 밝혔다. "옛사람들은 한자 필획의 짜임새를 논할 때 가운데에 획이 있는 글자를 본보기로 삼았고 구조를 논할 때 가운데에 획이 없는 글자를 본보기로 삼았다."

『간가결구적요 92법』은 비교적 완전하면서도 실용적인 법첩法帖91으로 후세 서예가들에게 상당한 영향을 끼쳤다. 처음 서법을 배우는 사람에게 적합할 뿐만 아니라 서예 애호가들도 참고하고 감상할 만한 가치가 있다. 『간가결구적요 92법』은 서법을 배우는 사람들이 한자 필획의 짜임새와 구조를 쉽게 이해하도록 하면서 초학자初學者들을 일깨우고 가르치는 역할을 했다. 청나라 말기에서 중화민국 초기에 이르기까지 서법을 배우는 사람은 누구나 한 권씩 마련해둘 정도였다.

그러나 근대 학자 량허우푸梁厚甫는 『간가결구적요 92법』은 황자원의 이름을 빌렸을 뿐 실제로는 청나라의 관각체館閣體92 그림 8를 보급한 이의 작품이 분명하다고 주장했다. 청나라 관료들은 한자를 쓸 때 매우 엄격한 기준을 들이댔다. 이것이 바로 해서체로 작게 쓴 관각체이다. 과

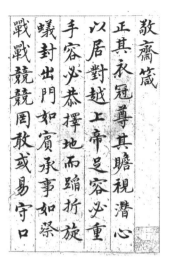

8 『경재잠책敬齋箴冊』은 명나라 때인 1418년에 서예가 심도沈度가 쓴 해서체 작품이다. 필력에 힘이 넘치고 호방한 기품이 보인다. 점과 획이 거칠지만 무겁지 않고 섬세하면서도 가볍지 않으며, 법도를 모두 갖추고 규범과 규칙을 잘 지켰다. 글 전체의 필획이 적절한 짜임새를 이루고 있으며 행과 열이 반듯하다. 아름다움과 우아함, 온화함과 여유로움, 격렬하지도 맹렬하지도 않은 기개를 드러내며 유학자의 기풍을 한껏 담아냈다. 전형적인 관각체 작품이지만 관각체가 오를 수 있는 최고 수준에 오른 작품이다.

거에 합격해 관직에 오르려면 반드시 이런 글씨를 연습해야 했는데 이 글씨는 다음의 세 가지 기준으로 판단했다. 첫째는 질서 정연함, 둘째는 장엄한 무게감, 셋째는 전통적 서법을 그대로 따른 몰개성적인 필획 구조였다.

　이런 요구 조건에 부합하도록 관각체의 서법 디자이너는 해서구십이법을 창안해 규범으로 삼았으며 이렇게 해서 『간가결구적요 92법』이 나오게 되었다. 서법 형식을 독점하고 자유로운 서체를 억압했던 관각체의 과거는 일단 접어두고 완전히 새로운 글자체 디자인의 시각으로 보면 관각체와 『간가결구적요 92법』이 한자의 글자 형태를 완벽히 분석하고 정리함으로써 글자체 디자인 입문자들이 한자 해서체의 글자 형태, 필획 구조를 제대로 이해하게 되었다는 데 중요한 의의가 있다.

안정적인 무게중심

좌우 대칭　　좌우 비대칭

글자를 반듯하고 균형감 있게 쓴다는 뜻이다. 글자 전체가 지탱점 위에 안정적으로 자리해야 하며 무게중심을 잃어서는 안 된다. 한자 글자 형태를 보면 선대칭을 이루는 글자는 소수이고 대부분 비대칭을 이룬다. 글자를 쓰는 과정에서 아래의 방법을 활용하면 무게중심을 잡을 수 있다.

적절한 밀도

한자에는 간소한 글자가 있는가 하면 복잡한 글자도 있다. 필획이 많은 글자가 있는가 하면 적은 글자도 있다. 획이 많은 글자는 10-20획으로 이루어져 있기도 하고 적으면 2-3획에서 끝나기도 한다. 글자를 쓸 때는 각 점과 필획 사이의 여백을 잘 배치해서 모든 필획 사이의 거리와 밀도가 합리적이고 균형을 이루게 해야 한다. 필획이 많은 글자는 고르고 치밀하되 빽빽하게 들어찬 느낌이 들지 않도록 하며 필획이 적은 글자는 널찍하되 빈약해서는 안 된다.

연속된 호응

점과 획의 호응　　편과 방의 호응

해서의 모든 필획에 시작과 끝이 있지만 앞의 획이 끝나는 시점의 기세를 뒤의 획이 바로 이어받아 자연스럽게 써야만 붓이 끊어져도 그 기운은 계속 이어진다. 편방 부수 사이에는 치침과 갈고리 그리고 삽입과 접근 등의 방법을 사용해 필획과 필획이 서로 호응하며 서로 돌아보게 하고, 생동감이 넘치고 활발하면서도 하나로 융합되게 해야 한다.

들쭉날쭉한 변화

하나의 글자 안에 두 개 이상 똑같은 필획이 존재할
때는 길이, 무게감, 기울기에 변화를 주고 위를
우러러보거나 아래를 굽어보는 등 방향을 달리하고
필획을 거두어들이는 등의 변화를 주어야 한다. 두 개
이상 똑같은 부분으로 구성된 글자는 주가 되는 부분과
부차적인 부분을 명확히 나누고 크기와 강약, 필획을
거두어들일 때의 변화를 주어야 하며, 똑같은 모양이
반복되는 일이 없도록 함으로써 가지런하지 않고
들쭉날쭉한 변화의 맛을 주어야 한다.

글자에 따른 형태 부여

원래 모든 한자가 직사각형이 아니며 글자마다 본연의
자연적인 형태가 있다. 송나라 때 문인 강기姜夔는
『속독보續讀』에서 이렇게 말했다. "글자의 길이, 크기,
기울기, 밀도가 어찌 하나가 될 수 있겠는가." 글자를
쓸 때는 일률적인 반듯함을 고집해서는 안 되고 글자에
따라 형태를 부여해야 한다. 이렇게 해야만 글자가
아름답고 가지런하며 제각기 다른 표정을 갖게 된다.

9

황자원의 『간가결구적요 92법』

『간가결구적요 92법』의 원저자는 소영邵瑛이며 청나라 말기 황자원이 이를 수정, 보완했다. 실용적인 서법을 담은 이 법첩은 해서의 글자 구조를 과학적으로 분석한, 해서 학습자를 위한 입문서이다.그림 10

제1법 위가 덮인 것은 대체로 ㄱ 획이 모든 아래 획을 덮는다. 윗부분은 덮개 역할을 하는 글자이며 나머지 필획은 반드시 덮개 밑에 덮어야 한다.

제2법 가로획을 짊어지고 있는 것은 가운데 획을 적당히 길게 긋는다. 가로획을 짊어지고 있는 글자에서는 가운데 가로획을 길게 써야 한다.

제3법 세로로 우뚝 솟아 있는 것은 가운데 세로획이 적당히 곧다. 세로획이 가운데를 관통하는 글자는 중간의 세로획이 삐뚤어지는 법 없이 곧아야 한다.

제4법 위아래에 가로획이 있을 때는 위 가로획은 짧고 아래 가로획은 길어야 한다.

제5법 오른쪽과 왼쪽에 세로획이 있을 때는 왼쪽 세로획은 적당히 거두어들이고 오른쪽 세로획은 펼친다.

제6법 바닥의 획은 그 위의 모든 필획을 받쳐준다. 아래에 받침대 모양의 글자가 있으면
      이 글자가 나머지 필획을 받쳐줘야 한다.

제7법 가로획이 길고 세로획이 짧을 때는 삐침과 파임을 가능한 한 축소해야 한다.

제8법 가로획이 짧고 세로획이 길 때는 삐침과 파임을 가능한 한 쭉 펴야 한다.

제9법 가로획이 길면 삐침은 짧다.

제10법 가로획이 짧으면 삐침은 길다.

10

한자의 아름다움

한자의 배열

한자는 어째서 세로쓰기인가

갑골문과 금문은 조각과 모형에 주조하는 방식으로 쓰였으며 모두 위에서 아래 방향의 세로쓰기 배열 방식을 따른다. 이 세로쓰기가 오른쪽에서 왼쪽으로 이동하는지 아니면 왼쪽에서 오른쪽으로 이동하는지는 여전히 학술적 논쟁거리이다.

오른쪽에서 왼쪽으로 이동하는 세로쓰기 방식은 오른손으로 붓을 들고 왼손으로 거북이 뼈나 죽간, 목간을 잡는 통상적인 습관에서 유래했다고 추측하기도 한다. 게다가 이렇게 완벽한 갑골문 체계를 갖추었던 은나라와 상나라에서 거북이 뼈와 청동기 그릇, 이 두 가지 표현 매개체만 있었을 리 없으며 이 외에 죽간과 목간, 방직품 같은 다른 형식이 있었을 것이라고 추측하는 학자도 있다. 다만 너무 오래전 일이다 보니 이를 밝혀줄 유적이 없어 고증할 길이 없다. 갑골문에 나타난 '書 책 서' 자는 사람이 붓을 잡고 글을 쓰는 모습을 본떠 만든 상형문자이다. 습관은 오랫동안 이어지며 후대로 전해진다. 한나라 때까지 죽간과 목간을 쭉 사용하다가 종이가 등장하자 종이에 쓰는 글도 자연스럽게 위에서 아래 즉 세로 방향으로 배열하는 방식을 따르게 되었듯이 말이다.

한자에도 많지는 않지만 가로쓰기 방식이 존재한다. 현판, 간판, 대련의 가로쓰기가 그 예다. 가로쓰기 방식으로 한자를 쓸 때는 글자를 왼쪽에서 오른쪽으로 배열할 수도 있고 오른쪽에서 왼쪽으로 배열할 수도 있다. 가로쓰기 방식으로 배열된 한자도 실은 한 글자가 하나의 행을 이루며 수직 배열된 세로쓰기로 볼 수 있다.

근대 동아시아 한자 문화권에서는 서구 문명의 영향을 크게 받으면서 왼쪽에서 오른쪽으로 글자를 배치하는 가로쓰기가 등장하기 시작

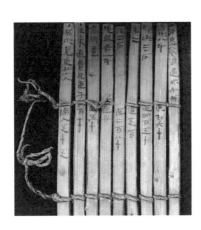

1 죽간은 가느다란 직사각형 모양이다. 왼쪽으로 펼쳐 일렬로 글을 쓴 뒤, 책으로 엮어 매기 때문에 위쪽에서 아래쪽, 오른쪽에서 왼쪽으로 이어지는 배열 방식이 생겨났다.

좌　우

좌　우

2 글자를 쓸 때 사용하는 재료, 글자를 담는 저장 장치, 글자를 쓰는 방식 등이 모두 달라졌음에도 실끈으로 책을 단단히 동여맨 선장본線裝本 역시 죽간과 목간의 배열 방식에 따라 위쪽에서 아래쪽, 오른쪽에서 왼쪽으로 이어지는 고정 양식을 고수했으며 이런 방식은 목판 인쇄 시대까지 이어졌다. 그러나 이런 방식으로 글을 읽는 것이 매우 불편하다 보니 읽는 속도가 느려져 책 읽는 시간이 길어지면서 시각적으로 쉽게 피로해졌다. 습관에서 유래한 비합리적 디자인의 전형적인 사례라 할 수 있다.

했다. 1950년대 《광명일보光名日報》가 처음으로 가로쓰기 조판 방식을 채택하면서 「본 신문의 가로쓰기 채택에 대해 독자에게 드리는 말씀」이라는 글을 통해 "한자의 가로 배열과 가로쓰기가 발전하는 추세에 있다."라고 언급했다. 이에 많은 학자가 이런 변화를 지지하면서 가로쓰기와 독서의 과학성을 열변했다. 이후 중앙지급의 신문 열일곱 종 중 열세 종이 연이어 가로쓰기를 채택했으며 1956년 《인민일보》가 전면적인 개판改版을 단행하면서 서적과 각종 인쇄물에 가로쓰기 열풍이 불었다.

그러나 중국에 출판물의 조판 방식을 엄격하게 관리하는 규정이 없다 보니 출판물과 잡지가 대부분 가로쓰기 방식을 채택하고 있는 지금도 새로 인쇄하는 고서적이나 학술 저작 문집, 패션 잡지의 경우 여전히 세로쓰기 방식을 고집하기도 한다. 이는 지식인 계층이 문화 계승과 지식 수준 측면에서 세로쓰기가 타당하다는 확고부동한 생각을 갖고 있기 때문이다. 또 하나는 일본, 홍콩, 대만 지역 등이 여전히 세로쓰기 방식을 고수해 젊은 세대가 세로쓰기 방식을 자연스럽게 받아들이고 있기 때문이기도 하다.그림 1~4

3 한자를 쓰는 방식이 발전하면서
대련 같은 특수한 읽기 방식이
나타나기도 했다. 사람이 등진 채
대련의 앞 구절을 오른손 옆즉 문
왼쪽에 붙이고 아래 구절을 왼손
옆즉 문 오른쪽에 붙인다. 그래서
대련을 읽을 때도 오른쪽에서
왼쪽으로 읽는다.

좌 ← 우

사람이 등지고
선 상황

하련   상련

4 근대에 들어와서는 중국, 한국, 일본 등 한자를 사용하는
나라에서 서구 문화의 영향으로 읽기 방식에 변화가
일어났다. 세로로 쓴 글을 오른쪽에서 왼쪽으로 읽어나가던
과거의 방식에서 가로로 쓴 글을 왼쪽에서 오른쪽으로 읽는
방식으로 서서히 바뀌었다. 지금도 이 방식이 이어지고 있다.

좌   우

5 열정적인 서예 마니아들은
어디서든 자신의 열정을 표현한다.

6 글자는 그 글자를 쓴 사람을 닮는다. 글자에서
올곧은 마음가짐과 당당함이 깃든 절개가
엿보인다. 안진경은 유명한 서예가로 후대의
추앙을 받았지만 파란만장한 정치 생애를 통해
쏟아부은 노력으로도 많은 이의 칭송을 받았다.
아첨할 줄 모르는 강직한 성격을 가진 이는
뭇 사람의 표적이 될 수밖에 없는 법이고, 안진경
역시 예외일 수 없었다. 결국 재상 노기盧杞가 역적
이희열李希烈을 이용해 그를 죽음으로 내몰았다.

한자의 아름다움과 필적학

필적학筆跡學은 필상학筆相學이라고도 한다. 현대의 필적학은 맨 처음 서양에서 등장했다. 17세기 초 필적과 성격의 관계에 관한 책이 이탈리아에서 처음으로 출간되었으나 필적학의 체계적인 전문화는 프랑스에 기원을 두고 있다. 최초의 필적학 연구자들은 모두 성직자였다. 이 시기에 나온 책으로는 『필적학의 방법La Méthode Pratique de Graphologie』 『필적학의 체계Système de Graphologie』가 있다. 19세기 말 필적학의 발전을 이끌었던 독일에서 비교적 체계적이고 완전한 필적학 이론이 나왔다. 그리고 이 체계를 심리학에 도입함으로써 필적이 글자를 쓴 사람의 심리를 분석하는 근거가 될 수 있다는 생각을 하게 되었다.

수백 년을 거치면서 서구 필적학 이론의 구조와 체계, 연구 수법은 거의 완벽한 수준에 이르렀다. 여러 대학에서 필적학과를 개설하고 심지어 필적학을 전문으로 하는 대학과 각종 학술 조직도 생겨났다. 범죄학이 필적학과 관련 맺게 된 시기도 바로 이때였다. 1930년대에 범죄학과 사법감정학司法鑑定學이 창설되고 널리 보급되면서 필적학은 급성장했다. 비교하고 감별해서 동일 필적인지 확인하는 것이 감정법으로 확립되면서 최근 수십 년 동안 수많은 국가가 최신 과학기술을 필적학에 도입했고 이로써 필적학은 점점 더 완벽해지고 있다.

7 홍이법사 리수퉁이 생전에 마지막으로 남긴 필적 '비흔교집'

적성호군장赤城護軍章　광한대장군장廣漢大將軍章

호분장군인虎賁將軍印　교공중랑장인巧工中郎將印

8 장군인將軍印은 고대 관인의 일종이다. 이런 관인은 보통 행군 중에 갑자기 명령을 내려야 할 때 새겼다. 그러다 보니 도장 표면을 칼로 빠르게 파내서 만들 수밖에 없었으므로 '급취장急就章'이라 부르기도 했다. 들쭉날쭉한 모양새로 자신을 한껏 드러내며 과시하듯 새겨진 글자와 어떤 구속에도 얽매이지 않고 거침없이 배치된 필획에서 장군인의 독특한 스타일과 자연스러운 운치, 의외성이 드러난다. 매우 급하게 제작한 탓에 필획을 간소화하거나 아예 빠뜨린 경우도 흔히 볼 수 있다.

필적과 성격의 밀접한 관계를 일찍부터 알아차린 고대 중국인 역시 "글씨는 그 사람을 닮는다字如其人."라고 말하곤 했다. 서화가들은 서예와 그림에 작가의 의지를 담아낼 수 있다고 믿어 의심치 않았다. 현대에 들어와 한자 필적학에 대한 실증적 연구가 이루어졌는데 대부분 1960년대에 시작되었다. 필적으로 복잡다단한 인간의 성격을 판단한다는 점이 현재로서는 아직 설득력 있는 과학적 근거가 부족하지만, 필적이 그 글자를 쓴 사람의 심리와 정서, 신경 활동 유형 등을 통찰해내는 데 참고할 만한 가치가 있다는 점은 의심할 여지가 없다.

　　내성적인 사람과 외향적인 사람의 필적에 나타나는 차이가 좋은 예시이다. 외향적인 사람은 명랑하고 활달하며 적극적이고 열정적이어서 필적도 대부분 편안하고 막힘이 없으며 마지막 획을 바깥쪽을 향해 아주 빠른 속도로 마무리한다.그림 5~6 그러나 내성적인 사람은 조용하고 안정적이며 밖으로 마음을 드러내지 않아서 필적에서도 긴장감과 신중함이 느껴지며 마지막 획이 대부분 안쪽을 향한다.

　　보통은 글자를 쓸 때 들어가는 힘의 세기로 글자를 쓴 사람의 정력과 체력을 판단할 수 있다. 홍이법사弘一法師 리수퉁李叔同이 임종 직전에 남겨 생전 마지막 필적으로 유명한 '비흔교집悲欣交集93' 네 글자를 보면

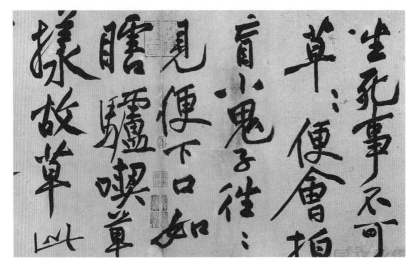

9 황정견黄庭堅

황정견은 서법으로 일가를 이루었는데 행서와 초서에 능했다. 특히 초서에 뛰어났던 그는 「제상좌첩諸上座帖」
「이백억구여시첩李白憶舊遊詩帖」 등의 작품을 남겼다. 후세 사람들에게 가로세로가 기기하고 글의 기세가
웅장하고 노련하며 글자를 자유자재로 가다듬고 거두어들임으로써 반듯하고 균일한 격식을 극복했다는
평가를 받았다. 이런 이유로 시인 소동파, 서화가 미불米芾, 서예가 채양蔡襄과 함께 '송사대가'로 불린다.

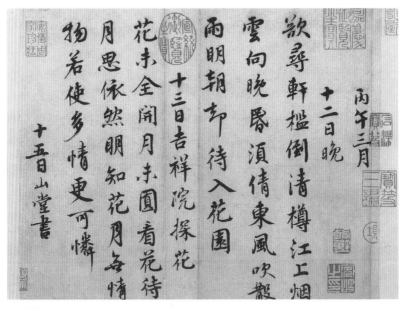

10 채양

채양은 강직한 성품의 소유자로 소신 있게 직언하는 관리였다. 송나라 인종仁宗 경우景佑 연간에
범중엄范仲淹, 구양수歐陽修, 여정余靖, 윤수尹洙 네 사람의 관리가 조정의 부패를 비판하는 의견을
내놓았다가 파면당하자 「사현일불초시四賢一不肖詩」를 지어 범중엄과 구양수 등을 지지했다.
채양은 서예에 능했는데 주로 진나라와 당나라 때의 서예가 왕희지, 안진경, 유공권 등을 본받은
서법을 선보였다. 구양수와 소동파 등은 채양을 '송나라 최고의 서예가'라고 평했으며
후세 사람들은 그를 소동파, 황정견, 미불 등과 함께 '송사대가'로 불렸다.

11 엄숭嚴嵩

과거에는 '간신'이라는 말이 그에 대한 일반적인 평가였다. 옛 서적에서든 무대에서든 그는 늘 악랄하고
탐욕스러우며 저지르지 못할 악행이 없는 악인의 화신으로 많은 이에게 손가락질당하고 욕을 먹었다.
그런데 엄숭에 대해 알려지지 않은 사실이 하나 있다. 젊은 시절에는 엄숭도 정직한 사람이었고
서예에 조예가 깊었다는 것이다. 톈진 지현薊縣의 독락사獨樂寺 현판 글씨가 그의 손에서 나왔다.

쇠약한 기운과 어수선한 구도가 눈에 또렷하게 들어온다.그림 7 필획의 짜임새는 외부 환경을 대하는 태도를 드러내며 글자체의 크기는 자아를 반영하고자아가 강한 사람은 글자를 크게 쓰는 경향이 있음, 필획이 연결되는 정도는 그 사람의 생각과 행동이 얼마나 조화를 이루는지를 보여주며 단어와 행의 방향은 자주성과 적극성의 여부를 말해준다. 또 글자를 쓰는 속도는 이해력의 속도를 의미하며 글 전체의 배치는 외부 세계를 대하는 태도와 점유 방식을 드러낸다.그림 8~11

한자는 로마자 등의 표음문자와는 다른 점이 상당히 많다. 추상적인 필획에서 글자를 쓴 사람의 심리가 드러나고 그 외에도 한자 자체의 상형, 회의 등의 특성이 깊이 의미를 되새겨볼 만한 많은 정보를 전해준다. 글자 자체가 시각적으로 비애와 부정적인 느낌을 주는 '哭울 곡' 자와 '苦쓸 고' 자가 바로 이런 예다.

필적학에 대한 사람들의 인식이 높아지고 필적 감정 능력이 향상되면서 필적 감정이 관련 법률 분쟁 과정에서도 중요한 역할을 하게 되었다. 중국의 사법 감정 기술 규범에는 필적 감정 규범에 대한 설명이 포함되어 있는데 그 치밀함과 엄격함이 놀라울 정도이다. 예를 들어 '사법 감정 기술 규범·필적 감정 규범'2010년 4월 7일 판 제4부 필적 감정 규정의 제4절에서는 필적의 특징을 식별하는 일반적인 방법을 다음과 같이 소개하고 있다. 일반적인 필적 특징의 식별 방법에는 아래 방법이 포함되어 있으나 이에 국한되지는 않는다.

①눈짐작자연광이나 조명 아래에서 맨눈 또는 돋보기로 관찰하고 식별한다.
②현미경 관찰 눈짐작으로 식별하기 어려운 특징은 현미경으로 관찰하고 식별한다.
③측정기 검사모호 하거나 조작이 의심되는 글자 흔적은 적합한 측정기를 사용해 검사하고 식별한다. 흔히 사용하는 측정기로는 비교영상분광기video spectral comparator가 있다.
④측량 적합한 측량 도구나 측량 소프트웨어로 필적 특징을 측량하고 분석한다. 필획의 길이, 각도, 라디안radian[94], 거리, 배열 비율 관계 등이 분석 대상이 된다.
⑤실험 분석확정하기 어려운 특징은 검사 재료의 구체적인 상태에 따라 모의실험을 통해 분석하고 판단한다.

⑥통계 분석 통계학의 원리와 방법을 응용하여 필적 특징의 분포 상황, 변화 범위, 정도 등을 일정한 범위 안에서 통계적으로 분석한다.

또 다음과 같은 예를 들고 있다.

일반적으로 필적 특징의 비교 대조 방법에는 아래의 몇 가지가 있으나 이에 국한되지는 않는다.

①직관적 비교 검사할 재료와 표본의 필적 특징을 눈으로 비교하고 가치 있는 특징은 필적 특징 비교 대조표에 표기해 그 차이를 명시한다.

②현미경 비교 검사할 재료와 표본의 필적 특징을 현미경으로 관찰하고 비교 대조 분석한다. 가치 있는 특징은 필적 특징 비교 대조표에 표기하고 필요한 설명을 덧붙인다.

③측량 비교 측량 도구나 소프트웨어를 이용해 검사할 재료와 표본의 글자 흔적의 필적 특징, 이를테면 구성, 형체, 배열 비율, 필획 각도, 라디안, 거리 등을 측량하고 비교한다.

④겹침 비교 같은 모본에서 나온 모방 필적이라고 의심되거나 검사 재료에 남은 글자 흔적이 어떤 표본의 글자 흔적을 모방한 것으로 의심되는 경우에는 대응되는 글자 흔적을 겹쳐서 비교 대조한다.

중국 문자의 체계

글자체 로고타이프

넓게 보면 중국 고대의 로고타이프logotype, 줄여서 로고로 칭함 디자인 역사는 아주 오래전으로 거슬러 올라간다. 최초의 원시적 형태에서 시작된 중국의 로고 디자인은 그만의 독특한 발전 과정을 거쳤다. 중국 고대의 로고 디자인은 한자의 발전과 밀접한 관계가 있다. 한자는 고대 중국인의 위대한 발명품으로 늘 신성한 지위를 누렸다.

한자 자체가 사물 형태를 그대로 본뜨고 뜻을 표현하는 원리에 따라 만들어진 까닭에 상징적인 부호가 되므로 태생적으로 유리할 수밖에 없었다. 한자 문화의 독특한 매개체인 도장은 중국에서 처음으로 등장했으며 로고의 성질을 띤 구체적 사물 중 하나이다. 수천 년 전 도장은 권력과 신분, 지위의 상징이었다. 상품을 교환할 때 남기는 증빙 서류도 도장과 유사한 로고 방식으로 되어 있었다.『주례周禮』『석명釋名』등의 옛 서적에 도장, 봉니封泥95에 대한 기록이 있고 진나라와 한나라 때 유물 중에도 이에 관한 문물이 출토되었다.『주례』의「장절직掌節職」96 편에 "뇌물을 줄 때 새절을 사용한다."라는 말이 나오는데 새절이 바로 도장이다.

창사長沙 지역 마왕퇴馬王堆의 한나라 시대 무덤 1호 묘에서 '대후가승軑候家丞'이라는 글씨가 새겨진 봉니가 출토되었다.그림 1 전국시대 토기에서도 날인의 흔적이 발견되었다. 이런 도장과 날인의 흔적에는 보통 문자로 권력자, 생산자의 성씨 또는 생산지 등이 표기되어 있다.그림 2~9

1 창사 지역 마왕퇴의 한나라 시대 무덤 1호 묘에서 출토된 봉니

2 채색 토기에 새겨진 사람 얼굴 모양을 한 물고기 문양

3 청동기 무기에 새겨진 문자 부호

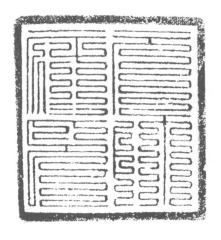

4 바오딩保定 지역에서 발견된 '원수부인元帥府印'. 원래의 전서와는 다르게 전각한 이 인감용 글자체를 구첩전九疊篆이라 하는데 이런 공예는 송나라 때부터 나타나기 시작했다. 기존 전서를 변형해 새긴 이 글자체의 가장 큰 특징은 필획에 집중되어 있다. 직관적으로 이 글자체는 필획이 고르게 겹쳐져 있으며 직사각형으로 짜여 있고 필획으로 도장 단면이 가득 채워져 있다. 필획을 얼마나 많이 구부려서 쓸 것인지는 필획이 복잡한지 간단한지에 따라 결정되는데 열 번 이상 구부리는 글자도 있다. 한 자리 숫자 중 가장 큰 숫자가 9이므로 구첩이라 하는데 여기서 구첩은 여러 차례 구부렸다는 의미이다. 구첩전 형식으로 관인을 만들면 도장을 찍었을 때 붉게 찍힌 문자 부분에서 구첩전의 특징이 고스란히 드러난다. 구첩전은 송나라, 원나라, 명나라 때 성행해 지금까지 이어지고 있다.

소전으로 쓴 '元으뜸 원'　　도장에 응용한 소전

소전 글자체의 특징

5 전서는 글자체가 아름답고 필획이 복잡하며 형식이 독특하다. 게다가 필획을 자유롭게 추가하고 구부릴 수 있어서 도장 제작에 오랫동안 사용되었다.

6 서한 시대의 '문제행새文帝行璽' 금 도장. 남월국南越國 국왕 조매趙眜가 사용한 옥새이다.

7 금문의 '保지킬 보' 자

8 전설 속 염제炎帝의 후손인 형천刑天 가문의 휘장[97]

9 다면체 도장. 제트jet[98]에 글자를 새겨 만든 것이다. 1981년 산시성 쉰양현旬陽縣 청둥난城東南에서 출토되었다. 발견자는 쑹칭宋淸이다. 도장 전체가 스물여섯 개 면으로 되어 있고 그중 열여덟 개 면이 정사각형이며 열네 개 면에 마흔일곱 개의 글자가 새겨져 있다. 이 제트 도장은 중국에서 지금까지 발견된 도장 중 표면 개수와 도장에 새겨진 글자 수가 가장 많다. 이 도장의 발견으로 해서로 새긴 도장의 역사가 400여 년 앞당겨졌다. 스물여섯 개 면 중 열여덟 개는 정사각형이고 여덟 개는 삼각형이다. 도장 주인은 독고신獨孤信으로 본적은 윈중현云中縣이며 선비족鮮卑族 출신이다. 그의 큰딸은 북주北周 명제明帝 우문육宇文毓에게, 일곱째 딸은 수나라 문제文帝 양견楊堅에게, 넷째 딸은 당나라의 개국 황제 이연李淵의 부친인 이병李昞에게 시집갔다. 이 도장은 여러 면이 하나로 합쳐진 형태로, 도장에 새겨진 글은 공문용 인장여섯 개 면, 상서용上書用 인장네 개 면, 서신용 인장네 개 면 등 세 가지 용도로 쓰였다. 지금까지 중국에서 출토된 유물 중 이런 형태의 인장으로는 최초의 것이다. 그 전까지는 동진 남조南朝 때의 여섯 개 면으로 된 도장밖에 없었다. 도장에는 신신상소臣信上疏, 신신상장臣信上章, 신신상표臣信上表, 신신계사臣信啓事, 대사마인大司馬印, 대도독인大都督印, 랄사지인刺史之印, 주국지인柱國之印, 야칙耶勅, 신계사信啓事, 신계전信白箋, 밀密, 영令, 독고신백서獨孤信白書 등의 글자가 새겨져 있다.

183

10 호부虎符. 군대를 이동시키는 상징 증표이다. 왼쪽과 오른쪽 두 부분으로 나뉘며
안에 장부와 장붓구멍이 서로 맞물려 있다. 부합符合이라는 말이 여기서 유래했다.
장군은 이 증표가 딱 맞아떨어져야만 군대를 이동시킬 수 있었다.

군사적 응용

도장 그리고 도장과 유사한 형식을 제외하고 로고의 성질을 띤 또
다른 형식의 기록물이 있는데 정치·군사적 마크, 종교적 마크, 개인 마
크 등이다. 정치·군사적 마크의 대표적인 예가 문장紋章이다. 『손자병법
孫子兵法』에 '령이채장令以采章, 采는 彩의 통가자'이라는 문구가 있는데, 전장에
서 군이 사병을 이동시킬 때 서로 다른 색의 문장을 이용해 명령을 전한
다는 의미이다. 문장은 색이 다른 그래픽 심벌이라 할 수 있다. 현대적
인 통신 수단이 없던 시절 이런 디자인으로 군대의 명령 집행 효율을 크
게 높일 수 있었다.

명나라 말기 만주의 누르하치가 팔기군八旗軍 제도그림 11를 만들었
는데 이런 채색 도형을 활용한 전투 효율 증대 방법이 전반적으로 효과
를 발휘했다. 그렇게 해서 만주의 정예 기병은 더욱 강력해졌으며 결국
수적으로 열세였던 소수의 군대로 명나라와 이자성李自成의 대군을 물리
쳤다. 문장 디자인의 사용은 군사 분야와 직접적인 상관관계가 있으며
이는 유럽도 마찬가지였다.그림 10

11 만주 팔기군의 투구와 갑옷, 깃발. 맨 처음에는 왼쪽의 네 가지 깃발을 사용하다가
군대 규모가 커지면서 오른쪽의 네 가지 깃발을 추가했다. 테를 두른 도형으로 구분한다.

12 주유검의 화갑 디자인.
이 기이한 로고 글꼴 속에서
'朱由檢'이라는 세 글자가
엿보인다.

13 팔대산인 주탑이 디자인한 서명 글꼴은
네 개의 한자 '곡지소지哭之笑之'를 하나로 합친
디자인이다. 哭之로 보이기도 하고 笑之로
보이기도 하는데 실의에 빠져 살았던 몰락한
황족 출신 예술가의 복잡다단한 심경이
잘 드러나 있다.

화압과 서명

서명

유명인 가운데에는 자신만의 독특한 화압畵押[99]과 서명을 디자인
해서 사용한 이들이 있다. 예를 들면 팔대산인八大山人의 서명이 있다. 몰
락한 황족인 주탑朱耷은 '팔대산인'이라는 호의 특이한 서명을 만들었는
데 네 글자의 모양이 哭之곡지 같기도 하고 笑之소지 같기도 한 데에서 주
탑 특유의 인생관이 드러난다. 송나라 휘종徽宗 조길趙佶과 명나라 사종思
宗 주유검朱由檢의 독특한 서명도 이런 예에 속한다.그림 12~14

14 송나라 휘종은 합격점을 받을 만한 군주는 아니었지만 위대한 예술가였음은 분명하다. 휘종이
디자인한 이 서명 글꼴은 '천하일인天下一人'이라는 한자 네 글자를 하나로 합친 창의적인 작품이다.

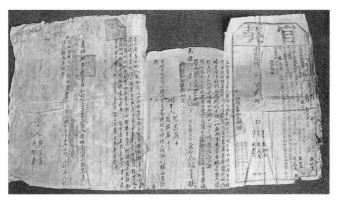

15 민간 계약 문서

계약

중국은 오랜 봉건사회의 역사를 가진 고대 문명국가였다. 봉건토지소유제가 발전함에 따라 개인이 토지를 사고팔고 저당권을 설정하고 소작을 주고 소작인을 모집하고 돈을 빌려주는 등의 행위가 발생하면서 수많은 계약 문서가 만들어졌다. 이런 문서를 통해 당시 사회에서 사람들 사이의 경제적 관계를 알 수 있다. 또한 이런 문서 자체가 교역 행위를 제약하는 특수한 수단으로 경제생활에 직접 관여하고 일정한 작용을 했음을 알 수 있다. 이것이 사학자들의 관심을 끌면서 1990년대에는 이런 계약 문서를 정리해 출판하는 분위기가 조성되기도 했다. 후이저우徽州 문서가 수량과 규모 면에서 가장 유명하다.그림 15~16

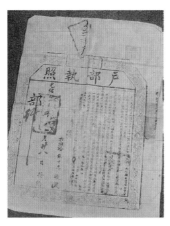

16 민간에 여기저기 흩어져 있던
고대의 국가 문서 가운데 하나

17 전국시대 의비전에 새겨진 글자. 일반적으로 '貝' 자 한 글자 또는 '패화貝化' 두 글자로 보기는 하지만 여전히 논란이 있다.

18 초나라의 금화 영애

화폐와 문자

화폐는 교역에서 특수한 매개체이자 가치를 대신하는 수단이다. 고대 중국의 경우 각각의 시기에 다양한 형식의 화폐가 등장했으나 화폐 디자인의 중심 주체는 언제나 한자였다. 이는 서구와도 다를 뿐만 아니라 도안이 디자인 양식의 주체가 되었던 티그리스강Tigris과 유프라테스강Euphrates 유역과도 크게 다른 점이다.

처음에 조개껍데기를 화폐로 사용한 까닭에 갑골문과 금문 중 상형문자 '貝조개 패' 자를 포함한 글자는 대부분 재산과 관련이 있다. 여러 제후가 할거하던 춘추전국시대에는 화폐 모양도 서로 달랐다. 초나라에는 귀검전鬼臉錢이라 불리던 의비전蟻鼻錢 그림 17과 금화 영애郢爰 그림 18가 있었고 제齊나라와 조趙나라, 연燕나라에는 칼 모양의 도폐刀幣 그림 19, 산폐鏟幣라고도 불린 포폐布幣 그림 20가 있었다. 이런 화폐는 보통 사물 모양을 그대로 본뜨는 방식으로 디자인하고 화폐의 주요 화면을 대부분 전서체로 처리했다.

이후 전국시대 여섯 나라를 통일한 진나라는 화폐를 통일하면서 황금을 상폐上幣로 정하고 가운데 사각 구멍을 낸 반 량짜리 원형 동전을 하폐下幣 그림 21로 정했으며, 실제 무게와 같은 '반 량半兩'이라는 글자를 넣었는데 이것이 세계 역사상 최초의 정부 법정 화폐이다. 이런 화폐 모

19 도폐는 중국 고대의 구리 화폐 이름으로 춘추전국시대의 제나라, 연나라, 조나라에서 유통되었다. 제나라의 대도는 제나라에서 주조했으며 형체가 조금 큰, '在(大)刀재(대)도' 두 글자가 새겨진 도폐이다.

20 포폐는 중국 고대의 구리 화폐 이름으로 삽 모양으로 생겨서 산폐라고도 한다. 청동기 농기구인 괭이가 발전한 것으로 춘추전국시대에 중원 각 나라에서 유통되었다.

양과 한자 배열 형식이 이후 2,000년 넘게 계속 사용되었다. 한나라 무제武帝가 발행한 오수전五銖錢 그림 22은 중국 화폐 역사상 가장 오랫동안 사용한 화폐로 400년 가까이 사용했다. 그러다 청나라 말기에 서구에서 기계로 화폐를 만드는 방법을 도입해 화폐를 주조했는데 만주문자가 들어가기는 했지만 디자인의 중심은 여전히 한자였다.그림 23~24

중화민국 성립 후 위안스카이袁世凱 정부는 국폐조례國幣條例와 국폐조례시행세칙國幣條例施行細則을 공포하고 '원圓'을 화폐 단위로 정했다. 이 화폐 디자인 역시 서구의 화폐그림 25를 본받아 화폐 주요 화면에 위안스카이袁世凱의 두상 도안을 넣었다.그림 26 그 뒤 중화민국 정부는 1935년 법정 화폐를 발행하고 백은白銀의 유통을 금지해 은 본위제銀本位制를 대체했다. 이렇게 해서 화폐 유통 영역에서 지폐가 주도적인 지위에 올라서고 동전에서는 도형이 중심이 되었다. 또한 아라비아 숫자가 들어간 화폐와 한자가 들어간 화폐의 수량이 균형을 이루게 되었다.

21 가운데에 사각 구멍이 난 진나라의 원형 동전

22 상평오수常平五銖

동전에 새겨진 글자 읽는 순서

23 청나라 광서제光緒帝 때 주조한
광서통보光緒通寶 동전앞면

24 광서통보 동전뒷면

25 로마 시대의 금화

26 위안스카이 은화

27 청나라의 은화

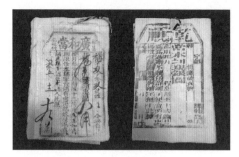

28 산시 표호 번영의 증거인 어음

平遙晉通花布莊

29 핑야오平遙 지역의
진통화포장晉通花布莊은
순수하게 한자
위주로 디자인한
로고를 사용했다.

한자 상표

근대 한자 상표 디자인의 대표 주자는 '진상晉商'이라 불리던 산시성 상인이다. 진상의 등장은 상업을 억압한 중국의 전통문화 속에서 생겨난 독특한 현상으로 명나라와 청나라 때 최전성기를 맞이했다. 진상은 중국은행의 초기 형태인 표호票號[100]를 만들었으며 한때 중국 표호 환어음업계를 독점해 어마어마한 부를 축적했다. 진상은 중국 자본주의가 싹이 트는 상황을 구체적으로 보여주었지만, 청나라 말기의 불안한 정치, 사회 정세 속에서 점차 쇠퇴했다.

이후 휘황찬란한 전성기에 걸맞은 금융 관리 시스템이 등장했는데 그중 아이덴티티Identity 시스템 디자인도 없어서는 안 되는 부분이되었다. 아이덴티티 시스템에서는 여전히 한자 디자인이 핵심 위치에있으며 간판, 현수막, 은 태환지폐, 차용증, 도장 등에 적용되었다.

진상의 도장그림 28~30은 오늘날의 상표로 기능성과 예술성이 결합된 디자인을 보여준다. 글자 형태의 예술적인 처리, 글자체와 도형의호응과 조합, 섬세하고 풍부한 도안, 공간의 밀도를 고려한 편집 등에서도장 디자인의 예술성이 드러나며 원, 사각형, 마름모와 불규칙한 도형형태가 적절하게 사용되었다. 기능성은 신용 보장, 기능 용도 세분화와상표 위조 방지 등이 반영되었는데 대두장抬頭章, 낙지장落地章, 압수장押數章, 기봉장騎縫章, 방위장防僞章 등으로 나뉘었다. 사용할 때는 기능상의 필요에 따라 어음의 각기 다른 위치에 도장을 찍었다.

진상은 물소 뿔에 조각한 도장을 많이 사용했는데 물소 뿔은 중국특유의 전통 도장 재료 중 하나이다. 이렇게 뿔 각질에 도장을 새긴 이

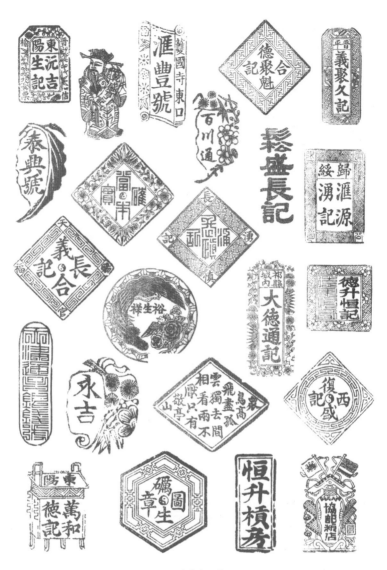

30 진상의 도장

유는 돌이나 나무 재질보다 더 섬세하고 복잡한 문양과 글자체를 새길
수 있기 때문이었다. 도장에 새긴 문양과 장식은 전통적인 길상 문화의
테두리를 벗어나지 않았으며 글자체는 기본적으로 전각 스타일의 전서
체와 해서체 두 가지 형식이었다. 어떤 글자체를 사용하든 도형과 조화
를 이루도록 조합하고 구성했으며 고른 흑백 톤과 안정적이고 규칙적인
디자인 스타일을 구현했다.

31 32 33

중화민국 시기의 장식 글자체 디자인

중화민국 시기는 불안한 정세 속에 전란이 계속되는 때였지만 각
종 신문화가 탄생하고 발전을 이루었다. 이 시기에 서구의 광고가 들
어오기 시작해 중국의 전통적인 예술 스타일, 상업 디자인과 결합하면
서 중국 광고계는 전통에서 현대로 넘어오는 중요한 시기를 맞이했다.
이 시기가 중국 현대 광고계 발전의 첫 번째 전성기이다. 아르 누보Art
Nouveau, 미술공예운동, 아르 데코Art Deco, 모더니즘 등의 디자인 유파
가 하나둘 한자 디자인의 실천과 보급을 시도했으며 동서양의 특징을
겸비한 장식 문자가 대량으로 나타났다.그림 31~43

34

35

36

37

40

41

38 39

42 《북양화보北洋畵報》

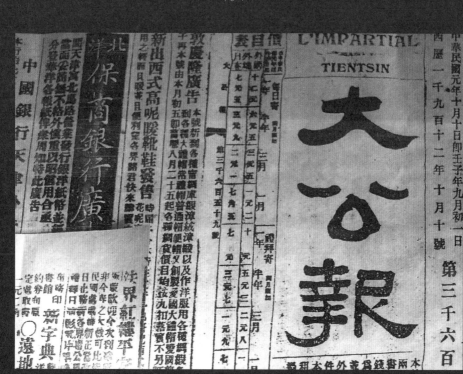

43 《대공보大公報》

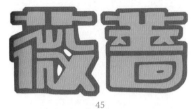

45

44

46

화가 장광위張光宇[101]의 작품은 시대를 꿰뚫는 강렬한 호소력을 지니고 있다. 상하이 시절 그의 예술 세계가 미치지 않은 곳이 없었으며 각 방면과 영역에 중대한 영향을 끼쳤다. 장광위는 담뱃갑 표지와 성냥갑 그림을 수없이 디자인했다. 의상, 포스터, 책 장정裝幀, 가구, 무대미술 등을 디자인하며 모든 작품에서 그만의 독특한 미적 감각을 표현해냈다. 중화민국 시기의 중요한 예술가로서 장광위는 당시 한자 조형 발전에 큰 영향을 끼쳤다.그림 44~57

47

48

49

50

51

52

54

53

56

55

57

元干丁于平不无万
卫开云互五示灭丑百亚
严丙世西而面画要再更

58 미흑체美黑體

중화인민공화국 건국 이후의 한자 디자인

1949년 중화인민공화국 건국 이후 노동자들의 정치, 사회적 지위가 전례 없이 높아지면서 과거에 사대부 계층의 관심을 끌지 못했던 미적 형식이 새롭게 조명되었다. 이와 동시에 정치, 문화적 영향과 필요성으로 특정 시기에 그에 걸맞은 수많은 미적 양식이 등장했다. 그중 눈에 띄는 것이 정치 선전 포스터, 책 장정, 일용품의 한자 디자인이다.

정치 선전 포스터의 경우 일반적으로 국가 지도자의 이미지를 드높이고 사회주의 건설을 호소하고 찬양하는 것과 '높고 크고 완전한高大全'[102] 노동자, 농민, 군인의 이미지와 사회주의의 새로운 면모와 현상을 주제로 했다. 책 장정은 주로 중국 공산당 지도자 마오쩌둥毛澤東의 저작과 어록의 책 장정 디자인 그리고 학생 조직 홍위병의 미술 간행물 레이아웃 디자인 등이 있다. 일용품의 한자 디자인으로는 담뱃갑 표지와 성냥갑 그림, 경공업 제품 디자인이 있다.

전체적으로 이 시기 중국의 그래픽 디자인은 시각적 전달이라는 측면에서 매우 선명한 시대상을 보여준다. 신속성과 강한 침투력, 시의성 그리고 강력한 정치적 힘이 느껴지면서도 다른 한편으로는 단조롭고 거칠며 개성이 없는 점도 뚜렷하게 드러난다.그림 58~66

점   가로   세로   삐침

사선 삐침 작은 삐침 평행 파임 치침

사선 치침   갈고리   평행 삐침

모서리   꺾음   파임

구부러진 갈고리 사선 갈고리 평행 갈고리

59 미흑체로 쓴 필획

198

军民鱼水情谊深

加速国防现代化

向雷锋同志学习

60

工人階級

61

全党动员 大办农业 为普及大寨县而奋斗

出大力、流大汗、为社会主义多作贡献

誓夺粮食更高产　狠狠打击帝修反

伟大的中国人民解放军万岁!

提高警惕,保卫祖国!
随时准备歼灭入侵之敌!

한자 속의 지혜

상형과 회의, 형성의 긴밀한 관계

지금도 상형문자의 특징이 있기는 하지만 한자에는 상형 이외에도 글자를 구성하는 여러 방법이 있다. 특히 회의와 형성이 수천 년 동안 변화를 거듭함에 따라 상대적으로 글자 수는 많지 않으나 상형의 특성이 매우 강했던 초기와는 상황이 많이 달라졌다. 그러면서 아직 상형문자에 속해 있던 갑골문, 금문과 달리 표어문자[103]에 속하게 되었다. 이는 한자의 발전과 형성의 역사에 익숙한 사람이 상형문자 시대로 거슬러 올라가서 현재 한자의 자소를 해독할 수 있고, 심지어 이런 원리에 따라 상형의 뜻을 덧붙일 수 있도록 한 결과를 가져왔다. 이 밖에 상형을 통하지 않고 글자의 의미를 분석하고 조합함으로써 글자에 담긴 풍부한 정보를 해독해낼 수도 있다.

이를테면 갑골문의 상형문자인 月달 월은 이지러진 달의 형상을 본뜬 글자이고 龜거북 구는 거북이 옆면을 본뜬 글자이며 馬말 마는 말갈기를 휘날리는 네 발 달린 말의 모습을 본뜬 글자이다. 魚물고기 어는 머리와 몸통, 꼬리로 되어 있는 물고기가 헤엄치는 모습을 본뜬 글자이고 艹풀 초草의 본래 글자는 풀 두 다발을, 門문 문은 좌우 양쪽 문짝 모양을 본뜬 글자이다. 酒술 주에서 삼수 변氵을 없애면 술이 없는 술병 모양이 되며 日일 일은 가운뎃점이 있는 동그라미를 닮았다. 이 가운뎃점을 두고 뭔가를 가리키는 표시점으로 여기는 사람도 있고 고대인이 태양의 흑점을 본 것이라고 보는 사람도 있다.

위에서 언급한 문자는 모두 대자연의 풍경과 생물을 그대로 묘사한 한자이다. 그런데 추상적 의미를 표현하는 문자도 비유의 방식으로 해독해서 의미를 풀어낼 수 있다. 예를 들어 '아주 곧다'라는 뜻을 가진 '筆直필직'이라는 단어의 直곧을 직을 보자. 사실 붓筆이 '곧다直'라는 의미를 나타내기에 아주 적합하고 정확한 사물은 아니다. 옛사람들은 붓처

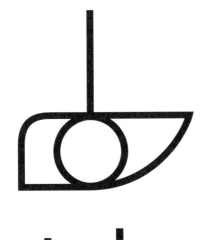

1 눈 위에 세로획을 하나 더해 直의 의미를 표현했다. 눈빛은 돌리거나 구부릴 수 있는 것이 아니며 정면을 회피하지 않고 똑바로 바라본다.지은이 작품

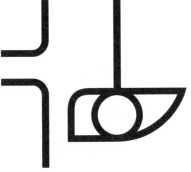

2 德의 갑골문 지은이 작품

3 '德'자

럼 꺾어서 부러뜨릴 수 있는 곧은 사물을 본떠 이 글자를 만든 것이 아니라 마음대로 돌리고 구부릴 수 없는 눈빛을 비유의 대상으로 삼아 이 글자를 만들었다.104 이는 매우 인상적인 부분이다. 이후 이 글자로부터 다시 도덕의 '德큰 덕'가 만들어졌다.그림 1~15

4 갑골문에서는 从좇을 좇, 앞뒤로
걸어가는 두 사람 아래에 지사指事[105]
부호로 가로획을 더해 두 사람의
똑같은 다리 동작을 표현했다.
글자의 본뜻은 두 사람이 발맞추어
평행으로 걸어간다는 것이다.

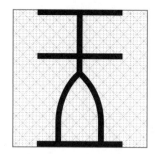

5 갑골문의 王임금 왕은 土흙 토와
같은 뿌리에서 나왔다. 본래는
가장 큰 전쟁용 도끼 모양을 본뜬
글자로 무적의 전장 최고사령관을
비유적으로 표현했다.

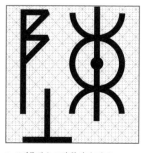

6 陳베풀 진은 陣진 칠 진과 같은
뿌리에서 나왔다. 금문의 陳에서
阜언덕 부는 산을, 土는 광야를
뜻한다. 東동녘 동은 車수레 차를 잘못
쓴 것으로 원래 전차라는 뜻의
車를 넣어 부대를 표현한 것이다.
이 글자는 본래 산림과 광야를
행군하며 작전을 펼칠 때의 진형을
의미했다.

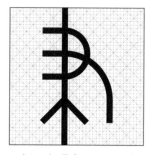

7 갑골문의 聿글 서는 손으로 붓이나
대나무 관을 들고 있는 모습을
형상화했다.

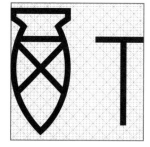

8 福복 복은 맛있는 술로 신에게
제사 지내면서 넉넉하고 평안하며
행복한 삶을 꾸릴 수 있게 해달라고
비는 모습을 묘사한 것이다.

9 高높을 고는 땅에서 높이 솟은
탑 모양으로 여러 층의 누각을
형상화한 것이다.

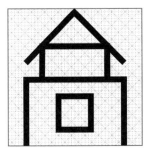

10 自스스로 자는 코를 형상화한 글자로 얼굴 중앙에 자리한 호흡기관이 자기 자신을 대표한다는 의미이다.

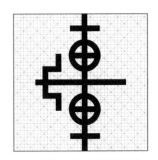

11 수레車는 상나라와 주나라 때 이미 출현했다. 수레의 사소한 부분이 모두 표현되어 있다.

12 城재 성은 성 주위에 파놓은 못을 내려다본 모양이다. 동심원으로 그려진 성벽, 사면의 성루가 또렷이 보인다.

13 鬼귀신 신은 머리가 커다란 요괴의 모습과 닮았다.

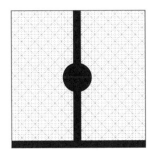

14 土는 땅 위라는 뜻이다.

15 禾벼 화는 잘 익은 곡식이 고개를 숙인 모습을 형상화한 것이다.

16 허신

허신이 창안한 부수 분류

허신그림 16은 문자의 형체를 근거로 540개의 부수를 창안하고 9,353개의 글자를 540개의 부수에 따라 분류했다. 540개의 부수는 다시 형태에 따라 관련된 것끼리 합쳐서 크게 열네 개로 분류했다. 『설문해자』 본문은 이 열네 개의 대분류에 따른 열네 편, 책 뒷부분에 추가된 서목敍目 한 편, 총 열다섯 편으로 이루어져 있는데 이 중 한 권이 서문과 차례로 되어 있다. 허신은 『설문해자』에서 한자의 조자 원리인 육서六書를 체계적으로 기술했다.

먼저 소전을 열거했는데 만약 해당 글자의 고문古文106과 주문籍文이 서로 다르면 뒤에 열거했다. 그다음에 글자의 본뜻을 해설하고 글자의 형태와 뜻 또는 발음 사이의 관계를 설명했다. 『설문해자』는 유사한 형태 또는 비슷한 의미에 따라 부수를 배열하는 것을 원칙으로 삼았다.

『설문해자』가 부수 분류에 따라 글자를 찾는 방법을 처음 사용했고 이후 자전 대부분이 이 방법을 따랐다. 청나라 때 학자 단옥재段玉裁는 『설문해자』를 가리켜 "이는 전례가 없는 책으로 허신의 독창적인 저작이다."라고 극찬했다.그림 17~20

허신이 부수에 따라 글자를 찾는 방법을 창안한 이후 아주 오랫동안 기본적으로 한자는 부수를 구별해 분류하고 검색했다. 양梁나라에서 요나라, 북송, 금나라, 명나라에 이르는 시기에 부수에 따라 글자를 찾는 허신의 방법을 보완, 개선하고 혁신한 수많은 책이 등장했다.

예를 들어 부수 검색을 토대로 필획을 더한 것이 있는데, 청나라의 사고관신四庫館臣은 『사고전서총목』에서 명나라의 도유都兪가 쓴 『유찬

고문자고類纂古文字考』를 이렇게 평가했다. "유유兪의 자字는 중량仲良이고 전당錢唐[107] 사람이다. 벼슬과 행적은 상세히 알려지지 않았다. 그의 서序와 발跋을 살펴보면 명나라 신종 때 사람으로 보인다. 고문 글씨체로 이름을 날렸는데 실제로는 운서韻書『홍무정운洪武正韻』의 글자를 취해 편방으로 글자를 분류, 배열했다. 부수가 총 314개였고 '변의辨疑'라고 이름 붙인 한 편과 '절자切字'라고 이름 붙인 한 편이 있으며 마지막에 '잡자雜字'를 덧붙였다. 모든 글자에 직음直音을 사용했으며 직음이 안 될 때는 사성四聲을, 사성이 안 될 때는 결국 번절翻切을 사용했다.[108] 예를 들면 균鈞의 음은 군君이고[109] 명銘의 음은 명明인데 이는 남조 시대 문인 심약沈約이 쓴『사성四聲』의 방법과 전혀 다르고 육법언陸法言의『절운서切韻書』에 나오는 과거의 방법과도 다르다. 또한 부수를 새롭게 나눠서 배열했는데 月과 舟배 주를 구별하고 灬불 화와 火불 화 등의 편방 부수를 구별했으며, 참고한 육서 조자 방법이 허신의『설문해자』, 남조南朝 고야왕顧野王이『옥편玉篇』에서 풀이한 뜻과도 많이 다르다. 다만 모든 부수에서 글자 획수의 많고 적음을 나눔으로써『설문해자』『옥편玉篇』『유편類篇』보다 찾기가 훨씬 쉬워졌다. 그런 까닭에 이후 자서는 모두 이 체제를 사용했다."

여기서 말하는 검색하기 훨씬 쉬운 글자 찾기 방법과 부수로 글자를 찾는 이전 방법이 완전히 일치하는 것은 아니다. 부수로 글자를 찾는 방법을 토대로 필획 검색 방법을 더한 것은 일대 혁신이었다.

청나라 때『강희자전康熙字典』역시 한자 검색의 발전 과정에서 아주 중요한 책이다.『강희자전』이 책으로 나온 것은 1716년으로 이때는 학자 장옥서張玉書와 진연경陳延敬이 책임 편집했다. 그런데 검색 측면에서 보면 부수와 필획을 결합한 방법을 넘어서지 못한 채 어마어마한 수의 글자를 수록했고, 이를 표준화하고 규범화해 검색 표본을 확립하는 데 그쳤다. 청나라 법률은 과거에 응시하는 서생은 반드시『강희자전』을 글자를 쓸 때 그 글자 형태의 옳고 그름을 평가하는 기준으로 삼아야 한다고 규정했으므로 이 책의 영향력은 상당히 컸으며 책으로 나온 뒤 널리 유행했다.

17 天하늘 천 地땅 지
처음에 태시太始[110]가 있고 도道는 하나一에 세워진다. 이것이 하늘과 땅으로 나뉘고 만물로 변화한다.
부수 一에 속하는 글자는 모두 一을 의미 부분으로 따른다.

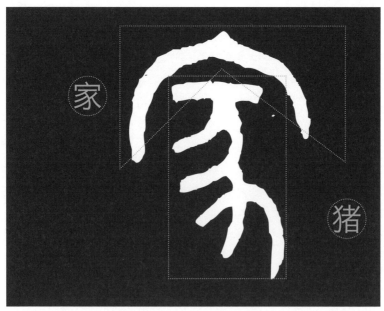

18 家집 가, 猪돼지 저
거주한다는 뜻으로, 의미상 宀집 면을 따른다. 豭돼지 시는 豭수돼지 가의 생략형이다.

19 祭제사 제, 酒술 주
보우한다는 뜻으로, 畐가득할 복의 음을 따른다.

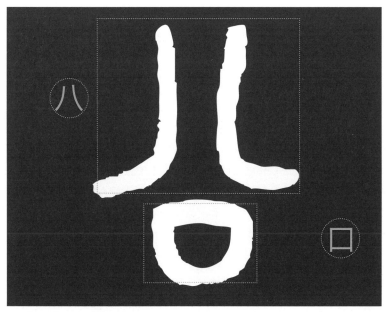

20 八여덟 팔, 나눌 팔, 厶'私(사사로울 사)'의 옛 글자111
고르게 나눈다는 뜻으로, 八과 厶사사룹다 사로 구성되어 있다. 八은 곧 背등 배를 의미한다.
한비자韓非子는 사사로운 것을 배격하는 것이 公공평할 공이라 했다.

21 왕안석

우문설

북송 시대의 심괄은『몽계필담』26권 중 하나인『예문일藝文一』에 왕성미王聖美가 제기한 우문右文 학설을 실었다. "왕성미는 자학字學을 연구했는데 글자의 의미가 오른쪽 부분에서 연유한다고 보았다. 옛날의 자서字書는 모두 왼쪽 부분에서 의미를 찾았다. 무릇 글자는 왼쪽이 종류를 표시하고 뜻은 오른쪽에서 나온다는 것이다. 예를 들어 木나무 목 부류에 속하는 글자는 모두 木의 의미를 따른다. 이른바 우문이라는 것은 다음과 같다. 예를 들어 戔나머지 잔은 작다는 뜻이다. 물이 작은 것은 淺얕을 천, 쇠가 작은 것은 錢돈 전이라 하고, 뼈가 부서져 작은 것은 殘잔인할 잔이라 하며, 재물이 작은 것은 賤천할 천이라 한다. 이것이 모두 戔을 뜻으로 삼은 것이다." 왕성미는 분명 최초로 우문 학설을 제기한 사람일 것이다.

이와 거의 동시대 사람인 문필가 왕안석王安石의 저작『자설字說』이 한때 널리 유행해 과거 시험의 관학官學[112]이 되기도 했으나 왕안석의 신법新法 개혁이 실패하면서 금지되는 바람에 지금은 관련 자료가 흩어져 없어진 지 오래다. 왕안석은 변법變法 개혁을 위한 학술적 근거를 찾고 여론을 형성하려는 의도로『자설』을 집필했다. 남아 있는 기록 중에 이 이론을 비하하거나 심지어 폄훼하는 경우를 흔히 보게 된다. 이를테면 왕안석과 정치적 견해가 달랐던 소동파가『자설』을 조롱한 바 있다.

남성 초기의 도교학자 증조曾慥가 쓴『고재만록高齋漫錄』과 송나라 학자 나대경羅大經이 지은『학림옥로鶴林玉露』등의 책에 소동파와 왕안석의 이런 대화가 실려 있는데, 소동파가 형공荊公[113]에게 던진 질문도 전해진다. "波파도 파가 무슨 뜻입니까?" 왕안석이 말한다. "물水의 가죽皮이라는 뜻이오." 소동파가 말한다. "그렇다면 滑미끄러울 활은 물水의 뼈骨라는 뜻이라는 말입니까?" 소동파가 왕안석에게 '波' 자를 물으니 왕안석이 '波'

210

자를 물의 가죽이라 답한다. 그러자 그렇다면 '滑' 자는 물의 뼈라는 뜻
이냐고 물은 것이다.

　　왕안석은 회의자를 설명할 때 탁자법拆字法을 사용했다. 한 글자를
여러 개의 독립적인 뜻을 가진 부분으로 나누어 각 부분의 뜻을 설명한
다음 마지막에 이를 다 모아 글자를 설명하는 것이다. 이는 도술사들이
사용하던 측자법測字法114과 매우 비슷하다. 그러나 측자법은 글자의 본뜻
에 대한 관심이라고는 없이 주관적 측면이 강해서 종종 잘못된 해석이
나온다. 상당히 논쟁적인 책이기는 하지만『자설』은 여전히 흡인력이
있으며 이것이 이 책의 매력적이기도 하다.

　　한자는 한나라 때『설문해자』의 9,000자에서『강희자전』의 4만
7,000자로 늘어났는데 주로 형성자였다. 예전에는 이런 표음부가 의미
와는 상관 없다고만 의식했다. 그러나 왜 그 글자들을 표음부로 선택했
는지 분명히 근거가 있을 것이다. 한자에 이해할 수 없는 글자가 많은
이유는 다음다의자多音多意字가 많기 때문이다. 사실 왕안석은 문자학의
범위를 넘어 한자를 해독했다. 그는 문자를 하나의 실마리로 보았고 사
회생활, 철학, 자연의 축소판이자 이를 보여주는 부호로 보았다. 왕안석
의 이런 시각은 한자를 깊이 이해하는 데 매우 중요한 의미가 있다.

한자의 신비한 속성

도교의 부적과 주문에 쓰는 문자

부符, 부호 부는 처음에 부절符節 즉 증거로 삼기 위해 서로 주고받는 물건을 뜻했다. 예를 들어 출입하고 문을 닫을 때 사용하던 증서 같은 것으로 오늘날로 치면 통행증에 해당한다. 부는 두 종류로 나뉘었다. 하나는 관리 가족 전용 출입부였는데 판별하기 쉽도록 사용자의 나이, 수행원, 성별, 특징 등을 기재했다. 다른 하나는 일반인이 사용하던 통용부로 여기에는 이름이 아닌 번호만 기재했는데, 이는 관련 기관에서 출입하는 사람들에게 발부한 임시 통행증이었다. 그 밖에도 군대를 이동시킬 때 사용하는 호부虎符와 악귀나 재앙을 쫓아내기 위한 도부桃符가 나중에 등장했다.

도교에서 부적과 주문에 쓰는 문자가 바로 이 부절 문화의 산물이다. 내용적으로는 종교, 신앙과 무속 문화 간의 부호이며 형식적으로는 한자를 토대로 그림과 신비한 의미를 덧붙인 도안 이미지 시스템이다. 한자가 처음부터 점복, 무속 신앙과 관련을 맺고 있었기 때문에 사람들은 문자 자체 또는 문자에 대한 경외심으로 문자와 회화의 조합이 전하는 신비한 힘을 믿고 싶어 했다. 이런 현상을 일종의 심리 치료로 설명할 수 있다. 예를 들어 '哭울 곡'을 보면 시각적으로 불편한 느낌이 드는 반면 美아름다울 미, 福, 笑웃음 소 같은 글자를 보면 기분이 좋아진다. 이는 글자가 상서로운 의미를 내포하고 있어서만이 아니라 글자의 외형 자체가 상서롭다는 데에도 이유가 있다.그림 1~5

1 부적의 합체 한자 도형 원리를 설명해보려는 시도이다.

2 장천사부張天師符. 장천사는 바로 장릉張陵이다. 본명은 장도릉張道陵이며 동한의 패沛나라 풍현豊縣 사람이었다. 오두미도五斗米道의 창시자로 사람들에게 지난 잘못을 반성하고 도교를 받들라고 가르쳤으며 부수주법符水咒法[115]으로 병을 고쳤다. 태상太上[116]이 그를 정일천사正一天師에 봉했으며, 이후 24대까지 이 칭호가 전해졌다. 도교를 믿는 이들은 여전히 이름 대신 '천사'라고 부른다. 정일천사는 역대 천사의 통칭이기도 하다.

3 이 세 장은 후난성에서 수집되었으며 현재 실제로 사용하는 부적이다. 어린아이가 천연두에 걸렸을 때나 놀랐을 때 치료 용도로 사용한다. 보통은 밖으로 노출되지 않도록 잘 밀봉한 뒤 주문을 외우면서 부적을 태워 복용한다.

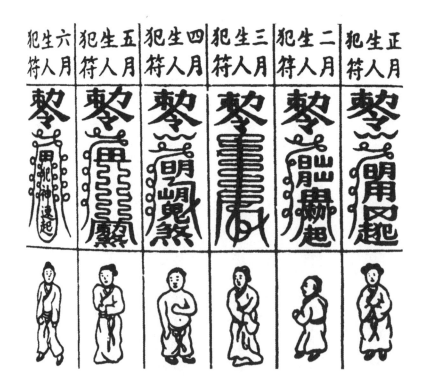

맑은 물의 영이 깃든 부적　　오한을 치료하는 부적　　태아를 안정시키는 부적　　집을 짓기 전 무사
평안을 바라는 부적

태어난 달에 따라 죄를 면하게 해달라고 비는 부적

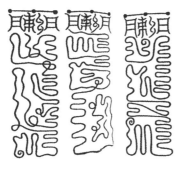

육정六丁과 육갑六甲[17]을 부르는 부적

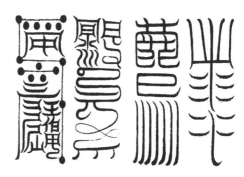

노자를 상징하는 부적

태상노군신인太上老君神印

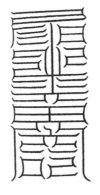

원시 황제 부적

어린아이가 경기를
일으키지 않도록
하기 위해 삼키거나
몸에 지니고 다니는
부적

나무에 깃든 요괴를
쫓는 부적

돼지, 개, 고양이,
쥐를 내쫓는 부적

나무의 교룡蛟龍[18]과
물의 정령을 쫓는
부적

시험에 붙도록 도와주는 부적

염증을 없애주는 부적

집안을 화평하게 하고
물을 맑게 해주는 부적

금실이 좋지 않은 부부
관계를 좋게 해주는 부적

악귀를 쫓는 부적

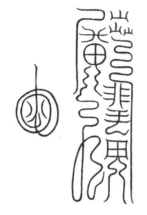

도교의 신 영관靈官이 집 안의
악귀를 몰아내고 그 뒤의
화火를 쫓아주는 부적

귀신을 쫓는 부적

6

7

8

9

한자의 탁자법

탁자拆字란 필획과 글자 형태 등 기본적인 구성단위에 따라 한자를 여러 문자로 분해하는 것을 말한다. 이를테면 일상생활에서 편의를 위해 탁자를 할 때가 있다. 예를 들면 자신의 성씨를 소개하는 경우이다. 성이 장張 씨인 사람은 '弓활 궁에 長길 장을 쓰는 장張 씨'라고 소개하고 성이 장章 씨인 사람은 '立설 립에 무이침 조를 쓰는 장章 씨'라고 소개하는 식이다. 이는 한자 문화권에서만 볼 수 있는 독특한 현상이다.

이런 현상이 나타나는 것은 한자의 상형문자가 생활과 직접 연관되다 보니 이미지성이 매우 강해졌기 때문이다. 또 다른 이유는 한자의 절대다수를 차지하는 형성자와 회의자에 허신이 『설문해자』에서 창안한 부수 검색 방법까지 더해지면서 분해할 수 있는 수많은 자소가 생겨났고 이렇게 해서 더 많은 한자가 만들어졌기 때문이다. 그러면서 『설문해자』에서 9,000여 자에 달하던 한자가 『강희자전』에서는 5만 자 가까이 늘어나게 되었다.

앞에서 언급한 이유로 예부터 글자 수수께끼를 맞히는 탁자 놀이가 생겨났는데 이를 측자測字라고 부르기도 했다. 탁자와 측자는 파자破字 또는 상자相字라고도 하는데 이는 중국 점복 문화의 표현 형식이다. 주나라, 진나라 때 시작되어 당나라, 송나라 때 전성기를 맞은 파자와 상자는 한자를 분해하고 조합해 마음의 상태를 설명하고 길흉화복을 점치는 미신 방술方術이다.

측자와 문자학, 심리학은 서로 밀접한 관계가 있다. 측자를 하는 사람은 보통 경험에 따라 판단을 내리고 여기에 문자를 다루는 내공을 결합해 그 해독한 내용을 상황에 따라 융통성 있게 해석한다.

　　민간에 전해진 명나라 말기 제17대 황제 숭정제崇禎帝의 고사를 통해 흥미로우면서도 신비로운 측자 문화를 들여다보자. 숭정제는 즉위 직후 온 힘을 다해 나라를 다스리고 환관의 무리를 뿌리 뽑고자 밤낮으로 정무에 매달렸다. 그러나 명나라의 국운이 이미 기울어 되돌릴 방법이 없었다. 어느 날 숭정제가 나라를 구해줄 비범한 이를 만나게 되길 바라며 평상복을 입고 밖으로 나선다. 이때 측자 좌판에서 변장하고 있던 이자성의 의병 군사 송헌책宋獻策을 만나게 된다.

　　숭정제는 곡식이 많이 놓여 있는 길가의 한 곡물점을 보고는 별생각 없이 '有있을 유'를 대며 명나라의 운세를 봐달라고 했다. 그의 신분을 알아챈 송헌책은 이렇게 답변했다. "有는 위에 가로획과 삐침 획이 하나씩 있습니다. 이는 大클 대 자의 절반이지요. 有의 아랫부분인 月은 明밝을 명의 절반입니다. 따라서 이는 명나라의 절반이 이미 지나갔으므로 더는 명나라를 보전하기 어려울 것이라는 의미입니다."그림 6 그러자 숭정제는 '友벗 우' 자로 바꿔 물어보았다. 송헌책은 이렇게 말했다. "友는 뒤집는다는 의미를 가진 反돌이킬 반의 끄트머리가 튀어나온 모양새를 하고 있으니 역시나 명나라를 보전하기 어렵다는 의미입니다."그림 7 이번에는 '酉닭 유'로 바꿔 다시 물어보았다. 송헌책이 대답했다. "이는 명나라를 보전하기 어려울 뿐만 아니라 황제도 목숨을 잃을 것임을 보여주는 자입니다. 술 단지酉에 술이 없는 형국입니다. 황상은 만승지존萬乘之尊의 지위에 계신 분입니다. 그런데 尊높을 존의 윗부분에 찍힌 점 두 개와 아랫부분의 寸마디 촌를 없애면 酉가 되니 이는 머리가 없고 다리가 없어 살 방도가 없음을 의미합니다."그림 8 송헌책의 말에 화가 난 숭정제가 돈을 내고 돌아가려고 돈을 꺼내다가 우연히 손수건을 입에 물었는데 이를 본 송헌책이 말했다. "입으로 손수건을 물고 있으니 위에는 口입구, 아래는 巾수건 건이라, 이는 吊조문할 조를 말합니다. 아마도 선비님께서 목숨을 보전하실 수 없을 듯합니다."그림 9

　　요즘은 측자를 미신으로 여기지만 이렇게 흥미로운 한자 분해와 뜻풀이에서 우리는 지금도 유익한 자양분을 얻고 있으며 창의적 한자체 연구와 실천을 위한 영감을 적잖이 받고 있다.

청나라 때 정성程省이 쓴『측자비첩測字秘牒』은 음양, 오행五行, 육신六神, 팔괘 등 고대 학술을 참고해 측자 방술을 설명한 전문 서적으로 열 가지 주요 측자 방법을 수록하고 있다. 지금의 글자체 디자인의 시각에서 봤을 때 매우 중요한 한자 디자인 기법이다.그림 10 열 가지 방법은 다음과 같다.

① 장두법裝頭法: 점치려는 글자에 이미 길흉이 숨어 있어 글자를
   점치는 사람이 글자 머리 부분에 획을 더해 개념을 명확히 한다.
② 접각법接脚法: 장두법과 반대이다. 한자를 사람의 몸으로 보고
   글자의 다리 부분에 획을 더해 함의를 완전히 드러낸다.
③ 천심법穿心法: 글자가 단정하고 좌우가 모두 갖추어져 있다.
   가운데에서 여러 획을 뚫고 들어가 그 글자에 변화를 주는데
   이를 천심이라 한다. 가운데를 뚫고 들어간 획이 옷자락의
   솔기처럼 한가운데서 양쪽을 이어주는 것은 아니다.
④ 포롱법包籠法: 점치려는 글자를 더 복잡하게 생긴 한자로
   에워싸 개념을 명확히 한다.
⑤ 파해법破解法: 글자 하나를 여러 부분으로 나눈 뒤
   다른 자소를 더해 새로운 글자를 만든다.
⑥ 첨필법添筆法: 대체로 글자의 획을 더하지 않고 줄이지 않으면
   변화를 주기 어렵다.
⑦ 감필법減筆法: 적절하게 획을 없애고 줄이면 결과를 얻을 수
   있다. 그러나 너무 많이 없애거나 줄이면 적자법과 혼동된다.
⑧ 대관법對關法: 한자 디자인 기법에서 가장 중요한 방법으로
   여겨진다. 한 글자의 머리 부분과 다리 부분을 분해한 뒤 서로
   짝을 이루는 다른 두 글자에 갖다 붙인다.
⑨ 적자법摘字法: 한 글자의 자소에서 다른 글자를 찾아내 점친다.
⑩ 관매자觀梅字: 가장 심오하고 융통성 있는 방법으로
   오행관과 상하좌우를 참작해 판단한다.

① 장두법	② 접각법	③ 천심법	④ 포롱법	⑤ 파해법
天	由	月	贝	行
↓	↓	↓	↓	↓
夫	申	冉	侧	衍

⑥ 첨필법	⑦ 감필법	⑧ 대관법	⑨ 적자법	⑩ 관매자
良	莫	言	哉	金
↓	↓	文头句脚	土、戈	世之宝，人之累。久炼则良
琅	草			

10

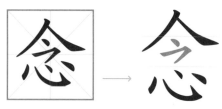

11 동방삭東方朔이 '念그리워할 념, 생각할 념'으로 풀이한 마음의 근심
생각이 마음에 걸려 있으니 밤낮으로 몸을 뒤척이며 근심에 싸여 있다. 누군가를 생각하고 있으니
그 누군가가 당신의 마음을 누르고 있는 것이다. '念'의 人이 옆으로 선 모양이었으면 여자였겠지만
똑바로 앉아 있으니 이는 남자를 가리키는 것이 분명하다.[119] 아마도 그 사람은 당신의 원수일 것이다.
그 사람人이 사라지지 않으면 '心마음 심'이 고개를 내밀 수 없으니 마음이 영원히 괴로울 것이다.

12 '太클 태'로 사람을 풀이한 두 가지 설명
첫째 풀이: 太에서 점을 하나 없애면 大큰 대가 되고 이 위에 가로획을 하나 없으면 天하늘 천이 되니
이 글자를 낸 사람은 분명 하늘로부터 멀리 있지 않은 이로 부귀영화를 누리게 될 귀인이 분명하다.
둘째 풀이: 이 글자를 낸 사람의 상황이 좋지 않다. 太가 기세는 클지 몰라도 점이 하나 더 붙었으니
이를 大라고 할 수는 없다. 만약 이 점이 지나치게 길어지면 木이 된다. 木나무 목이 세 개면 삼목三木[120]이
되니 감옥에 갇히는 화를 당하게 될 것이다.

13 '侯제후 후'로 흉악범을 점친 풀이
공작, 후작, 백작 중 후작이 두 번째로 지위가 높다. 앞으로 한발만 나아가면 공작의 칭호를 받고 왕이
되기도 하며 뒤로 한발 물러난다고 해도 귀족의 혈통임은 변하지 않으므로 侯는 좋은 글자로 본다.
이 글자를 잘 보면 왼쪽에 사람人이 서 있으니 자신도 모르는 사이에 누군가 자신을 몰래 엿보고 있다는
뜻이다. 侯의 오른쪽 아래에는 矢화살 시가 있다. 온종일 흉기 위에 있으니 어찌 위험하지 않겠는가. 이는
'侯'를 낸 사람은 발걸음을 멈춘 채 현실에 안주해서는 안 되며 백척간두의 상황에서도 앞으로 나아가야
공작이 된다는 뜻이다. 공작의 公은 모든 것이 평온하고 안정적이어서 비바람에도 흔들리지 않는다.
몰래 숨어 엿보며 사람을 해치는 이는 분명히 원수이니 조사해보면 반드시 결과가 나올 것이다.

14 '嬋아름다울 선'으로 생사를 점친 풀이

嬋의 왼쪽에는 女여자 여가 있고 오른쪽에는 單홑 단이 있다. 여자가 혼자 있으니 위험한 것은 당연지사이다.
單은 윗부분에 口가 두 개 있고 그 아래에도 口가 네 개나 있다. 온몸에 입이 천지인데도 말을 똑똑하게
하지 못하는 것 아닌가. 그래도 女에 아직 좋은 기회가 있다. 女에 子를 더하면 好좋을 호가 된다. 여기서 子는
남자를 뜻한다. 공자, 맹자, 묵자가 모두 큰 인물이다. 큰 인물에게 의지하면 위험을 헤쳐나갈 수 있다는
의미가 아니겠는가.

15 '嬌아리따울 교'로 사람을 점친 풀이

嬌는 女와 喬높을 교에서 나왔다. 그래서 여자가 교목喬木 옆에 있으며 높은 가지를 골라 머문다는 의미로
본다. 喬의 윗부분은 夭으로 역시 높은 가지로 올라간다는 뜻이다. 喬의 윗부분을 矢로 보기도 하는데
속담에 "한번 쏜 화살은 돌아오지 않는다."라는 말이 있다. 결론은 찾으려고 하는 사람이 다시 돌아오지
않는다는 것이다.

16 '竇구멍 두'로 두竇 장군이 이끌 군대 출정의 길흉을 점친 풀이

宀집 면은 집을 뜻한다. 宀 아래에 八을 더하면 穴구멍 혈, 굴 혈이 되니 이는 바로 한 줌의 황토 즉 무덤을
말한다. 竇의 아랫부분은 賣팔 매인데 매매는 성사되지 않아도 인의仁義는 변함이 없다. 이번 출정의 승패를
예측하기는 어려울지 몰라도 사람들은 그 인의를 칭송할 것이다. 충신은 제왕에게 목숨을 팔고賣
선비는 자신을 알아주는 사람을 위해 죽음을 마다치 않는 법이니 장군이 비록 죽음을 맞이한다고 해도
이는 가치 있고 영광스러운 죽음이다.

토템 한자

토템totem은 인디언어에서 유래한 말로 원래는 씨족사회 집단의 상징물을 뜻했으며 종족을 표현하는 시각 도형 부호를 담은 독특한 표기 방식이다. 자연계에 실존하는 생물과 사물을 묘사하고 이를 다듬은 데서 기원한 한자는 창조될 때부터 이미 로고의 성질을 띠고 있었다.

사회 발전과 인류의 거듭된 진보로 수많은 문자가 점차 언어를 기록하는 부호 체계로 변해갔다. 그중 일부가 사회 계급과 종족 내 상하 관계를 구분하는 상징 부호로 발전했다. 황제의 권력과 관직 등급을 상징하는 부호 체계를 보면 도안에서 색채는 물론 도안의 복잡하고 단순한 정도까지 상세하게 규정되어 있다. 관복의 흉배胸背에 관직 등급에 따라 넣은 동물 도안, 제왕의 면복冕服121에 넣은 십이장十二章122 그림 17, 건축물 용마루에 사용한 신성한 동물과 기와의 색채, 문루門樓123의 치수와 문 앞 계단의 개수 등 이런 예는 흔히 볼 수 있다. 상나라와 주나라 때부터 천자의 면복에 천자를 상징하는 도안으로 열두 가지 문양을 넣기 시작했다.그림 18~22

십이장은 선사시대에 이미 발전 조짐이 있었다. 주나라 때 천자가 십이장을 제도화하면서 계급을 구분하고 아랫사람을 관리하는 상징 부호가 되었다. 그 뒤 역대 왕조 제왕들의 의복 문양 제도로 변화하면서 십이장이 역대 제왕의 면복 문양이 되었다. 당시에는 문양 수가 벼슬 품계와 관련 있었는데 그 수가 많을수록 등급이 높았다. 십이장, 구장九章, 칠장七章, 오장五章, 삼장三章, 일장一章 등 총 여섯 개 등급이 있었고 등급이 가장 높은 십이장을 십이장복十二章服이라 했다. 이 중 해, 달, 별, 삼장은 오직 제왕만 사용했고 제왕은 십이장복을 가장 성대한 장소에서 입었다. 귀족은 구장과 칠장 등 낮은 계급으로 갈수록 무늬 개수가 줄어들었다. 문양은 삼장이든 오장이든 십이장 뒤에서 앞으로 순서에 따라 선택해 사용했다. 이를테면 구장은 산, 용, 꿩, 종이, 수초, 불火, 쌀, 보, 불黻, 수 불을 쓰고 일장은 불黻을 썼다. 청나라 때도 황제가 십이장 대례복을 입었지만, 십이장이 황색의 곤룡포에서 차지하는 면적이 좀 작았기 때문에 현대 학계에서 청나라 조정에도 십이장이 존재했다는 사실을 간과하는 일도 있다.

1913-1928년 중화민국 북양 정부 시기에 작가 루쉰魯迅, 첸다오쑨錢稻孫, 쉬서우창許壽裳은 십이장을 기초로 국가 휘장 도안을 디자인했다.그림 23 위안스카이가 군주제를 확립한 뒤에도 이 국가 휘장을 계속 사용했으며 십이장은 면복의 무늬로 역사 무대에 마지막으로 올랐다. 그러다 위안스카이의 황제 정부가 전복되면서 십이장 제도가 사라졌다.

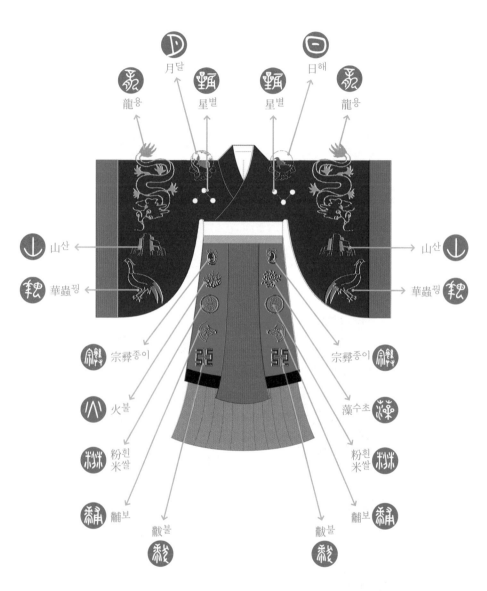

月달 日해
龍용 星별 星별 龍용
山산 山산
華蟲꿩 華蟲꿩
宗彝종이 宗彝종이
火불 藻수초
粉흰 米쌀 粉흰 米쌀
黼보 黼보
黻불 黻불

17 한나라 때 면복에 넣은 열두 가지 장식 무늬는 황실을 상징하는 토템 부호 체계이다.

18

19

20

21

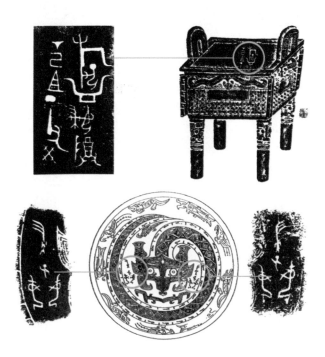

22 청동기에 사용한 토템 부호

23　루쉰이 디자인한 십이장의 국가 휘장

do–re–mi–fa–so–la–ti

24 중국 칠현금 악보의 음 표기 부호[124]
① 목화토금수 ② 진손이곤간건태감 ③ 춘하장하추동 ④ 감신감고산[125] ⑤ 흑백황적청
⑥ 우상궁치각 ⑦ 삼팔이칠오사구일육 ⑧ 설안비구이 ⑨ 인예신의지

중국 음률 체계 속의 한자 디자인

중국의 고대음악은 서양음악과 형식적으로 다를 뿐만 아니라 전체 체계 설계에서도 그만의 독특한 율격律格 즉 규칙과 격식이 있었다. 옛 중국인들은 칠현금七絃琴을 탈 때 특별한 의식과 과정을 밟았다. 이 외에 악보 표기 방식에서도 동서양에 커다란 차이가 있었다.

중국인들은 그들만의 독특한 사유에 근거해 악보 표기 부호 즉 특수한 금보琴譜 문자를 만들었다. 이는 한자의 대표적 필획을 여러 개 조합해서 네모난 한자 모양으로 만든 합체자로 사실상 특수한 한자 약어 표기 방식이었다. 더 중요한 차이점은 서양은 칠음계이지만 중국 고대 현악기는 오음계 즉 궁宮, 상商, 각角, 치徵, 우羽라는 점이다. 이렇듯 음악의 음표와 악보, 문화적 차이가 존재했으므로 여기서 탄생한 음악 역시 다를 수밖에 없었다.

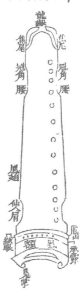

25 칠현금의 각 부위 명칭

26 동그라미 안의 음표, 산구散勾를 예로 들어보자. 윗부분의 艹는 산음散音126을 나타내므로 이 운지법은 오른손에만 써야 한다는 뜻이다. 勹는 勾잡아당길 구를 간략하게 표기한 것이며 一은 하나의 현에서 연주한다는 의미이다. 전체적으로는 오른손으로 현 하나를 튕긴다는 뜻이다.

한자와 율격 디자인관

율격이란 원래 운문을 창작할 때 근거가 되는 일종의 격식과 음률音律을
말하는데 운문의 종류에 따라 특정 율격이 존재한다. 중국의 고전 시가
가운데 근체시近體詩는 율격이 상당히 엄격해서 격률시格律詩라고도 한다.
근체시를 지을 때는 성운聲韻, 대장對仗, 결구結構에서부터 글자 수에 이르
기까지 모두 미리 설계해야 한다.

　운문 시가를 감상하고 창작할 때 기존의 율격 구조에 따라 내용과
형식에서부터 시구를 고치고 다듬어나가는 경우는 많은데도, 이런 율격
구조의 기원에 대해서는 질문하는 사람이 거의 없다. 어째서 절구絕句127
와 율시는 보통 사언四言이나 칠언七言으로 되어 있을까? 사詞128는 어떻게
장단長短이 일정하지 않은 글자 수로 확립되었을까? 이런 율격은 누가
만들었을까? 후세 사람이 새로운 율격을 선보인 적이 있을까?

　사실상 율격은 언어의 구조적 뼈대로 단락, 곧 끊어지는 자리에 따
라 글자의 발음에 리듬감을 부여하는 것이다. 이런 점 때문에 율격은 구
어, 백화白話129와 구분되는 예술적 언어가 되었다. 이런 발음의 리듬감이
중국 시의 돈頓130과 외국 시의 음보音步131에서 어느 정도 차이를 보이기
는 하지만 그 원리는 같다. 기본적으로 둘 다 청각 식별을 바탕으로 하는
감성적 문자 언어 위에 구축된다. 율격은 발음, 호흡의 흐름과 리듬을 바
탕으로 이성적으로 설계한 결과물이다. 바로 이런 구조와 뼈대의 힘 덕에
다채롭게 변화하는 각종 문자의 조합과 절묘한 언어 표현이 가능해진다.

　'율격 디자인관'을 제기하고 연구하는 목적과 의의는 다음과 같
다. 첫째, 중국 전통 예술 디자인의 외재적 형식에 내포된 디자인 사고
모델과 방법론의 체계를 분석하고 정리해 디자인 사고와 방법론 영역에
서 이 부분이 줄곧 빠져 있던 상황을 변화시킨다. 둘째, 중국 현대 예술
디자인 이론의 틀을 정비하는 데 유익하다. 이를 통해 전 세계가 동양의

1 시가의 율격이란 단락, 곧 끊어지는 자리에 따라 글자의 발음에 리듬감을 부여한 것이다. 이런 점 때문에 율격은 구어, 백화와는 다른 예술적 언어가 되었다. 율격은 언어를 디자인한 것이다.

LXV

Since brass ,nor stone,nor earht,nor boundless sea,   → 1 → a
But sad mortality o'ersways their power,   → 2 → r
How with this rage shall beauty hold a plea,   → 3 → a
Whose action is no stronger than a flower?   → 4 → r
O! how shall summer's honey breath hold out,   → 5 → t
Against the wrackful siege of battering days,   → 6 → s
When rocks impregnable are not so stout,   → 7 → s
Nor gates of steel so strong but Time decays?   → 8 → s
O fearful meditation! where, alack,   → 9 → k
Shall Time's best jewel from Time's chest lie hid?   → 10 → d
Or what strong hand can hold his swift foot back?   → 11 → k
Or who his spoil of beauty can forbid?   → 12 → d
O!none,unless this miracle have might,   → 13 → t
That in black ink my love may still shine bright.   → 14 → t

2 14행으로 이루어진 영문 시 ‹셰익스피어 소네트Shakespearian Sonnet›는 abab cdcd efef gg의 운율 형태를 보이며 약강 오음보iambic pentameter[132] 의 운율로 되어 있다.

再别康桥

徐志摩

轻轻的我走了，
正如我轻轻的来；
我轻轻的招手，
作别西天的云彩。
那河畔的金柳，
是夕阳中的新娘；
波光里的艳影，
在我的心头荡漾。
软泥上的青荇，
油油的在水底招摇；
在康河的柔波里，
我甘心做一条水草！
那榆荫下的一潭，
不是清泉，是天上虹；

揉碎在浮藻间，
沉淀着彩虹似的梦。
寻梦？撑一支长篙，
向青草更青处漫溯，
满载一船星辉，
在星辉斑斓里放歌。
但我不能放歌，
悄悄是别离的笙箫；
夏虫也为我沉默，
沉默是今晚的康桥！
悄悄的我走了，
正如我悄悄的来；
我挥一挥衣袖，
不带走一片云彩。

Saying Good-bye to Cambridge Again
by Xu Zhimo

Very quietly I left
As quietly as I came here;
Quietly I wave good-bye
To the rosy clouds in the western sky.
The golden willows by the riverside
Are young brides in the setting sun;
Their reflections on the shimmering waves
Always linger in the depth of my heart.
The floatingheart growing in the sludge
Sways leisurely under the water;
In the gentle waves of Cambridge
I would be a water plant!
That pool under the shade of elm trees
Holds not water but the rainbow from the sky;
Shattered to pieces among the duckweeds
Is the sediment of a rainbow--like dream?
To seek a dream?Just to pole a boat upstream
To where the green grass is more verdant;
Or to have the boat fully loaded with starlight
But I can't sing aloud
Quietness is my farewell music;
Even summer insects heap silence for me
Silent is Cambridge tonight!
Very quietly I leaved
As quietly as I came here;
Gently I flick my sleeves
Not even a wisp of cloud will I bring away

3 근대에 나타난 신시新詩가 더는 전통 율격에 얽매이지 않게 되면서 새로운 시가 형식이 나타났다.

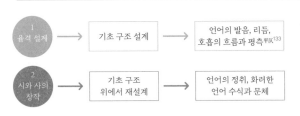

4 율격이란 언어 속에 존재하는 일종의 구조로 시와 사를 창작하려면 반드시 그에 앞서 이 기초 뼈대를 만들어야 한다. 시와 사는 바로 이런 체계를 기초로 설계되었다.

아름답고 신비로운 형식을 감상하고 즐기는 동시에 이런 형식 뒤에 숨겨진 디자인 사고와 방법론의 체계를 이해하도록 돕는다. 셋째, 시각 디자인 분야의 치열한 경쟁 속에서 전혀 새로운 체계의 디자인 방법론을 탐색해 새로운 한자 디자인 모델을 만들어낸다.그림 1~4

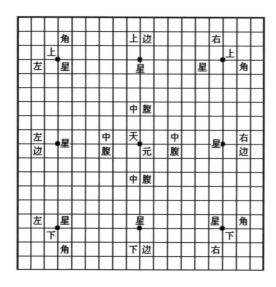

5 고대의 전쟁과 오락거리였던 바둑 역시 격자 규칙의 배열과 구성을 기초로 한다. 사병의 위치와 바둑돌의 배열 모두 실제 존재하거나 숨겨져 있는 가로세로 구조에 따라 결정되었다. 바둑판도 구궁격에서 발전된 형식으로 디자인했으며, 흑과 백, 수직과 수평, 사각과 원형으로 이루어져 있고, 같은 간격으로 배치된 화점花點[136] 아홉 개는 각각 특징적인 명칭이 있다. 모든 바둑돌은 오직 대등한 기초 단위 하나만을 차지하며 착점着點[137]을 차지하기만 하면 주변 구역을 통제하는 주동적 태세가 된다. 이렇게 차지한 착점의 개수를 계산해 승부를 결정짓는다. 바둑판은 장기, 체스, 다이아몬드 게임 판과는 디자인이 완전히 다르며 적과 나의 경계를 가르지 않는다. 다른 게임 판과 구분되는 바둑판 디자인의 특징은 일단 격자 규칙의 차이에 있다. 그 밖의 심미적인 문제는 게임의 속성에 따라 달라진다.

격자주의와 율격 디자인

1068-1077년에 편찬한『영조법식營造法式』은 북송 시대에 국가에서 편찬한 건축 설계 및 시공 관련 서적으로 구궁격九宮格[134] 원리를 활용한 토목건축 시행 방법을 소개하고 있다. 구궁격은 일종의 구조 밑그림으로 기본 구조가 매우 간단하며 연결점과 가로세로 두 가지 개념이 핵심이다.

중국 고대 가옥은 천장이 매우 크고 무거운데도 벽면에 기대지 않고 기둥과 두공斗拱[135]으로만 거대한 압력을 분산했다. 따라서 받침점이 이 역할을 하려면 과학적 격자 배치가 필수적이었고 이에 따라 구궁격이 생겨났다. 이 시스템은 설계 면에서 치밀하면서도 효과적이었으며 강력한 방법론을 구축해냈다. 가르치고 실천하기가 매우 편하고 실용적이어서 어떤 건축가든『영조법식』을 손에 넣기만 하면 중국식 가옥을 설계할 수 있었다. 다른 한편으로는 크기에 상관없이 모두 구궁격을 기본으로 설계했는데, 건축의 채색 도안 형식, 계단 높이, 입구 사자상의 유형, 기와의 색채 등 모든 곳에 격자 법칙을 엄격히 적용했다. 구궁격 설계의 우수성과 완벽성이 간접적으로 새로운 건축 형식과 스타일의 탄생을 막아버림으로써 건축가들은 무의식적으로 기존의 격자 법칙 안에서 제한된 변화만을 추구하는 데 그치게 되었다.그림 5~6

레이아웃 디자인 속의 격자는 모더니즘의 산물이 확실하며 일종

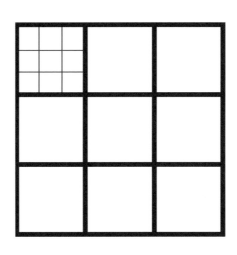

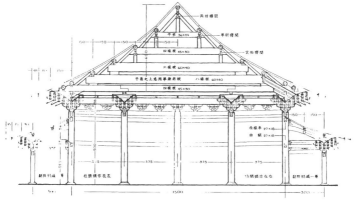

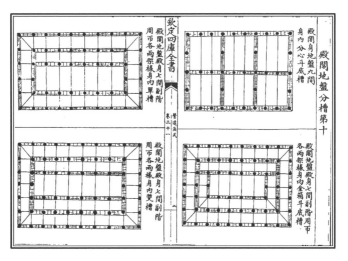

6 구궁격과『영조법식』의 격자 절점節點 설계

의 표준화된 조판 디자인 방식이다. 구궁격 방식과 유사한 점은 훨씬 더 유연하다는 것이다. 이는 격자 자체가 디자인이 가능한 대상이기 때문이다. 격자 디자인은 패턴과 구성 방식의 변화로 다양한 레이아웃 효과를 줄 수 있다. 동시에 서로 다른 스타일 뒤에 감춰진 질서감이 조화롭고 다듬어진 느낌, 그러면서도 통합된 느낌을 준다.

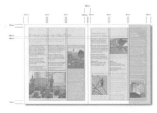

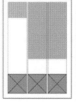

맨 처음 격자를 디자인할 때는 그 안에 담을 내용의 특수성을 고려하는데 이런 특수성 탓에 내용을 엄격하게 격자에 맞추지 못할 가능성이 있다. 이는 격자라는 제한된 범위 안에서 조정할 수 있다. 그런데 이런 가능성은 잠재적이고 이성적인 뿌리에 숨어 있다. 완전히 다른 디자인 스타일을 만들어내기 위해 격자를 다양한 형식으로 디자인해볼 수도 있다. 이를테면 칸을 촘촘하게 나눈 격자가 많아지면 칸을 넘어가는 임의성이 훨씬 강해진다. 그러나 격자가 고정된 구성 요소가 되어버리면 사람들은 저도 모르게 그 정해진 틀 안에서 사고하게 된다. 기울어진 형태의 격자를 디자인해 동적으로 변화하는 격자로 만들어낼 수 있다는 생각조차 못 하게 된다.

7 2012년 런던올림픽 출판물의 격자 디자인 샘플

티베트 불교의 불상 설계 원리를 소개한 책 『불설조상도량경佛說造像度量經』을 보면 티베트 불교가 격자 비율을 바탕으로 불상 도안을 디자인하고 규범 체계를 잡았음을 알 수 있다. 이런 격자는 '손가락 굵기'를 기준 단위로 했다. 정보 전달 도구가 발달하지 않았던 당시에는 이런 방식을 통해 훨씬 더 정확하게 불상 디자인의 세부 내용을 전파할 수 있었고 이 방식은 지금까지도 계속 사용한다. 손으로 직접 그리던 시대에는 '격자 크기를 키우는 것'이 도안의 밑그림을 정확하게 축소, 확대하는 주요 수단이었는데 컴퓨터 시대에 들어서면서는 같은 비율로 마음껏 축소, 확대할 수 있게 되었다. 각 점과 함수 좌표가 도형을 연결하고 만드는 표준 근거가 된다는 점에서 원리는 지금과 같다.

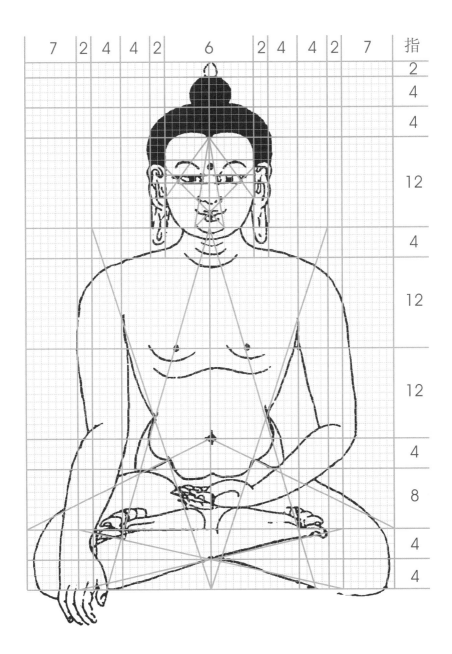

	7	2	4	4	2	6	2	4	4	2	7	指
												2
												4
												4
												12
												4
												12
												12
												4
												8
												4
												4

8 『불설조상도량경』의 삽화. 기준 단위는 손가락 굵기이다.

235

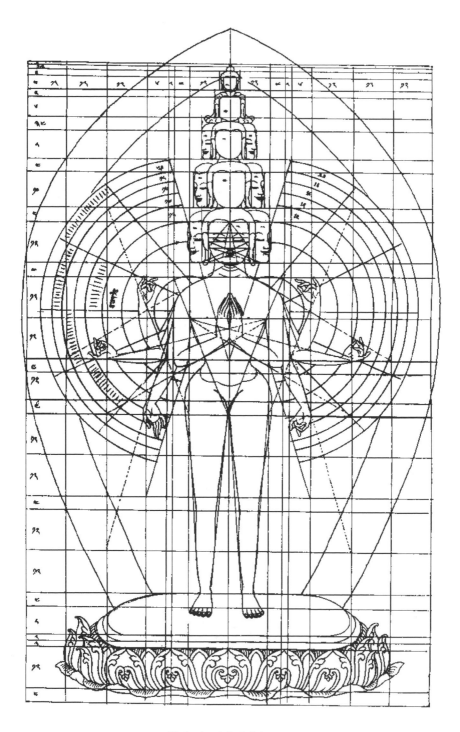

9 『불설조상도량경』의 삽화

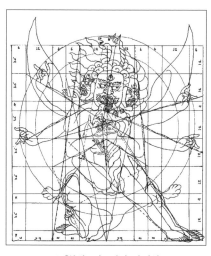

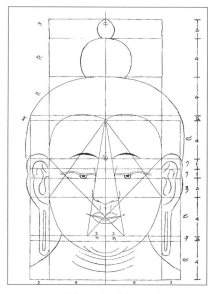

10 『불설조상도량경』의 삽화　　　　　11 『불설조상도량경』의 삽화

『불설조상도량경』에 소개된 밑그림 복제 방식과 격자 크기 확대 방식은 지금과 차이가 좀 있다. 밑그림의 격자는 형식적 스타일과 이성적 규범이 서로 결합해 만들어낸 산물이다. 그 원리는 불상 조형 이면의 독특한 디자인적 사고에 숨어 있다.

　　중국에서는 삼정三停, 오안五眼, 좌오坐五, 반삼盤三, 행칠行七[138] 등 사람 얼굴을 그릴 때 기본 공식을 배운다. 그러나 이것은 중국인의 비율을 공식화한 것이기 때문에 서양인에게는 맞지 않는다. 예를 들어 행칠은 서 있을 때 키가 머리 길이의 일곱 배라는 뜻인데 고대 그리스의 조소 작품은 키가 최소 머리 길이의 일곱 배 반에서 여덟 배에 이른다.

　　서구의 사실주의 미술은 한때 격자 연구 열풍에 빠져 글자체에서 건축, 더 나아가 인체의 비례에도 모두 격자 디자인을 응용했다. 격자 디자인 사고의 강점은 격자 디자인이 글자체, 도형, 색채, 창의적인 배열 이전에 이루어지는 구조의 설계라는 점에 있다. 격자를 성공적으로 디자인하느냐의 여부가 디자인 작품의 수준을 결정짓는 것이다.그림 7~11

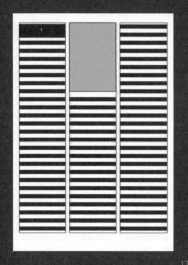
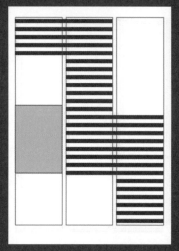

12

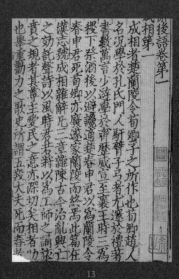

13

'율격 디자인'식의 사고와 방법론으로 한자의 조판 디자인을 보면 현대의 레이아웃 소프트웨어 프로그램이 라틴 알파벳 쓰기 습관을 기본 율격으로 삼아 이를 살짝 재디자인한 것임을 알 수 있다. 하지만 이런 레이아웃 소프트웨어 프로그램으로는 전통 한자 조판 방식을 구현해낼 수 없다. 이를테면 딱딱 맞아떨어지는 문자 조합이 그런 예인데 글자와 글자 사이에 간격이 없을뿐더러 아래 글자가 위 글자 안으로 들어가는 일도 있기 때문이다. 그림 12~22

此のたび公開保留が解除されました
ので再上映に際し原形に戻すべきで
ありますが不幸にも戦時の混乱の中で
短縮した部分のネガフィルムを散逸し
どうしても原形に戻す事が出来ません
併し當社は此の作品がそう云う不充分な
姿でも尚且つ再び世に問う價値が
あると信じますので——

大河内傳次郎

大河内傳次郎

2008년 베이징올림픽조직위원회에서 디자인하고
개발한 출판물 관리 표준 양식. 기본적으로 엄격한
격자 구조를 따랐다. 그림 15~20 지은이 작품

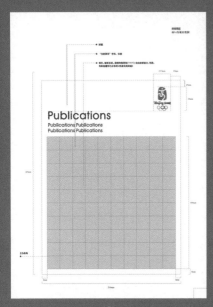

15

16

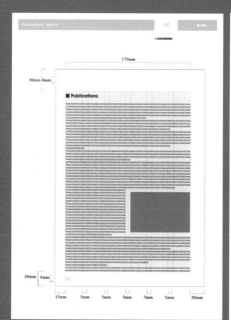

17

18

19

20

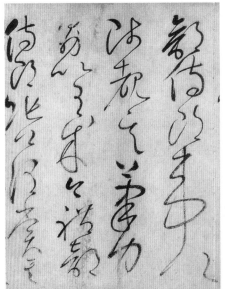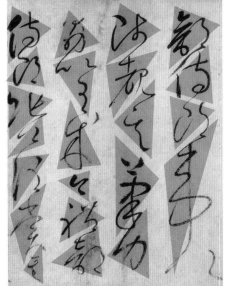

21 초서의 문자 배열 역시 지금의 레이아웃 소프트웨어 프로그램으로는 구현하기 아주 힘든 레이아웃 형식이다.

① 서로 맞물리면서 알맞은 위치에 격자가 삽입된다.
② 일률적으로 균일한 스타일을 추구하지 않으며 글자의 크기와 길이가 변화한다.
③ 중심축이 숨겨져 있다.
④ 리듬과 변화를 중시한다.
⑤ 글자마다 크기 차이가 많이 난다.
⑥ 글자가 곧게 정렬된 세로 직선 위에 배치되지 않는다.

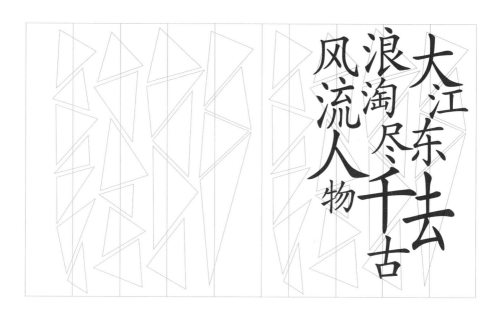

22 격자식 사고에서 벗어나 지금까지 없던 삼각 쐐기형 격자를 시도해보았다. 삼각형 각 변의 길이에
변화를 주어 초서와 유사한 배열 형식이 되게 했다. 간가결구적요 92법을 응용하면 아마도 이렇게
윤곽이 서로 맞아떨어지는 형식을 해결할 수 있을 것이다.

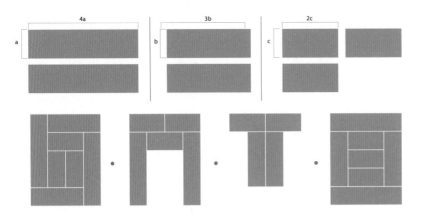

23 송나라 때의 연기, 그리고 연기로 만들어낼 수 있는 다양한 너비와 형식의 실용적인 탁자 모양

원도안을 재구성한 탱그램

칠교판七巧板 그림 23을 영어로 탱그램tangram이라 하는데 중국인이 발명한 도안이라는 뜻이다. 최근 많은 디자이너가 칠교판에 관심을 보이고 있으나 대부분은 표면적인 형태 디자인에 대한 관심에 그친 채 칠교판의 근간이 되는 디자인적 사고는 간과한다.

칠교판은 고대의 연기도燕幾圖에서 유래했다. 여기서 '기幾'는 탁자로, 산업 디자인 방법론을 바탕으로 만든 세 종류의 탁자 일곱 개가 조합되어 이루어진다. 이 세 가지 탁자는 비율별로 4:1이 두 개, 3:1이 두 개, 2:1이 세 개이며 이 몇 가지 종류의 탁자를 조합해 서로 다른 조형의 탁자를 만들 수 있다. 명나라와 청나라 때 연기도가 접기蝶幾로 변화하면서 작은 상형 도안을 만들어낼 수 있게 되었다. 이후 접기는 점차 칠교판과 유사한 놀이로 변화했다. 오늘날 전 세계적으로 통용되는 칠교판은 접기를 두 번 더 잘라내 만든 것이다.

언젠가 한 학생이 칠교판의 단점을 물었다. 모든 도안에는 점과 선과 면이 있고 원형, 사각형, 삼각형 등의 도형이 있게 마련이며 크기도 대중소로 나뉜다. 그런데 이 칠교판 도안에는 원형은 물론 직사각형도 없고 작은 도형도 없으며 삼각형 몇 개와 평행사변형 한 개, 정사각형 한 개가 전부이다. 이 학생은 이 중 하나의 삼각형에 동그란 구멍을 뚫어 아치 모양으로 잘라냈다. 이렇게 디자인한 칠교판으로 훨씬 곡선화된 예쁜 여우 모양의 도안을 만들어냈다. 하지만 이런 변화를 거친 칠

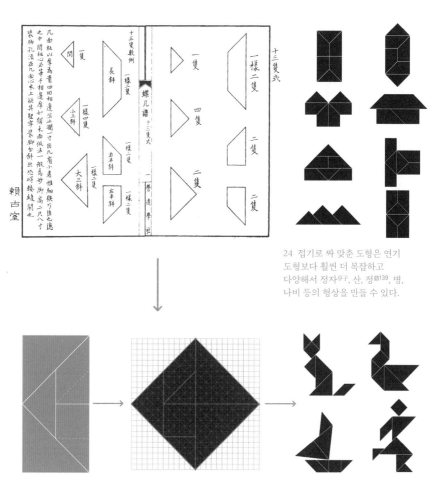

24 접기로 짜 맞춘 도형은 연기
도형보다 훨씬 더 복잡하고
다양해서 정자井子, 산, 정井139, 병,
나비 등의 형상을 만들 수 있다.

25 접기를 두 번 더 자르면 탱그램이
완성된다. 통용성이 아주 높은 이
탱그램으로 1,600개 이상의 도형을
만들어낼 수 있다고 한다.

교판은 최대의 장점인 통용성을 잃어버렸다. 아치 모양의 선으로 이성
적인 느낌의 건물을 만들 수 있을까?

그래서 가능성이 높은 도안을 디자인하려면 원도안이 단순해야
한다. 생각 없이 멋대로 도안을 만들어서는 안 된다. 다른 학생 역시 칠
교판의 요소를 활용해 입체적인 수납 상자를 만들었다. 칠교판의 원리
로 디자인한 책장을 분해하면 자신이 만들고 싶은 각종 도안으로 짜 맞
출 수 있는데, 이는 원도안을 잘라내 새로 조합하면 원래와는 다른 결과
물이 나오는 방법론을 디자인에 응용한 것이다. 그림 23~25

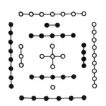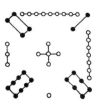

26

연역적 부호 체계

고대 중국인은 아주 단순한 부호 체계로 동적으로 발전하는 세계를 완벽하게 설명해냈으며 동적이고 복잡한 사물의 규칙을 꿰뚫는 요점과 핵심을 찾아냈다. 전설상의 신 복희伏犧 또는 주나라 문왕文王이 이 복잡하면서도 간단한 체계를 설계했는데 이 체계의 핵심이 음양이었다.

음양은 초기 단계의 물리학으로 삼라만상의 세상 만물을 정과 반 그리고 이 둘의 상호 전환으로 설명했다. 음양에서 핵심에 있는 부호 도형은 단순하기 그지없다. 직선 하나와 둘로 나뉜 짧은 선인데 이 둘은 각각 양과 음을 상징한다. 이 두 개의 핵심 부호를 토대로 설계한 일종의 수리 조합 방식 가운데 가장 기본이 되는 여덟 개의 조합이 바로 팔괘八卦이다. 여기서 다시 예순네 개의 조합이 나오면서 사물의 발전 확률과 가능성에 대응할 수 있게 된다. 이는 뛰어난 연역적 디자인 방법론이면서 점에서 시작해 면으로 이어지는 하나의 시스템이다. 이를 CISCorporate Identity System 이론에 적용해보면 팔괘는 직선과 끊어진 선을 핵심 상징과 비율에 따라 조합한 2차 상징으로 핵심과 파생의 관계에 있다.

중국 문화는 하나의 연속된 흐름이다. 이 우수한 부호 디자인 체계는 발전과 변화를 거듭했고 그 과정에서 세상 사람들의 끊임없는 관심과 연구 대상이 되었다. 중국의 태극 부호 시스템이라 불리는 연구가 독일 선교사를 통해 유럽에 전해지면서 태극의 수리 시스템이 이진법의 발명으로 이어졌다. 태극의 양과 음은 0과 1에 대응되며 0은 곤坤, 1은 건乾이다. 전극도 연결과 단절 두 가지 가능성밖에 없으며 연결과 단절의 질서가 프로그래밍되면서 컴퓨터의 복잡한 연산이 가능해진다. 이는 좀 더 깊이 연구해볼 가치가 있는 디자인적 사고로, 적어도 우리가 디자인적 사고를 개척하는 데 영감의 원천이 될 수 있다.

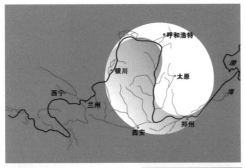

27 황허강의 완만한 곡선 역시 태극 도안과 신기할 정도로 똑같다.

28 앵무조개와 은하계의 나선형 구조에서는 미시적, 거시적으로 나선형 곡선이 보이는데 이 곡선이 태극 도안의 구조와 일치한다.

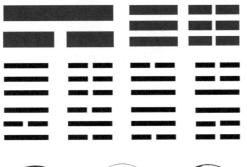

29 괘卦의 세계에서 직선은 양을, 끊어진 선은 음을 의미한다. 이 두 가지 부호의 조합으로 더 많은 괘가 만들어지는데 이 괘와 컴퓨터 함수 모두 이진법 계산식을 쓴다.

30 초기의 태극도 디자인

송나라 때부터 사람들은 도형으로 태극과 팔괘를 설명했다. 옛사람들은 은하, 앵무조개, 솔방울, 회오리 형태로 난 머리칼, 회오리바람, 소용돌이에서 시작해 심지어 황허강黃河江의 방향에 이르기까지 이 모든 것에서 나선형이라는 위대한 부호를 발견하기도 했다. 태극 도안은 음양이 대립하고 전환한다는 세계관과 물질관을 근거로 설계되었으며 옛 선인들이 생각하던 일체의 우주관을 개괄적으로 보여준다. 이런 개념을 담은 문자는 모두 자연법칙을 바탕으로 하며 자연법칙 사이의 비슷하면서도 다른 면모를 표현하고 있다.그림 26~36

31 태극 도형의 나선형 곡선과 '卍만자 만'에는 모종의 도형적인 연관 관계가 숨어 있다.

33 전국시대 말기 상감기하무늬항아리鑲嵌幾何紋方壺의
무늬와 도안에 '万萬의 간체자'의 구조가 들어 있다.

32 직선화된 나선형 선이 사방으로 연속
배열되면 긴밀하게 연결된 격자 구조가
만들어진다.

34 '卍' 자로 이루어진 특수한 사방 연속 도안

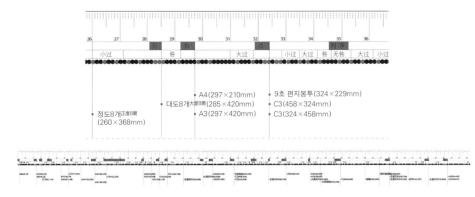

35 곱자와 그래픽 디자인 치수의 결합

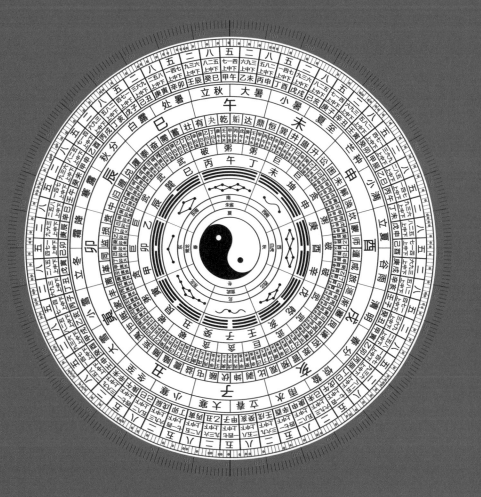

36 천지건곤天地乾坤의 유물 세계관이 내포된 풍수 나침반은
고대 중국인의 지혜의 창조물이며 부호 한자의 총집결체이다.

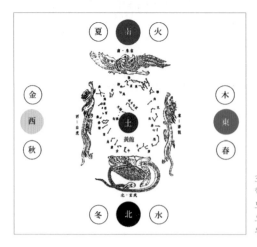

37 사령도四靈圖. 사령은 청룡, 백호, 주작, 현무를 말함 색채 시스템은 그 이름에서 드러난다. 송나라 이전의 사령방위도는 오늘날의 지도와 방향이 정반대로 위쪽이 남쪽이다.

한자의 오행

오행五行은 하나의 원소에 존재하는 상생과 상극의 긴밀한 체계로 중국의 전통문화에 깊은 영향을 미쳤다. 오행은 우리가 아는 모든 것을 긴밀하게 연관 지어 해석하는데 색채 시스템도 그렇다. 적색, 황색, 청색, 백색, 흑색이 각각 불火, 흙土, 나무木, 금金, 물水 다섯 가지 원소를 대표한다. 이 다섯 가지 색은 방위와도 직접적인 연관이 있다. 각각의 색이 동서남북, 중앙과 짝을 이루며 청룡青龍, 백호白虎, 주작朱雀, 현무玄武, 황룡黃龍이 이 다섯 가지 방위 색의 상징 부호이다. 천안문天安門 중산공원中山公園 사직단社稷壇의 오색토五色土가 이 다섯 가지 색채를 응용한 디자인으로, 동서남북과 중앙에서 가져온 다섯 가지 색의 흙으로 제단을 지었다. 제단을 둘러싼 사방의 벽은 네 가지 방위 색의 유리 기와가 들어간 형태로 설계되었다.

필자는 베이징올림픽 색채 시스템 디자인 작업에 참여하면서 오행색을 색채 시스템의 주요 색상으로 잡았다. 근접 색과 조화 색으로 상생을 표현했는데 흰색과 탁색을 섞어 조화 색을 만들고 마지막에는 『역경易經』에서 말하는 모든 색의 생수生數[140]에 따라 색채 면적의 비율을 계산했다.[141] 동양의 색채 법칙을 응용한 디자인 사례이다.그림 37~40

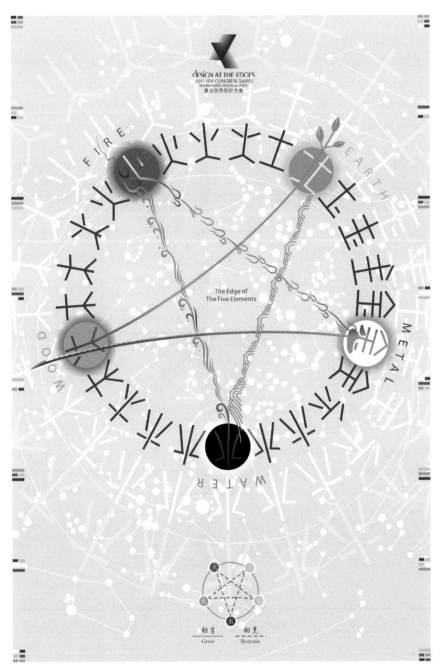

38 맞붙은 오행 지은이 작품

39 오행 상생을 표현한 디자인 지은이 작품

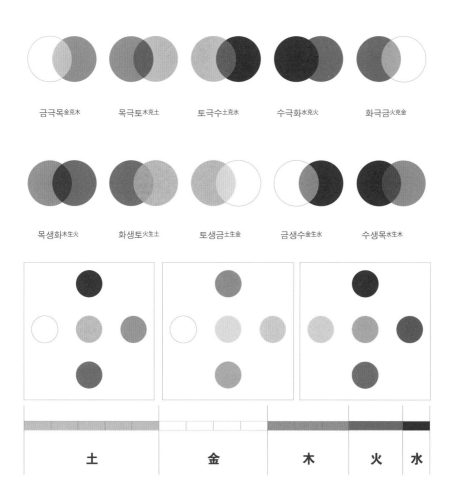

금극목金克木　　목극토木克土　　토극수土克水　　수극화水克火　　화극금火克金

목생화木生火　　화생토火生土　　토생금土生金　　금생수金生水　　수생목水生木

土　　金　　木　　火　　水

40 오행의 상생상극 관계를 중국의 오색으로 표현했다. 오색에 흰색과 탁색을 더하고 잘 섞어
표준색 체계를 만들고 오행 색과 그 생수 비율을 도식화했다.

길상 문화 속의 합체자

절묘한 결합

로고 디자인은 표현 기법, 창의성, 제재의 특성 등 서로 다른 각도에서 여러 방식으로 분류할 수 있다. 여기서는 우선 문자, 도형, 종합, 개조, 시리즈의 다섯 종류로 분류했다. 이는 거시적으로 분류한 것으로 실전에 맞춰 적용할 수 있다.

고대 서양에서는 그림과 글이 섞이지 못했지만, 동양에서는 중국의 경우 글과 그림을 하나로 보았으며 심지어 이 둘이 서로 전환되기도 했다. 고대의 '書'와 '畵'는 글자 형태부터 매우 흡사한데 이는 문화의 태동기부터 글과 그림을 하나로 보는 시각이 이미 형성되어 있었음을 보여준다. 중국에서는 문자와 도형을 조합한 디자인을 쉽게 받아들였다. 상형문자인 한자가 그림에서 유래했고 지속적인 수정 과정을 거치면서 표음, 표의 기능이 글자 형태와 결합해 삼위일체를 이루어 훨씬 더 정확한 개념의 표현이 가능해졌기 때문이다.

그러나 인터넷 문화 확산 등 세계화라는 변화 추세에서 중국은 위와 같은 전통 개념을 직시하면서 세계적인 경쟁 대열에도 합류해야 하는 상황을 맞이하게 되었다. 정보와 개념의 전달은 점점 더 명확하고 신속해지며 수많은 다국적 기업 그리고 세계적인 경쟁에 가세하는 기업과 기관 모두 세계화를 겨냥한 심벌마크를 도입했다. 이에 따라 디자이너는 영문과 도형을 조합하거나 영문과 한자를 조합하는 등 여러 가지 방식을 시도하고 있다. 로고는 어떤 목적에 따라 부호를 식별하게 하는 것인데 선명하고 정확한 도형과 가장 명료한 언어야말로 무언가를 인식하는 가장 간편한 방법이다. 따라서 이런 요구 조건에 부합하는 문자와 도형의 조합 방식이 현대에 와서는 비교적 보편적인 디자인 방법으로 자리 잡게 되었다.

국제적으로 통용되는 언어를 활용한 기업 이미지 전달은 무시할

1 길상 합체자

수 없는 영향을 끼친다. 영어는 영국의 식민 통치 시기를 통해 전 세계에 광범위하게 퍼졌고 이후 미국이 발전하고 강성해지면서 20세기 들어 국제 공용어의 지위가 더욱 굳건해졌다. 이런 역사적 이유로 일본과 싱가포르에 있는 다국적 기업의 중국 주재 사무소에서는 평소 업무에 일본어나 중국어가 아닌 영어를 사용한다. 심벌마크로 일정한 개념과 문화적 특성을 표현할 수는 있지만, 신속 정확하게 내용을 전달할 수 없는 경우가 있으므로 문자를 보조적으로 활용하는 것이 이 문제를 해결하는 효과적인 방법이 되었다.그림 1~7

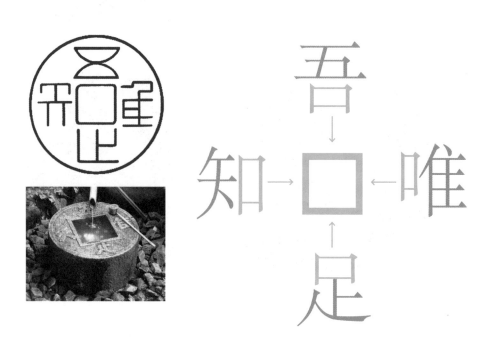

2 일본 사찰 료안지龍安寺에는 중국의 길상吉祥 도안을 장식 요소로 활용한 옛 우물이 있다.
우물 가장자리에 '유오지족唯吾知足' 네 글자를 새기고 가운데를 '口'의 모양으로 설계해
절묘함의 극치를 보여준다. 문자 디자인의 본보기라 할 만하다.

黃
金
萬
兩

3 '황금만량黃金萬兩'. 길상 문화의 합체 한자 디자인이다.

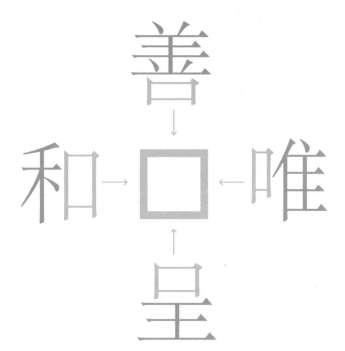

4 합체자 '유·선·정·화唯善呈和'의 조합

寶
↓↑
進　財　招
⇄

6 중국공소합작사中國供銷合作社[142] 심벌마크.
네 개의 '合합할 합'으로 만들어진 이 도안에서 合은 중국공소합작사의 '합작'을 의미한다.
원래 여러 사람의 화합을 뜻하는 '合' 자는 중국공소합작사와 다른 경제 조직을 구분시키며
협동조합의 사회, 경제적 기반과 함께 그 사상적, 문화적 특색을 드러내는 핵심 글자이다. 지은이 작품

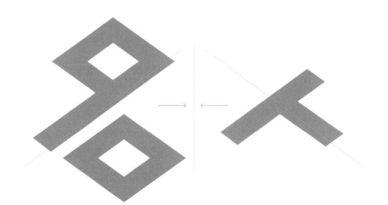

7 셀러브리티 인터내셔널 그랜드 호텔Celebrity International Grand Hotel 심벌마크.
5성급인 이 호텔의 심벌마크는 이 호텔의 중국 공식 명칭에 쓰이는 한자 '名人'[143]을
도형화해 조합한 디자인 작품이다. 지은이 작품

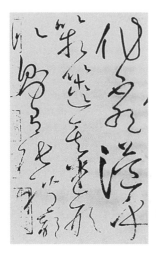

8 서예는 그 자체가 글자체를 디자인하는 일종의
예술로, 글자를 통해 글자를 쓴 이의 개성과
인생관을 보여준다.

문자놀이

문자의 탄생은 인류 문명의 태동을 알리는 중요한 상징 중 하나이
다. 문자의 사용과 응용으로 사람과 사람 사이의 거리가 좁혀졌으며 문
화 교류도 활발해졌다. 문자 로고는 식별성과 표준화 등에서 우수성이
아주 뛰어나다.

한자는 도형과 상형문자를 토대로 발음과 형태, 의미가 삼위일체
를 이루며 발전한 문자 체계이다. 지금까지 유일하게 사용되는 도형 문
자로 전 세계적으로 큰 영향을 끼쳤다. 동양 문화가 세계 무대에서 영향
력을 높여가고 컴퓨터로 한자를 입력할 수 있게 되면서 한자는 점점 더
전 세계의 주목을 받게 되었다. 도형의 형태로 의미를 드러내는 한자는
의미를 간략화하고 다듬어서 표현하는 우수성과 미학적인 장점이 있는
데 이는 매우 효과적인 디자인 요소이다.그림 8~9

한자를 로고 디자인에 활용할 때는 선정한 한자가 기업의 지위를
제대로 잘 드러내는지, 보편성과 개성을 모두 아우르는지 반드시 확인
해야 한다. 이를테면 기업의 정식 명칭을 시각화한 디자인인 코퍼레이
트 로고타이프Corporate Logotype의 머리글자를 디자인 요소로 선택한 경
우, 이 머리글자가 개성이 강하고 다른 기업의 머리글자와 혼란을 빚지
않으며 시각적인 식별력에 영향을 주지 않는지 고려해야 한다. 또한 특
정 형태에 맞추려고 한자의 필획을 억지로 왜곡하거나 바꿔버림으로써
생뚱맞은 느낌을 주지 않도록 신경 써야 한다.

亭 景 畫

老 筇

首 云 暮

江 峰

長亭短景無人畫

老大橫拖瘦竹筇

回首斷雲斜日暮

曲江倒蘸側山峰

드리운데, 아무도 그려 놓는 이 없구나.
서양의 긴 그림자가 정자에 짧은 절경을

노인이 기다란 대지팡이 끌고 나타나

흩어진 구름 조각만 보이네
고개를 돌리니 지는 해사이로

산봉우리가 거꾸로 비치네
굽이치는 강물 속에 기울어진

9 문자놀이
송나라 때 설계시와 유사한 신지체가 등장했는데 미상시라고도 불렀다. 옛
선인의 문자놀이 관련 서적을 뒤적여보면 신지체가 적지 않은데 그중에서도 소동파의 이 작품이
유명하다(위의 시 참고). 읽다 보면 요즘의 설계시보다 더 복잡해서 머리를 많이 쓰게 된다. 지은이 작품

10 백수도에서 '壽'을 쓰는 방법은 100가지가 넘는다. 문자가 길상이라는 이념에서 완전히 삽화 도안의 요소가 된 것이다.

11

디자인의 목적
① 더욱 정확하고 구체적인 이미지로 의미와 정보 전달
② 문자의 장식과 미화

역사

고대 중국 문자가 처음 만들어졌을 때는 부수, 위치, 복잡함과 단순함 등에서 큰 차이가 있었다. 물론 이런 현상은 문자가 점차 표준화되면서 줄어들었으나 독특한 문화 현상으로 자리 잡기도 했다. 중국의 전통문화가 계승되면서 이런 문화 현상 역시 생명력을 이어갔다. 오늘날에도 볼 수 있는 「백수도百壽圖」와 「백복도百福圖」 등에 '壽목숨 수' 자와 '福' 자를 쓰는 방법이 100여 가지나 나와 있다.그림 10 그리고 보다 정확하고 생동감 있게 정보를 전달하기 위해 한자의 필획을 늘이거나 줄이기도 한다. 예를 들면 '喜기쁠 희'를 겹친 송나라 때의 쌍희雙喜 도안이나 '福'을 뒤집고 그 동음을 취하는 경우이다.그림 13146 마지막으로 도형에 적합한 문자를 디자인하는 과정에서 필획을 늘이거나 줄이고 필획의 곡선과 직선에 변화를 주는 방법을 자주 쓰는데 고대에 사용한 도장에 이런 디자인이 많이 보인다. 중국에서 도장이 처음 등장한 시기는 상나라 때로 도장의 역사가 3,000여 년에 이른다. 도장에서는 문자가 디자인의 중심이 되었는데 이런 현상은 이후 중국의 길상 문화에 더욱 자주 등장한다.

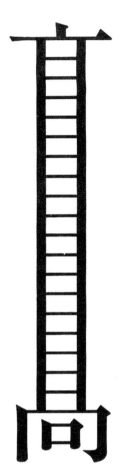

12

현대

오늘날 디자인에서 문자 디자인은 하나의 커다란 카테고리를 형성하고 있다. 이미지 문자나 의미를 담은 도형 문자 디자인은 더욱 중요한 카테고리를 형성하는데 일상생활에서도 자주 볼 수 있다. 정리해보면 대략 세 가지 원칙이 있다.

첫째, 간단하게 장식하고 미화하기 위해 또는 제한된 공간에 문자를 표현하는 등 기능적인 문제로 문자를 디자인하는 경우 종종 필획 형태 구조의 향방과 복잡 단순성을 주관적이면서도 합리적으로 처리한다.그림 11

둘째, 단순하게 의미와 개념을 강조한다. 이를테면 설에 중국인들은 '福'을 뒤집어 복이 왔다는 의미를 표현하고 '高'의 윗부분을 길게 늘여 '高'의 의미를 강조하는 메시지를 전달하기도 한다.그림 12

셋째, 몇 가지 개념을 하나로 합쳐 새로운 개념을 만들어낸다. 예를 들면 베이징의 '京서울 경'과 운동하는 사람, 도장의 도형을 조합해 베이징올림픽이라는 전혀 새로운 개념을 만들어냈다. 또 중국을 의미하는 '中가운데 중'과 복권의 개념을 합쳐 중국 복권의 이미지를 만들어낸 사례도 있다. 이는 중국을 의미하는 것만도 아니고 복권의 개념만 있는 것도 아닌 완전히 새로운 개념이다. 이렇게 보면 원래 '中' 한가운데에 하나만 들어가 있는 세로획이 중국 복권 로고에서 세 개로 바뀐 것이 잘 이해된다.

13 강희제의 '천하제일복天下第一福', 이 福 자 하나에 상서로운
의미를 지닌 한자가 여럿 포함되어 있다고 한다.[147]

제3장 자회

자회는 장식 문자 회화, 창의적 글자체 도형 디자인, 더 나아가 한자 예술 표현을 아우르는 통칭이다. 한자는 태생적으로 도형의 형태를 갖고 있는데 '書글 서' 자와 '畵그림 화' 자가 상당히 비슷하게 생겼다는 점을 봐도 그 연원이 얼마나 깊은지 알 수 있다. 이러한 한자의 도형화는 추상적인 서법 예술이든 상대적으로 구체적인 문자 회화든 상관없이 한자 예술과 디자인 발전에 줄곧 영향을 끼쳐왔다.

현재 디자인은 점점 더 정확한 정보 전달과 정보의 효력이 지속되는 시간을 중시하고 있으며 더 많은 브랜드 로고가 한자의 예술적 표현으로 다시 돌아오고 있다. 디자이너는 효과적이면서도 예술적으로 심미적 가치가 있는 방법을 더 찾고 싶어 한다. 이 밖에도 문자 회화는 문화적 소양을 갖춘 사람들과 중국의 젊은이들이 보다 쉽게 한자를 받아들일 수 있도록 한자라는 문자의 전파에 더 큰 재미와 친화력을 불어넣고 있다.

문자 회화

한자의 기하학적 연원

한자는 그림과 떼려야 뗄 수 없는 관계에 있다. 한자는 자연을 관찰하고 귀납, 정리한 결과물을 그림과 부호로 디자인한 데서 시작되었다. 다만 네모반듯한 글자체로 발전해나가면서 그림이라는 최초의 형식에서 점점 벗어났을 뿐이다. 이런 고대 문자와 부호를 통해 먼 옛날 중국인의 생활 모습과 당시의 자연경관을 추측할 수 있다.그림 1~2

1

2

① 당시의 생활상과 인간관계를 보여주는 도형 문자   ② 각종 동물을 주인공으로 한 도형 문자
③ 신을 섬기고 귀신에게 축원하는 행위 그리고 춤을 추는 모습을 표현한 도형 문자
④ 살육과 고문을 표현한 도형 문자

3   4

장식적인 한자의 발전

한자는 탄생 초기부터 도형의 형식으로 등장했으며 갑골문과 금문 단계에 이르렀을 때도 상형의 요소가 상당히 많았다. 따라서 한자는 늘 정보를 전달하는 매개 부호이자 예술적 아름다움을 갖춘 글자로서 다양한 기능을 했다. 한자의 이런 다양한 기능성 때문에 옛사람들은 자연스럽게 건축과 집기물 등의 생활용품을 장식하는 데 한자를 활용하게 되었다. 대전의 아름다운 선은 표현 매개체의 구조와 구역 및 윤곽, 편직물의 무늬 등의 요소에 따라 조정되고 변화하면서 장식성이 강한 한자 문양을 형성하게 되었다.

그 밖에도 한자가 통일되기 이전 각 제후국과 지역별로 그만의 서법과 문자 형식이 등장하면서 한자는 더 많은 예술적, 장식적 변화를 겪게 되었다. 예를 들면 초나라와 오나라, 월나라에서는 장식성이 아주 강한 도안 글자체인 조충서鳥蟲書가 나타났다. 상나라와 주나라 때 썼던 청동기의 도철饕餮[148] 도안에도 문자와 긴밀하게 연관된 도형이 수없이 나타나 있다.그림 3~11

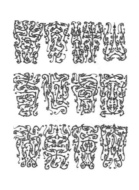

5 민간의 길상 문자 그림   6   7

8 충서蟲書의 필획은 뱀이 꿈틀꿈틀 기어가는 듯한 형상을 하고 있다. 가운데는 불룩하고 머리와 꼬리는
뾰족하며 다리를 아래로 길게 늘여뜨린 모습이 구불구불한 벌레의 몸체를 닮아서 충서라 부르게 되었다.
춘추시대 말기 초나라 왕자오정王子午鼎에 새겨진 글자를 보면 조서鳥書 몇 글자를 제외한 나머지는 대부분
충서이다. 오나라의 왕자우과王子于戈에도 조서와 충서가 새겨져 있다. 충서는 용기, 무기는 물론 전국시대의
고대 옥새와 동한과 서한 시대의 청동기, 도장, 기와의 마구리에서도 보인다. 허신이 『설문해자』에서
충서를 진서팔체秦書八體¹⁴⁹ 중 하나로 꼽은 것으로 보아 진나라 때도 유행했음을 알 수 있다. 조서와 충서
모두 전서를 기본으로 변화, 발전한 도안 글자체이다.

9 비백서飛白書. 한나라 때인 175년 문인 채옹蔡邕은 홍도문鴻都門을 수리하는 장인匠人이 빗자루에 흰 재를 묻혀 벽에 글자를 쓰는 모습에서 영감을 받아 비백서라는 전혁 새로운 글자체의 서법을 만들어냈다. 당나라 때 서화른가 장언원張彦遠은 『법서요록法書要錄』에서 이 서체를 이렇게 평했다. "꽃구름처럼 흩어졌다가 부딪치고 만나 형태를 이룬다. 용과 호랑이의 위엄이 있으며 날아 움직이는 기세가 많다." 서예가 장회관도 『서단書斷』에서 "비백서는 오묘함이 무리 중에서 뛰어나며 움직임이 신공神功에 부합한다."라고 평했다.

10 산둥성 취푸시曲阜市의 민간 문자 회화

11 민간의 길상 문자 회화

12   13   14

길상 문화 속 한자 회화

중국의 전통적인 길상 도안은 풍부한 시각 예술의 보고로, 사람들이 수천 년 동안 행운을 좇고 불운을 피해 행복하게 살고 싶은 바람을 디자인에 담아 이루어낸 축적물이다. 길상 도안은 보통 홍복洪福, 장수, 혼인, 출산과 육아 등 기본적으로 사람들의 삶과 밀접한 관련이 있는 주제를 표현했다. 사람들은 상서로운 글과 의미를 담은 도안이 행운을 가져다준다고 믿었다. 이런 길상 도안은 명나라와 청나라를 거쳐 근대에 이르기까지 발전을 거듭하면서 점차 체계를 갖추게 되었고 통일된 식별 부호 체계가 만들어졌다.

길상 도안은 중국 전역에서 지역과 민족에 상관없이 건축물 외관, 집기, 서화 표구表具150 등 여러 영역에 광범위하게 사용되었다. 건축물의 기둥과 창살 목조, 기다란 탁자와 침상에 까는 대자리에서 똑같은 주제의 문양이 발견되었다. 이런 주제는 일반적으로 시리즈 형식으로 등장하는데 삼다三多, 구여九如, 팔선八仙, 칠교七巧151가 이런 예다.

길상 도안에서 한자는 중요한 부호이다. 그림으로 그린 도안보다 한자로 쓴 상서로운 말이 훨씬 더 직접적이기 때문에 관지款識152와 도안이 조합된 형태로 화면畵面에 나타나는 경우가 빈번하다. 어떤 때는 아예 한자를 도안 변형의 주체로 삼고 직접 한자에 장식을 하거나 필획을 변형해 문자와 도형 중간에 걸친 도안을 만들기도 한다. 이런 예로 완전한 원형과 맞아떨어지는 '福'과 '壽'가 있다. 한자가 길상 도안에서 중요한 또 다른 이유는 길상 도안의 상당 부분이 동음 한자에서 영감을 받아 만들었기 때문이다. 이런 예로 박쥐를 뜻하는 '蝠박쥐 복'의 동음 한자인 '福'이 있다.그림 12~17

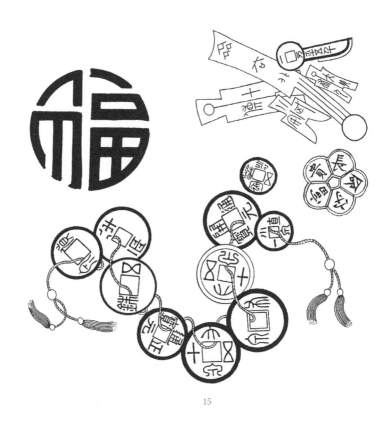

15

길상 도안에서는 그 의미를 곰곰이 되새겨볼 만한 현상도 있는데 일자다형一字多形 즉 하나의 한자가 여러 형태로 나타나는 것이다. 이런 식으로 자주 보이는 글자로 '百福백복' '百壽백수' '百囍백희' 등이 있다. 이런 현상이 나타나는 이유는 우선 한자가 태동기부터 일자다형의 특징이 있었기 때문이다. 진나라가 여섯 나라를 통일한 뒤에야 글자 형태가 고정되었고 그러면서도 일자다형이 지닌 장식성은 민간을 통해 계속 유지되었다. 또 다른 이유는 한자가 오랜 발전 과정을 거치면서 복잡한 정자체, 장식적인 전체자篆體字, 필획을 간소화한 초체자草體字를 포함한 많은 글자체가 나타났고 이것이 한자 모양의 다양성을 증가시키는 요소가 되었기 때문이다. 한자의 형상과 수, 글자체 디자인 사이에도 상호작용이 일어나는데, 예를 들어 원만함을 상징하는 동그라미와 여기에 합치되는 '福'은 원만한 행복을 의미한다. 또 100개가 넘는 서로 다른 모양의 '壽'는 '100세 장수'를 상징한다.

한자의 생존 환경

　　현대 인쇄술은 전통 인쇄술보다 높은 효율과 정확도로 한자 글자체의 다양한 발전을 가져왔다. 디지털 정보화 시대를 맞이해 컴퓨터 시스템에 적합한 한자 디자인과 표현 언어를 좀 더 진지하게 탐색하고 연구해야 한다.

　　한자 디자인은 사용자와 분리되어 전개될 수 없다. 한자가 고대 중국인과 현대 사회를 어떤 면에서 같게, 또 다르게 보는지 이해해야 한다. 이렇게 비교해보면 전통적인 중국인이 처해 있던 환경에서 한자가 차지하는 비중이 얼마나 컸는지 알 수 있다. 까마득히 먼 시대에 한자는 각종 시각 디자인의 기본 요소로 사용되었으며 단순하게 도형만 사용한 시각 디자인 사례는 아주 적다.

　　한자는 중국의 전통적인 시각 디자인의 핵심이라고 할 수 있다. 전통 교육 체계에서 중국인들의 학습 교재는 『삼자경三字經』『백가성百家姓』『천자문千字文』과 사서오경153뿐으로 현대 교육의 수학, 물리, 체육, 미술 등은 포함되어 있지 않았다. 간단하게 정리하면 어문과 정치였다. 상업 영역에서는 은표, 편액, 광고용으로 세우던 깃발에 거의 한자를 시각 디자인의 중심으로 사용했고 길상 도안은 주로 장신구 용도로 사용했다. 가끔 길상 도안에 토템의 성격을 띤 부호를 사용했지만 결코 주류는 아니었다.

　　전쟁 중에는 "색을 입힌 도안 장식으로 명령을 내린다."라는 말이 있기는 했지만 깃발, 영패令牌154, 군장 등의 주요 식별 부호도 역시 한자였다. 자신의 신분을 나타내는 명찰에도 도안 없이 한자만 배치했고 문패도 전부 한자로 썼다. 일본처럼 가문을 상징하는 용도로 휘장 마크를 사용한 예는 드물었다. 옛 문인들 사이에서는 글씨를 써서 주고받는 일이 흔했으며 서신書信도 중요한 의사소통 수단이었다. 옷과 장신구에는 '壽'나 '萬' 등의 한자에서 파생된 길상 문양을 넣었다.

　　명절에는 한자가 명절 분위기를 북돋우는 요소로 사용되었다. 매년 음력설이면 방을 포함해 온 집 안에 '抬頭見喜대두견희155' '出門見喜출문견희' '出入平安출입평안' '福' '春聯춘련' 등의 글자를 붙였는데 붉은 종이에 검은색으로 글씨를 써서 격자무늬 창틀에 붙였다. 아주 적은 돈으로 명절 분위기를 내는 방법이었다.

　　서화書畵 예술에서도 글을 뜻하는 '書'가 그림을 뜻하는 '畵'보다 앞에 오고 금속과 돌에 조각하는 금석전각金石篆刻도 한자가 주요 표현 대

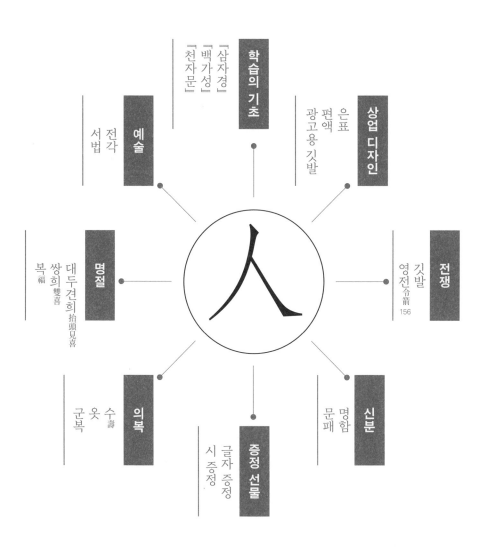

학습의 기초
「삼자경」
「백가성」
「천자문」

상업 디자인
은표
편액
광고용 깃발

예술
전각
서법

전쟁
깃발
영전令箭
156

명절
대두견희抬頭見喜
쌍희雙喜
복福

신분
명함
문패

의복
수壽
옷
군복

증정 선물
글자 증정
시 증정

정신

오늘날의 시류에 스며들기 시작한 전통을 중시하는 추세

생활

광적인 외래어 숭배 한자의 영향력이 줄어드는 추세

상이다. 어떤 한자를 보고 그 글자의 모양에서 기분 좋은 감정을 느끼게 되는 이유는 아마도 한자에 상형문자의 특성이 있어 별도로 도형의 도움을 받을 필요가 없기 때문일 것이다.그림 18

　20세기 이후 중국에서는 정치, 군사는 물론 과학, 기술 등 여러 방면에서 거대한 변혁이 일어났다. 문화의 매개체로서 한자의 발전은 이런 거대한 변화와 긴밀하게 연관되어 있었다. 특히 인터넷 시대에 접어든 오늘날 세계화의 추세가 점점 더 뚜렷해지면서 한자는 두 가지 상황에 직면하게 되었다. 하나는 일상생활의 측면에서 봤을 때 경제적 세계화, 서구 문명의 강세, 민족적 자신감의 약화 등으로 점점 더 많은 사람이 영어 능력을 자랑으로 여기게 되었으며 수많은 도형이 문자를 대체하고 있다는 것이다. 컴퓨터와 인쇄술의 발전 역시 전 국민이 글자를 쓰는 문화와 멀어지는 결과를 초래했다.

　그러나 또 한편으로 정신적 측면에서는 지식인 계층이 전통문화를 점점 더 중시하면서 많은 이가 한자에 관심을 갖기도 한다. 이들은 한자에 내포된 무한한 지혜에 감화되어 중국의 우수한 전통문화를 널리 알리기 위해 애쓰면서 한자가 오늘날의 시류에 녹아들도록 노력하고 있다. 이는 필자가 한자 디자인 개발에 나선 이유이기도 하다. 필자는 연구를 목적으로 또는 고서의 자구 해석을 목적으로 한자 디자인 작업을 하지 않는다. 교훈을 주기 위해서 한자 디자인 작업을 하는 건 더더욱 아니다. 이런 노력으로 옛것이 오늘날 젊은이의 삶에 스며듦으로써 찬란한 민족 문화가 다시금 새롭게 이 시대를 이끄는 주인공이 되기를 희망하는 바이다.그림 19

갑골문 서법과 갑골문자회

갑골문자회

갑골문 서법이란 일반적으로 상나라와 주나라 때 갑골문^{그림 20}
글자체의 구조와 서법 특징을 바탕으로 그 위에 일정한 예술성을 가미
한 서예 작품을 말한다. 보통 반듯하고 또박또박하게 베껴 쓴 형식으로
되어 있다. 일반적으로 옛 글자를 모아서 요즘 사람이 쓴 시나 구절 등
을 표현한다. 3,000여 년 전 은나라와 상나라 때의 소박하고 예스러우며
신비로운 문자에 그와는 전혀 다른 내용을 담아낸다는 건 시각적으로
도, 또 글의 의미로 보아도 매우 흥미로운 일이다.^{그림 21}

갑골문의 글자 수가 4,000여 자에 불과하고 해독할 수 있는 글자
는 1,500여 자에 아직 해독하지 못한 글자까지 적잖이 포함되어 있다 보
니 갑골문으로 새로운 글을 쓸 때 갑골문에 없는 글자를 대체할 수 없는
상황이 자주 발생한다. 이럴 때 갑골문 서법에서는 일반적으로는 편방
을 해체하고 다시 한데 모아 이어 짜 맞추는 방법을 쓴다. 해체하고 나
서도 적당한 글자를 만들어내지 못하면 금문, 석고문, 대전 등 다른 시
대의 고문자에서 찾는다. 이런 방식의 서법을 선보인 대표적인 인물이
금석학자 나진옥羅振玉으로, 1921년 붓으로 쓴 갑골문 대련『집은허문자
영첩集殷墟文字楹帖』을 출간했다. 고문 학자 둥쭤빈董作賓, 상청쭤商承祚, 탕란唐
蘭, 위싱우於省吾 등도 이런 서예에 조예가 깊었다.^{그림 22}

갑골문의 특징을 바탕으로 여기에 예술적 창의성을 더한 현대 서
예 작품도 또 다른 형식의 갑골문 서법으로 본다. 이런 갑골문 서법에서
는 갑골문을 창작의 영감을 주는 원천으로 보며 글자의 '형태적 유사성'
을 지나치게 추구하지 않는다. 따라서 엄격하게 갑골문의 옛 글자 조형
과 글자 구성 특징에 맞춰 글자를 쓰지 않으며 갑골문, 금문, 전국시대
문자 등 다양한 고대 문자의 특징을 종합해 창작한다.

이런 서법 예술은 고문자학과 너무 멀지도 딱히 가깝지도 않다.

20 거북이 등 껍데기에
새겨진 갑골문

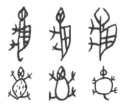

21 거북이와 비슷한 형상은 신기한 장식적 요소로 일찌감치
신석기시대의 토기와 상나라, 주나라 때의 수많은 청동기에
나타났다. 이 점은 중국 신화에서 거북이가 차지하는 중심적인
지위와 관련이 있다. 최초의 몇몇 왕조에서는 '龜땅 이름 구, 거북
귀'를 쓰는 방법이 더 있었는데 이런 서법은 상당수가 거북이
등딱지에서 비롯되었다. '살아 있는 상형문자'라고 불리는
윈난성 나시족의 동파문자를 응용한 디자인을 보면 지금도 이런
디자인 수법이 보인다. 기본적으로 글자 형태를 바꾸지 않은 채
부호화한 간결한 상형문자에 회화적 디테일과 색채를 덧입히면
회화나 경서經書의 삽화로 변한다『사랑과 우정의 동파문자』.

관계를 맺고 있기는 하지만 너무 얽매이지는 않는다. 또 엄격하게 갑골
문을 응용해야지 아무렇게나 멋대로 글자를 짜 맞춰서는 안 된다는 관
점과 대립한다. 사실 갑골문의 자구를 해석하는 것은 또 다른 학문이며
이를 가볍게 여겨서는 안 된다. 갑골문 서법과 전각 예술은 서로 공통점
이 있지만 그렇다고 같은 것은 아니다. 글자 디자인 영역에서도 이 쟁점
을 놓고 비슷한 논쟁이 벌어지고 있다. 사실적이고 정확한 글자 형태에
예술성을 가미하는 창작은 표준화된 진서眞書와 동등한 지위를 가진 또
다른 본줄기로, 이 역시 한자라는 글자 특유의 매력이 발산되는 지점이
다. 이와 같은 관점으로 새로운 갑골문 회화와 글자체 디자인을 보면 이
런 창작 방법을 이해하고 받아들일 수 있게 된다.

갑골문 서법에 예술성을 가미하는 방법에 대해서는 기본적으로
다음과 같은 인식이 공통적이다. 첫째, 글자 구성의 기본 규칙에 반하지
않으면서 예술성을 높일 수 있다면 부족한 글자의 경우 기본 규칙에 따
라 적당히 편방을 조합하거나 금문, 주문과 전서에서 글자를 가져와 적

22 둥쭤빈의 갑골문 서법 작품

절히 보충하면 된다. 둘째, 구도상 필요하다면 적절하게 변형해도 된다. 서법 예술의 창작 규율에 들어맞게 서예가가 개성과 스타일을 드러낼 수 있게 변형함으로써 예술적 감흥을 높인다.

갑골문 회화는 갑골 예술의 또 다른 분야이다. 본래 글과 그림은 같은 뿌리에서 비롯되었는데 문자의 탄생이 바로 그림에서 시작되었다. 갑골문 회화는 상형의 글자를 실용적 부호에서 벗어나도록 했다. 그러면서도 상형이라는 본래 모습으로 돌아가지 않고 거기에 시적 정취를 불어넣어 간단하고 소박하면서도 생명력 있고 재미있는 순수한 아름다움을 지닌 그림으로 새롭게 조합해냈다.그림 23

서법과 회화를 결합한 예술 형식인 갑골문 회화 역시 여기서 발전했다. 디지털 정보화 시대의 갑골문 글자체 회화도 사실은 전혀 새로운 의미의 갑골문 회화라 할 수 있다. 내가 작업한 〈갑골문자회甲骨文字繪〉 시리즈 역시 이런 원칙에 따라 창작했다. 한자가 고대 중화 문명의 뿌리라면 갑골문은 바로 그 한자의 뿌리이며 갑골문 안에는 현대인이 느끼는 희로애락과 전혀 다를 바 없는 인간의 감정이 녹아 있다. 갑골문 디자인을 통해 옛 선인들의 지혜를 함께 나눌 수 있음은 물론 전통에 깃든 무한한 영감을 느낄 수 있게 된다.

어느 문화든 그 문화를 받아들이는 광범위한 대중이 없이는 존재할 수 없으며 그중에서도 젊은이들은 언제나 시대의 유행을 이끄는 선

23 갑골문에서는 측면 각도에서 동물을 묘사하고 이를 똑바로 세우는 방식으로 동물을 표현한다. 지은이 작품

봉에 서 있다. 따라서 젊은이들에게 사랑받지 못하고 외면당하는 전통
문화는 결국 그들이 사회의 주역이 되었을 때 가차 없이 버려질 것이다.

또 다른 측면에서 서로 다른 문화 사이의 소통과 교류 역시 매우
중요하다. 이런 소통과 교류는 곧 한 민족의 생동감 넘치는 힘과 발전
을 보여준다. 그래서 오래되고 난해하기까지 한 이런 고대 문명의 부호
로 어떻게 현대인의 마음을 움직일 것인가, 어떻게 하면 이런 부호를 현
대인들이 사랑해 마지않으면서 그들의 일상에서 빼놓을 수 없는 생활
의 일부로 만들 것인가, 어떻게 다른 문화의 틈바구니에서 중국의 전통
문화를 지속적으로 촉진시킬 것인가, 이런 문제의식이 필자가 갑골문과
동파문자를 활용한 디자인 작업에 나서게 된 직접적 동기가 되었다.

이를 위해 먼저 디자인 콘셉트를 잡아야 했다. 기존과 다른 새로

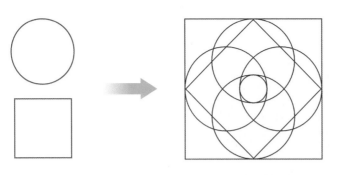

24 사각형과 원형을 조합해 기하학적인 격자 기본 도안을 만들었다. 이 기본 도안 설계 단계에서는 주로 앞으로 분해 과정을 통해 갑골문으로 태어날 각종 필획의 방향을 표현할 수 있을지 그 가능성을 고려했다.

운 콘셉트를 찾아내서 현대 한자와 갑골문의 공통점과 차이점을 비교해 보았다. 첫째, 갑골문에서는 아주 심오하고 정확하게 창의적인 글자를 만들어냈다. 예를 들면 예리한 무기를 써서 나무를 쪼개는 모습으로 '분석'의 의미를 담아냈고 내달리는 사슴으로 '연기와 먼지'를 표현했다. 이는 지금 우리가 쓰는 한자에서도 찾아볼 수 있지만 원래 글자를 만들었을 때의 창의적인 필획 규범에 어느 정도 소홀해지면서 문자로 전하는 이런 개념은 그만큼 약해지고 모호해졌다. 둘째, 갑골문 조형의 아름다움과 융통성을 현대 한자의 네모난 모양과 글자마다 똑같은 크기와 비교해보면 갑골문이 현대 한자보다 훨씬 더 중국의 전통적인 사각형과 원형의 결합즉 세계를 구축하는 천원지방天圓地方157 사상을 제대로 보여준다. 갑골문에는 현대 한자에서 이미 사라진 동그라미와 곡선이 보인다. 또 갑골문의 경우 필획의 차이 때문에 크기를 강제로 맞추는 법이 없다 보니 크기가 모두 다 다르다.그림 24~28 셋째, 옛 선인들의 낭만과 소박함 덕에 갑골문은 현대 한자보다 훨씬 더 도형에 가깝다. '文字'에서 文은 원래 문양 즉 도형을 뜻하는데 문양은 字보다 앞서 등장했다. 이 때문에 갑골문은 필연적으로 현대 한자보다 훨씬 더 예술성이 짙을 수밖에 없다.

필자 눈에는 이런 차이가 요즘 젊은이들의 미적 감각과 유사해 보인다. 누군가는 지금 시대를 이미지를 읽는 시대라고 하는데 실제로 현대 디자인에서 현대 한자의 가지런하면서도 획일적이며 딱딱하고 빈틈없어 보이는 인상을 깨뜨리려는 시도를 발견할 때가 있다.

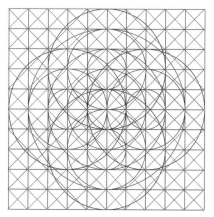

25 기본 도안이 복잡하면 더 복잡한 한자 필획을 만들 수 있다. 기본 도안을 계속해서 중복하기만 하면 된다.

26 격자 사이에서 중첩되고 포개지면서 생기는 잘린 선들을 엄격하게 사용해서 '鸟새 조, 鳥의 간체자'를 만들었다.

27 '鸟'와 엇갈려 지나가는 곡선의 흔적을 없애니 기본 격자 도안 속에 '鸟'와 직접 관련된 부분이 명확히 드러난다.

28 최종 완성된 기하학적 갑골문 '鸟'

29 직접 수집해서 새롭게 제작한 갑골문 폰트의 일부 지은이 작품

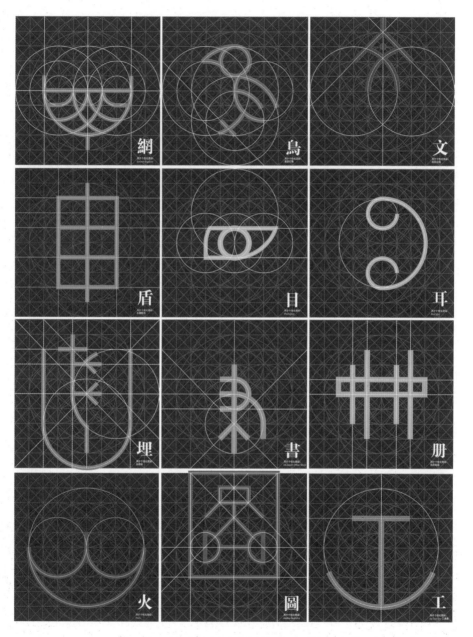

30 갑골문자회 작품 ‹컴퓨터의 개성적인 그래픽› 지은이 작품

自 Me

目 Eyes

耳 Ears

口 Mouth
齒 Teeth

左 Left

右 Right

心 Heart

骨 Bones

足 Feet

左 右 口 耳 目 自 骨 足
Left Right Mouth Ears Eyes Me Bones Feet

甲骨文・六感
Six-senses

六感设计

Six-sense Design

32 지은이의 작업실 로고이자 칭화대학교
미술대학 그래픽디자인시스템개발연구소 로고.
「반야심경般若心經」에 나오는 '안이비설신의眼耳鼻舌身意'
여섯 글자의 갑골문을 조합해 육감六感의 개념을
담았다. 여섯 가지 감각이 하나로 모인다는 뜻의
크로스오버 디자인이다.

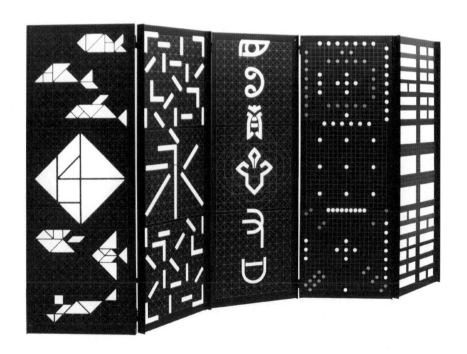

33 이 금속 조합 병풍은 중국의 전통적 디자인 사고 체계를 보여주는 파생 상품이다. 지은이 작품

34 어약용문魚躍龍門158

35 가무승평歌舞升平159

36 태평유상太平有象160

37 풍조우순風調雨順161

갑골문 폰트와 문화 콘텐츠 보급

필자는 1999년부터 '디지털화 갑골문 디자인' 연구와 창작 작업에 힘을 쏟기 시작했는데* 취지는 갑골문의 수학적, 기하학적 아름다움과 격자의 비밀을 밝혀내자는 것이었다. 전통과 현대, 동양과 서양 문화를 충돌시키고 융합했으며, 율격 디자인관을 내세워 이를 디자인 방법론으로 삼고, 현대 한자와 갑골문의 공통점과 차이점을 비교해서 디자인 개념과 이를 실천에 옮긴 작품 시리즈를 내놓았다. 2001년에는 갑골문자체와 이를 보급화한 디자인 작품을 제1회 예술과 과학 국제 작품전에 전시해 상을 받았다. 또한 여러 해에 걸쳐 많은 디자인 작품을 잇달아 내놓음으로써 디자인업계가 중국의 전통적 디자인 사고와 한자 격자 디자인의 트렌드에 관심을 기울이는 데 큰 영향을 끼쳤다.

2017년 필자는 한이폰트漢儀字庫, HanYi Fonts와 함께 첫 '한이 천 스타일 갑골문Hanyi Chen Style Oracle'이라는 디자인 폰트 세트를 선보였으며 베이징 디자인 위크Beijing Design Week에 '리크리에이트 갑골Recreat Oracle'이라는 이름으로 디자인전과 학술 논단을 성대하게 진행했다. 이 전시회는 '중국의 한자 디자인 역사 연구'라는 독특한 시각을 기본 축으로 이 폰트 세트의 디자인 에피소드를 풀어나갔으며, 주제 전시회와 학술 논단을 병행해 갑골문의 근원을 탐색하고 고대 문명이 현시점에 활짝 피워낸 성과를 되새기면서 창의적인 방식으로 사실적 문화 체험을 할 수 있게 했다.

10여 년 동안 이러한 격자 원도안을 잘라내 만든 한자 디자인 방법이 디자인업계에 꽤 큰 영향을 주었다. 베이징 국제 디자인 트리엔날레Beijing International Design Triennial와 베이징 디자인 위크 등 연이은 디자인 행사에서는 갑골문 회화와 아동을 대상으로 한 학습용 금속 주형鑄型 등의 문화 콘텐츠 상품, 애니메이션, 휴대폰 이모티콘, 위챗WeChat162 게임 등이 잇달아 등장했다.

글자체에서 폰트까지

다른 폰트 개발과 비교하면 갑골문 폰트의 경우 글자체에서 폰트에 이르는 과정이 훨씬 더 험난했다. 1.0버전에서는 3,500개의 글자가 필요했던 것이 정말 큰 난제였다.

필자는 이에 대해 다음과 같이 설명한 바 있다. "갑골문은 오래되었으면서도 젊은 콘셉트이다. 오래되었다는 것은 3,000여 년 전 상나라와 주나라 때의 문자라는 뜻이고 젊다는 것은 갑골문이 발견된 지 겨우 100년밖에 되지 않았다는 뜻이다. 갑골문이 중국 서체의 일종으로 서법예술의 한 종류인 것이 자연스럽고 합리적이다. 하지만 식별할 수 있는 갑골문은 겨우 1,500여 자밖에 되지 않으므로 서법 예술로 표현하고 싶은 내용을 만족시키려면 대량의 글자를 금문, 주전籀篆, 석고문에서 일부를 찾거나 현재 존재하는 갑골문을 짜 맞춰야 한다. 한이 천 스타일 갑골문 1.0 버전이 3,500개에 이르는 상용한자에 대해 무조건 만족시켜야한다는 점 때문에 글자 형태를 표준화하고 확정하는 작업이 이 폰트 개발의 매우 민감한 부분이 되었다."

그래서 필자는 일단 갑골문의 글자 구성 원리를 분명히 이해해야했고, 문헌과 자료를 찾아야 했으며, 잘못된 내용이 그대로 알려지지 않도록 문서의 모든 판본과 정식 출판되어 공인된 문서의 복사본을 찾아훑어야 했다. 몇 개 또는 십여 개, 심지어 수십 개의 글자 중에서 가장 적절한 글자 형태를 찾기 위해서 말이다.그림 38~43

● 1999년 ‹디지털화 갑골문› 시리즈 작품 창작

2001년 제1회 예술과 과학 국제 작품전 전시 발표

2011년 음력설을 맞아 중국우체국이 '갑골문·행운의 성어' 시리즈 신년 축하 엽서를 발행했다. 태평유상太平有象, 가무승평歌舞昇平, 어약용문魚躍龍門, 풍조우순風調雨順 등이며 그래픽 요소를 모두 갑골문으로 구성했다.

2011년 갑골문자회 금속 예술 작품이 베이징 디자인 위크 및 제1회 베이징 국제 디자인 트리엔날레에 입선했다.

2015년 프랑스 파리 유네스코 본부가 개최한 '한자 활성화' 문화 연구 활동 및 '한자의 미' 글로벌 청년 디자인 대회 개회식에 초청받아 참가했다. 강연 발표 주제는 '한자 디자인의 진화와 과학기술 발전의 밀접한 관련이 시사하는 점'이었으며 '갑골문자회' 시리즈 작품과 갑골문 애니메이션 작품 ‹해를 쏘다射日›를 전시했다.

39 격자 확정. 폰트가 서로 다른 글자 형태의 복잡한 글자 변화에 적응할 수 있도록
콘셉트 디자인 단계에서 확정한 격자를 토대로 격자를 새롭게 개선하고 그 형식을
조정해 융통성 있게 변화를 주었다.

40 기본 구성 요소. 자주 쓰는 400개의 독체자와 기본 요소를 확정하고 여기에 격자를
사용하자 기하학적 격자 형식이 생성되었으며 이것이 폰트의 기초가 되었다.

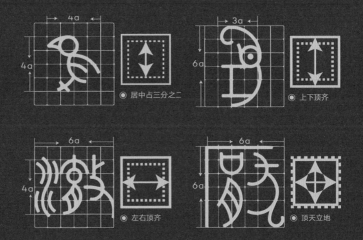

◉ 居中占三分之二

◉ 上下顶齐

◉ 左右顶齐

◉ 顶天立地

41　공간 규칙. 갑골문은 네모난 모양의 규칙적인 글자가 아니라서 어떻게 좀 더 균일한 그레이스케일gray scale을 확립하고 합리적으로 공간을 배열할 것인지가 반드시 해결해야 할 문제가 되었다. 글자가 상형문자로서 갑골문의 부호적 감각을 최대한 간직하게 해야 했다. 규칙적인 외형을 따르다가 고유의 특색을 잃어서는 안 될 일이었다.

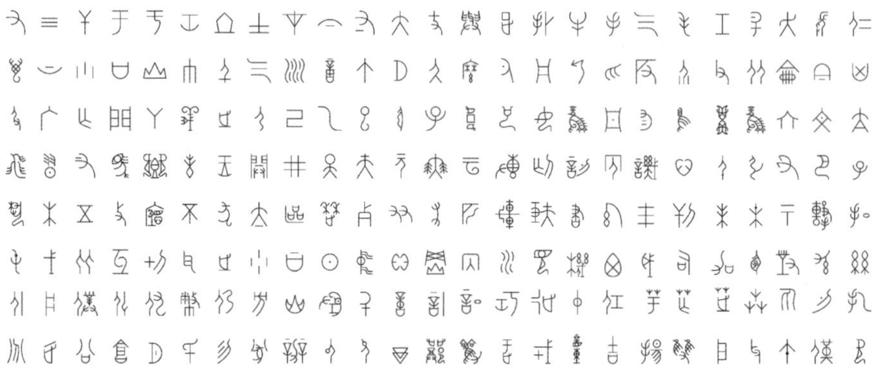

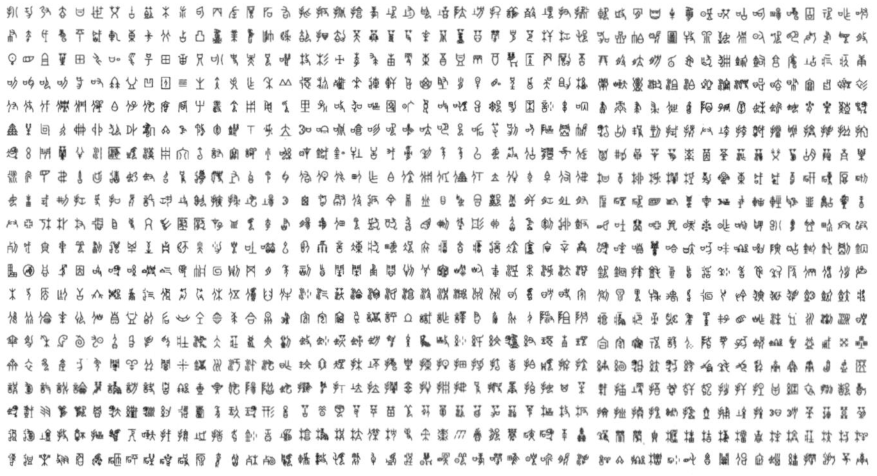

43 한의 천 스타일 갑골문

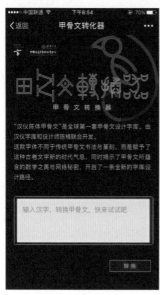

44 한이 천 스타일 갑골문 변환기   45 갑골문도 힙합한다.   46 '움직이는 폰트' 디자인 보급

갑골문이 디지털 폰트화되어 문자 부호의 형식으로 기본적인 조합, 색입히기, 스토리텔링 등을 할 수 있게 되면서 일련의 시리즈 작품과 각종 주제를 담은 갑골문자회를 창작했다. 성씨와 이름의 자소字素를 해체하고 조합해서 그림으로 만든 갑골문명회甲骨文名繪와 크로스오버cross over 문화 콘텐츠 상품에 응용한 사례가 이에 속한다. 감정, 자연, 문화 등의 주제를 담은 포스터와 로고, 각종 주제의 문화 파생 상품 디자인을 통해 디지털 갑골문 폰트는 체계적으로 보급된 문화적 비주얼 시스템으로 자리 잡았다.그림 44~46

　　'갑골문의 표정'은 진지하면서도 유머러스한 인터넷 유행어 이모티콘 '움짤'이다. 이 이모티콘의 주체는 한이 천 스타일 갑골문 표준 글자체 몇 개를 의인화하고 사물화해서 디자인한 캐릭터이다. 이모티콘 세트는 마치 다양한 색상의 귀엽고 움직이는 갑골문 글자 카드 같다. 기하학적 갑골문과 한자를 일일이 짝지우고 부분적으로 귀여운 미니 애니메이션을 곁들인 데다 인터넷 유행어까지 덧붙여 있다. 이미지로 모든 갑골문 도안의 의미가 설명되다 보니 갑골문을 편하게 판독하고 기억하게 된다.그림 10

47 한이 천 스타일 갑골문 이모티콘, 십이간지 갑골문

한이 천 스타일 갑골문은 통상적인 의미로 사용하는 폰트와는 다르다. 이 폰트는 처음부터 문화의 계승과 파생을 목적으로 그리고 강력한 문화적, 지적 재산을 형성하겠다는 목적으로 디자인했다. 폰트 디자인 과정에서 수많은 문화 파생 시리즈를 개발했다. 갑골문으로 형상화한 100가지 성씨, 갑골문 이모티콘, 갑골문명회, 갑골문 길상 문자 등의 주제를 포함한 시리즈 파생 상품이 그것이다.

우리는 이 폰트를 응용할 수 있도록 재미나고도 실험적인 방식을 설계했다. '100개의 협력 업체에 라이선스를 무료로 나누어주는' 방식으로 더 많은 상업적 협력과 개발 기회를 만들어냈고 갑골문 글자체가 시장에서 폭넓게 응용될 수 있도록 보급했다. 협력 파트너와 시장에서 나는 수익을 공유하는 동시에 공익적인 행위에 대해서는 '서명 즉시 라이선스 부여' 방식을 택해 갑골문 폰트를 사회적으로 널리 퍼뜨리고자 했다. 또한 라이선스를 주고받은 양측의 브랜드 이미지를 높이는 한편 필자와 함께 파생 상품 개발 방향을 놓고 다양한 형식으로 탄력적인 협력을 이루어냄으로써 혁신과 활력을 유지하고 합리적으로 수익을 나누었다. 그림 48~50

48 갑골문을 활용한 움짤 이모티콘

49 한이 천 스타일 갑골문
이모티콘, 십이간지

쥐鼠   소牛   호랑이虎   토끼兔

용龍   뱀蛇   말馬   양羊

원숭이猴   닭鷄   개犬   돼지豚

50 한이 천 스타일 갑골문, 십이간지

새로운 과학기술 혁명을 맞이한 한자 디자인의 대응

동적인 한자 디자인

최근 들어 전통적인 그래픽 디자인 개념이 비주얼커뮤니케이션 디자인으로 한 단계 더 발전되었다. 이는 아주 중요한 변화의 상징으로 이 새로운 개념을 뜻하는 명사는 더는 매개체와 전문 분야 유형 그리고 도구와 공예를 부각하지 않는다. 비주얼커뮤니케이션 디자인은 유효하고 가치 있으며 의미 있는 커뮤니케이션 기술에 중점을 둔다. 이런 변화로 디자인은 영역을 넘나드는 능력이 가장 강력한 전문 분야로 거듭나게 되었고 로고와 부호, 그래픽과 이미지, 컬러 텍스처, 창의적 연상 등이 모두 효과적 커뮤니케이션을 확립하는 수단이 되었다.

다른 디자인 전문 분야와 마찬가지로 21세기 이래 나타난 과학과 예술의 융합은 비주얼커뮤니케이션 디자인에 큰 영향을 끼쳤다. 또한 새로운 미디어, 디지털 테크놀로지, 디자인 소프트웨어, 인쇄 수단 등이 모두 전통적 디자인 사고와 표현 방법을 풍요롭게 해주고 변화시키고 있다.

2000년 하노버 박람회EXPO 2000 Hannover 휘장으로 최종 통과된 안은 파라메트릭 디자인parametric design163 원리를 바탕으로 한 물결무늬 도형이었다. 전통적인 로고와는 달리 전체적 구조가 변하지 않는 상황에서 시시각각 다른 움직임을 보여주었다. 정지해 있는 모든 순간이 다 이 로고의 표준형이었다. 다시 말하면 무수히 변화하는 도형이었다는 뜻이다. 하노버 박람회 로고는 로고 디자인의 표현 언어를 풍부하게 해주었고 전통적인 로고 디자인이 지켜온 디자인 율격과 판단 기준에서 벗어났다. 보급 과정에서도 이 로고를 마음대로 복제하고 축소하거나 다른 재료를 덧입혀 표현하는 데에 그 복잡한 조형과 불확실한 외형이 아무 영향을 주지 못했다. 하노버 박람회 로고의 출현은 그래픽 부호 디자인의 이정표이자 파라메트릭 디자인을 그래픽 디자인에 응용한 최초의 사례 가운데 하나이다.그림 1

1 하노버 박람회 로고

파라메트릭 디자인은 후기 모더니즘의 산물이다. 파라메트릭 디자인의 디자인 사고와 방법은 건축 디자인 분야에서 차차 형성되어 트렌드가 되었으며 그래픽 디자인 분야에서도 이미 이런 트렌드를 따르는 조짐이 보이고 있다. 파라메트릭 디자인의 방법론에 따르면 일부를 디자인하고 개입해서 변형시킨 격자 도형 시스템을 시스템 디자인의 핵심 부호와 도형 분할에 응용할 수 있다. 이것이 시스템 디자인의 파라메트릭 원형이 된다.

21세기에 접어들면서 예술과 디자인의 상호작용과 참여성은 예술 디자인 분야의 전반적 추세가 되었고, 전문 디자이너가 아닌 이들이 점점 더 자주적으로 참여할 수 있게 되었다. 모든 사람이 시각 디자인 작업에 참여하고 싶어 하면서 훨씬 더 쉽게 시각 디자인에 참여하고 훨씬 더 쉽게 시각 디자인 작품을 평가한다. 아이폰의 애플리케이션 쿠투酷圖와 사진 후보정 애플리케이션 '픽슬러 오 매틱Pixlr-o-matic', 애플리케이션 '메이투슈슈美圖秀秀' '포스터공장海報工廠' '포스터Phoster' 등이 모두 이런 기능이 있는 프로그램이고 장치이다.

이런 추세를 막을 수 없게 된 주요 원인은 과학기술의 급속한 발전으로 전문 작업이 점점 더 민간화, 민주화되었기 때문이다. 과학기술에서 비롯된 이런 변화는 필연적으로 기술이 지탱해주는 디자인에 표현되기 마련이다. 촬영과 인쇄 기술 모두 이런 단계를 거쳐왔다. 수십 년 전만 해도 촬영은 촬영 작가가 독점하는 기술이었으나 모두가 휴대폰을 사용하는 오늘날에는 누구나 촬영할 수 있게 되었다. 미국의 코닥Kodak 같은 거대 다국적 기업은 이런 촬영과 현상 기술의 혁명으로 파산을 선언하기에 이르렀다. 인쇄술 역시 납활자의 평판인쇄lithographic press에서 오프셋인쇄offset printing, 무판인쇄plateless printing로 진화했다. 디지털카메라의 탄생이 전통적인 현상 사진업계를 궤멸시킬 거라는 우려가 나오고 있는 상황에서 기계식 카메라에만 집착할 수는 없는 노릇이다. 물론 기계식 카메라가 디지털 시대에도 여전히 고차원적 예술 디자인의 고전으로 존재하듯 앞으로도 오랫동안 존재할 테지만 말이다.

사실 새로운 과학기술은 새로운 디자인 방법과 예술 표현 스타일을 촉진한다. 소비자는 자신이 디자이너가 참여하지 않은 디자인 과정에 적극적으로 참여한 것처럼 느끼게 되는데 그 자체가 디자인의 새로운 모델이다. 게임의 규칙을 포함한 기획 디자인, 운영 모델 디자인, 소재 디자인, 사용자 인터페이스 디자인interface design 등이 포함된 이 새로운 모델은 새로운 디자인 콘텐츠로 가득 차 있다.

같은 이치로 한자 디자인도 종이의 발명, 활자 인쇄, 컴퓨터 디지털화 등 일련의 과학기술이 초래한 시련을 거치고 나면 다음 과학기술의 진보가 내미는 도전에 맞닥뜨릴 수밖에 없다. 한자 역시 이런 추세에 따라 새로운 변화에 적응하기 위해 그에 맞게 조정되어야만 했다.

파라메트릭 디자인을 그래픽 디자인과 한자 디자인에 도입하는 일의 가치는 첫째, 일반 소비자와 비전문가의 참여도를 높이는 데 있다. '사람은 누구나 예술가'라는 팝아트 시대의 구호와 마찬가지로 지금은 '사람은 누구나 디자이너'라고 불릴 수 있는 시대이다. 둘째, 파라메트릭 디자인을 그래픽 디자인과 한자 디자인에 도입하는 것은 이전과는 완전히 다른 도형 창작 구성 방식의 출현이고 무작위 도형을 디자인하는 방법이다. 이는 전통적 사고방식을 다른 차원으로 전환한 것으로 실행자와 참여자 모두 이전과는 다른 역할로 포지셔닝하게 된다. 과학기술의 개입 역시 중요한 원인이다. 새로운 과학기술 덕분에 꼭 전문적인 미술 기초를 다진 디자이너의 손길을 거쳐야만 디자인 결과물이 나오는 것이

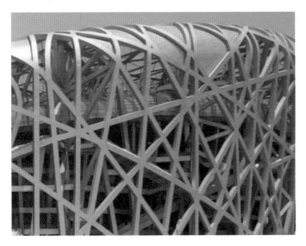

2 중국 베이징 올림픽 주경기장

아니라 수학적 계산이라는 이성적인 방식을 통해서도 디자인 결과물이 나올 수 있게 되었다. 한자 디자인의 발전은 내내 과학기술의 진보와 밀접하게 관련을 맺어왔다. 매번 과학기술 혁명이 일어날 때마다 한자에 새로운 피가 수혈되었다. 한자가 시대의 진보와 과학 발전에 발맞추기 위해 끊임없이 스스로 조정하고 변화해온 것이야말로 한자가 지금까지 왕성한 활력을 유지해올 수 있었던 원동력이다.

파라메트릭 디자인 사고는 미국 매사추세츠공과대학Massachusetts Institute of Technology, MIT의 데이비드 고사드David Gossard 교수가 제기한 VGXVariational Geometry Extended 사상의 영향 아래 탄생했다. 1980년대 말 미국 파라메트릭 기술 회사Parametric Technology Corporation, PTC가 새 세대의 입체 모델링 소프트웨어 프로엔지니어PRO/ENGINEER를 출시하면서 사람들은 VGX의 비범성을 인식하기 시작했다. 현재 흔히 사용하는 파라메트릭 디자인 응용 소프트웨어에는 프로엔지니어와 UGNX, CATIA, 솔리드웍스Soidworks가 있으며 선구자인 프로엔지니어는 주로 전자, 소형 가전, 엔진 디자인 소비 영역에서 사용된다. UG와 CATIA에도 파라메트릭 디자인 기능이 있는데 주로 자동차와 항공, 우주 항공 등 전통적 제조업종에 적용된다.

오늘날 디자인업계는 파라메트릭 디자인을 중시한다. 건축 디자인 영역이 선두에 있고 점점 더 많은 디자이너가 파라메트릭 디자인의 사

3 중국 CCTV 새 본사 건물

고와 소프트웨어로 건축물 외형을 디자인한다. 중국인에게 가장 익숙한 파라메트릭 디자인 사례는 저명한 스위스 건축가 자크 헤르조그Jacques Herzog가 설계한 베이징 올림픽 주경기장鳥巢164과 네덜란드 건축가 렘 콜하스Rem Koolhaas가 설계한 중국 CCTV의 새 본사 건물이다.그림 1~4

파라메트릭 디자인은 복잡성 과학complexity science 이론의 기초를 토대로 프랙털 기하학fractal geometry을 디자인에 응용한, 유클리드 기하학Euclid geometry의 일대 도약이다. 파라메트릭 디자인과 전통 디자인은 디자인 사고와 방법에서 큰 차이를 보인다. 파라메트릭 디자인은 정보화 시대에 빠르게 발전한 과학과 기술 수단이 디자인에 큰 영향을 끼치면서 필연적으로 형성된 디자인 스타일이자 디자인 언어이다.

거시적 관점에서 볼 때 수학적 각본을 토대로 프로그래밍된 연산 방식에 따라 진행한 디자인은 모두 파라메트릭 디자인에 속하는데 현 단계에서는 절대다수의 공학 소프트웨어가 이에 포함되며 거시적 관점은 연산 원리를 강조한다.

미시적 관점에서 보면 파라메트릭 디자인이란 특히 21세기 초에 서구의 건축 디자인 영역에서 유행하면서 파라메트릭 디자인 소프트웨어 적용에 관해 진행한 복잡한 자연 형태 디자인 연구의 디자인을 가리킨다. 미시적 관점은 파라메트릭 디자인의 과정과 복잡한 자연 형태의 디자인 결과를 강조한다.

4 워터 큐브Water Cube, 중국 올림픽 수영 경기장

전통적 예술 디자인 관념에서는 디자이너가 자연물을 주관적으로 추출
하고 다듬어 귀납하는 걸 강조하며 직접적으로 자연물을 모방하는 경우
는 극소수이다. 형태를 모방하는 디자인 사례가 있기는 해도 거의 대부
분 디자이너가 추출하고 다듬어 귀납한 부분이 포함되어 있다. 디자이
너가 추출하고 다듬어 귀납한 뒤에 얻은 형태만 디자인이라고 부를 수
있을 듯하다. 이런 디자인 사고가 상당히 긴 시간 동안 주류가 되어 공감
대를 형성해왔다. 그 결과 인류가 주관적으로 형태를 창조하는 현상이
나타났지만 동시에 인간이 창조한 형태와 자연의 형태가 명확하게 갈리
는 현상이 나타나기도 했다.

　　21세기에 들어 이런 상황에 변화가 생기면서 점점 더 많은 선구적
사상을 가진 디자이너가 어떻게 자연을 모방할 것인지 더 직접적으로
연구하기 시작했다. 이렇게 해서 자연의 거시적이고 미시적인 실제 모습
과 동태적인 변화와 전환에 한층 더 접근한 디자인 형태가 탄생했다. 이
런 디자인 현상과 트렌드의 출현은 당대 디자이너들의 디자인 사상, 디
자인 이념, 디자인 사고의 새로운 변화에서 비롯되었는데 더 중요한 원
인은 예술과 과학의 융합이 낳은 새로운 디자인 수단이 이루어낸 진전에
있다. 그중에서도 1950년대 이래 비선형과학nonlinear science 이론의 끊임
없는 발전으로 인류가 선형 과학의 속박에서 벗어나면서 유클리드 기하
학 체계가 전대미문의 도전과 의문에 맞닥뜨리게 되었고, 자연이 내포한

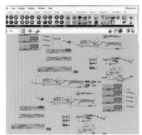

5 보급 주제 중 하나: ‹명회名繪›. 모든 중국인의 이름은 두 자나 세 자로 구성되어 있고 모든 글자는 다 몇 개의 상형문자로 조합되어 있다. 파라메트릭 디자인 소프트웨어 프로그램은 이름을 분해해 문자 조합을 만들어내는데 글자 하나하나에서 그와 관련된 더 많은 글자가 연상되어 나올 수 있다. 이 글자들로 몇 가지 종류의 조합을 생성할 수 있으며 이런 조합이 생성되는 근거는 파라메트릭 디자인 격자에 숨어 있는데 이 격자는 계속 업데이트해야 함 몇 개의 가능한 선택지 중 만족스러운 걸 하나 고를 수 있다. 그중 디테일한 부분을 손으로 건드릴 수도 있는데 격자가 자동으로 조정되면 옆에 있는 부분에서는 좀 큰 변화가 나타나고 멀리 있는 구역일수록 변화가 작아진다. 색, 빛, 움직임 등의 요소를 입힐 수 있고 이런 것이 확정되면 자동 생성된다.

복잡성과 잠재력이 드러남으로써 인간이 규칙과 표준 기하학 형체의 질곡에서 적극적으로 벗어나기 시작했다는 데 원인이 있다.

　　건축 디자인은 더 이상 독립적 사고가 아니라, 건축에 영향을 끼치는 각종 요소를 정제하고 종합해서 이런 복잡한 요소를 개념에서 형태로 전환해 얻어낸 불규칙적일 수밖에 없는 건축 형체인 것이다. 파라메트릭 컴퓨터 기술이 바로 이런 진전을 대표하는 사고이자 수단이다. 이렇게 대표성을 지닌 예술과 과학의 산물에는 CNCcomputer numerical control 레이저 디지털 프로토타입 기술CNC laser digital prototype technology과 신소재 공예의 응용 같은 가공 제조 능력의 발전이 포함된다.

　　근대와 당대 건축 디자인의 발전을 정리하다 보면 디자인 사상과 과학기술 혁명이 늘 디자인의 발전을 이끄는 양대 동력이었음을 알게 된다. 모더니즘 건축은 사상적으로는 ‘디자인은 대중을 위해 서비스한다.’를 토대로 했다. 그리고 과학기술적으로는 증기기관의 광범위한 응용으로 대표되는 제1차 과학기술 혁명의 성과와 함께 전력의 광범위한 응용으로 대표되는 제2차 과학기술 혁명1970년대의 성과를 바탕으로 했고, 디자인 방법으로는 유클리드 기하학을 택했다. 포스트모더니즘 건축의 사상적 기초는 모더니즘 건축에서 드러난 문제를 수정하는 데 있었고, 건조建造 기술은 제2차 과학기술 혁명의 성과에 바탕을 두고 있었으며, 유클리드 기하학에 전통 요소를 더한 디자인 방법을 택했다. 포스트모더니즘 건축이 계속 발전한 21세기는 지속 가능한 발전, 인간과 자연의 조화로운 발전을 디자인 사상으로 삼고 있으며, 제3차 과학기술 혁명의 성과 즉 정보 통제 기술을 토대로 파라메트릭 디자인을 디자인 방법으로 택하고 있다.

건축 디자인은 언제나 시대적 조류에 앞서 있었고 그 뒤에 비로소 그래픽 디자인, 패션 디자인, 상품 디자인 등 다른 디자인 영역이 이를 점차 받아들이고 확산시켰다. 현재의 파라메트릭 디자인이 여전히 포스트모더니즘의 심미적 특징을 구현하고는 있지만, 2차원적 비주얼커뮤니케이션 디자인의 결과물들이 그 디자인에 내재된 정보와 심미성 등에서 상당한 차이를 보인다. 반면 파라메트릭 디자인의 결과물을 보면 서로 상당히 유사하다. 그러나 파라메트릭 디자인이 2차원적 비주얼커뮤니케이션 디자인 창작에 개입하는 것은 필연적 추세가 되었다.그림 5

전혀 새로운 과학과 기술의 진보의 시대에 맞서 한자는 어떻게 지금의 모습에서 벗어나 다시금 능동적으로 사고할 것인가? 어떻게 새로운 조정과 변화를 모색해 화하민족華夏民族, 중화민족의 다른 말의 고대 문명을 이어온 이 위대한 부호가 왕성한 생명력을 유지해나가도록 보장할 것인가?

새로운 과학기술의 성과와 새로운 기술이 한자 디자인에 도입되면 거대한 변화가 일어날 것이다. 전통적 산업망, 디자인 교육 모델, 학과 전문 분야 구분 등 모든 것이 그에 맞춰 조정되고 변화할 것이다. 디자인은 계속 자신의 형태를 변화시킬 것이다. 더욱 전문화된 고전적 디자인이 여전히 전문 영역에서 자신의 지위를 유지하는 한편, 전문적인 의미의 많은 디자인이 새로운 디자인적 사유와 방법으로 대체될 것이다. 디자이너는 아마 주로 디자인의 원형 그리고 이와 관련된 소재의 데이터베이스를 업데이트하고 발표하는 작업을 하게 될 것이다. 또 비전문가가 디자인 과정에 직접 참여해 창작할 수 있게 될 것이다. 이는 시대에 한 획을 긋는 거대한 변혁이 될 것이며 한자 디자인도 계속 기회를 포착해 변화해나갈 것이다. 한자가 고유의 지혜와 혁신성으로 자신의 모습을 조정해 참신한 성과를 올리리라 믿는다. 최근 움직이는 폰트 라이브러리와 개성적인 주문 제작 폰트 라이브러리가 새롭게 끊임없이 발표되는 점 역시 이런 변화가 이미 도래했음을 보여준다.

6 아테네 올림픽 기간에
사용한 안내 사이니지 시스템

문자를 대체하는 부호

현대 도시 생활의 높은 효율과 빠른 리듬으로 말미암아 도형 부호 디자인이 아주 광범위하게 응용되고 있다. 이러한 현상은 주로 도형과 부호가 식별하기 쉽고, 태생적으로 문자와 어법을 뛰어넘는 우위를 차지하고 있다. 더불어 국가와 인종, 문화적 배경의 차이를 넘어 모든 사람이 간단하고 명확한 도형과 부호를 통해 정보 개념을 식별하고 인식할 수 있다는 데서 비롯된다. 기관과 지역의 안내 사이니지 시스템sinage system 디자인과 대형 운동 경기 및 이벤트의 안내 시스템에서 그래픽 사이니지 graphic sinage는 중요한 역할을 한다.그림 6

교통과 통신이 고도로 발달하면서 서로 다른 지역과 민족 사이의 교류가 나날이 빈번해지고 해외여행과 문화·예술, 스포츠, 비즈니스 활동 등으로 국경과 인종의 경계가 점차 희미해지고 있다. 국제 교류는 나날이 활발해지고 있지만 언어의 세계화 속도는 오히려 더 더디기만 하다. 한때 국제 공용어가 나타나기도 했지만 아직 보편화되지는 못한 실정이다. 비록 영어가 국제 공용어가 되었지만 국제 교류가 여전히 언어 장벽의 영향을 받으면서 온갖 실험적인 디자인이 등장했다. 2007년 1월 출간한 린쉰준林動準의『국제 여행 부호 언어国际旅行符号语言』는 이런 시도 중 하나로 도형과 부호를 기초로 보급형 국제 언어를 개발하자고 주장한다. 인류가 생각을 교환하는 데 필요한 매개체또는 '신호 시스템'이라고 부르거나 광범위하게 '언어'라고 부르는 것에는 세 종류가 있다. 소리 언어협의의 언어, 문자, 부호도형, 로고, 형태, 손동작 등이다. 세계 각국의 언어를 배운

다는 것은 불가능한 일이지만 국제적으로 통용되는 직관적 도형 부호는 배우고 이해하기 쉬우며 기억하기도 편하다.

　이 책『한자의 유혹』의 가장 중요한 아이디어는 식별력과 고정적인 의미를 가진 도형과 부호를 규범화하고 통일하자는 것이다. 폰트 개발과 비슷하게 개발한 뒤 언어학과 기호학記號學 이론을 토대로 서로 다른 인종과 언어, 문자를 뛰어넘는 어법을 만들어내는 것이다. 이런 도형과 부호를 응용하면 다음의 결과가 나타난다. 계획적으로 만든 도형과 문자 부호를 엮은 부호 언어의 문구와 단락은 정보가 상대적으로 쉬운 학습 과정을 거쳐 전파된 뒤 다른 언어 환경에 쉽게 적응하도록 도와준다. 보편적인 도형과 부호를 응용하고 이를 토대로 컴퓨터 언어의 사고 맥락을 빌려오면 도형과 부호를 기초로 한 국제 언어가 만들어진다. 이런 도형과 부호는 해외여행을 할 때 간단한 국제적 사교 현장과 공공 생활에서 대략적인 의사를 주고받을 수 있게 해준다. 또한 개인적으로 외국인과 연락할 때도 사용할 수 있다. 어떤 민족이든 중등 수준의 문화 수준을 갖춘 사람이면 하루 만에 배워서 써먹을 수 있으니 국제 문화 교류의 여백을 채워준다고 할 수 있을 것이다.그림 7~8

ICON 도형 부호	MEANING 의미	DESIGN IDEAL 디자인의 의도
I	나 I, me	1인칭 the first person
I'	나의 my, mine	흔히 영어의 아포스트로피(')의 문장부호 ", "의 용법을 사용한다. the usage of english symbol ", "
Is	우리 we, us	단수 표현에 s를 더하면 복수가 된다. the usage of english single noun plus "s"
I's	우리의 our	연상 association
II	너 you	2인칭 the second person
II'	너의 your	연상 association
IIs	너희 you	연상 association
II's	너희의 your	연상 association
III	그, 그녀, 그것 he, him, she, her, it	3인칭 the third person
III'	그의 his, her, its	연상 association
IIIs	그들 they, them	연상 association
III's	그들의 their	연상 association
�½	사람, 이름 people, name	상형 pictograph
�½	남자 male	상형 pictograph
�½	여자 female	상형 pictograph
♂/♀	성별 sex	습관 habit
♡	배우자, 사랑하는 사람 couple, darling	연상 association
☺	성인 adult	상형 pictograph
☺	아이, 어린이 child	상형 pictograph
☺	노인 old person	상형 pictograph

서사구(단순)	만나서 반갑습니다, 환영합니다	Exit
e.g.1.1 DECLARATION SECTION	I'm glad to meet you.	출구
질문부 QUESTION SECTION		a. Give the card to the car park manager.
서술부 MODIFIER SECTION	Ⅰ ☺ Ⅱ	주차장 카드는 주차장 관리원에게 전해주세요.
수식부 MODIFIER SECTION		b. Drive your car from the parking lot to the Exit.
필기식 MODIFIER SECTION	Ⅰ ☺ Ⅱ	주차하신 차를 출구로 이동해주세요.
서사구(간단)	이것은 세계 원예 박람회입니다(99)	
e.g.1.2 DECLARATION(SIMPLE)	This is Expo'99 (International Exposition Park)	1.1.2
질문부 QUESTION SECTION		
서술부 STATEMENT SECTION	↓ = (Expo'99)	a.
수식부 MODIFIER SECTION		
필기식 WRITING TYPE	↓ = (Expo'99)	b.

8 사용 범례

不客气 😊

不好意思 😄

한자에 도형과 부호를 섞어 보내는 전파 방식

인터넷 시대인 오늘날 정보 전파에 급속한 변화가 나타나면서 전통적인 문자 전파가 전대미문의 도전을 받고 있다. 점점 더 많은 사람이 정보를 발송하는 문자에 흔히 쓰는 개념 문구, 심지어 문장을 대신하는 도형과 부호를 섞어 쓴다. 이렇게 하면 효율이 높아지는 동시에 훨씬 더 재미있어진다.

처음에 이런 부호는 문장부호를 모으고 조합해서 만든 픽토그램 pictogram이었다. 주로 마음과 표정을 표현했으며 인터넷의 하위문화에 지나지 않았다. 하지만 인터넷과 휴대전화 문자가 보편화됨에 따라 인간의 사회생활에서 픽토그램이 차지하는 비중이 점점 커지면서 사회가 이를 광범위하게 받아들였다. 또한 수많은 통신 프로그램, 특히 실시간 통신 프로그램과 인터넷 게시판에서 더 생동감 넘치는 작은 도안으로 마음을 표현하기 시작했다. 20세기 말 영어의 이모션emotion, 정서과 아이콘icon, 작은 도안을 합친 '이모티콘emoticon'이라는 신조어가 생겨났다. 일본어로는 '가오모지顔文字'라고 한다.그림 9

컴퓨터 기술이 발전하고 인터넷 문화가 아주 빠른 속도로 전파됨에 따라 "대박, 생일 축하해!" 같은 한층 복잡한 내용의 정보를 담은 부호가 연이어 등장했다. 또 좀 더 예쁜 도형과 부호가 잇달아 나타났는데 점차 빛과 색이 변하는 효과가 더해졌고 최근에는 애니메이션 움짤까지 등장했다.그림 10~11 젊은이들은 자형에서 도형 느낌이 나는 한자를 자신의 생각을 표현하는 부호로 활용하기도 한다. 이를테면 '囧빛날 경'은 중국어로 '쥥jiong'이라고 읽는데 '빛나다'라는 뜻이다. 'Orz'라는 이미지 글자체가 일본에서 대만 지역으로 건너간 뒤 수정을 거쳐 '囧'이 더해지면서 '囧rz'가 되었는데[165]그림 12 2008년부터 중국어 사용 지역의 네티즌들 사이에서 크게 유행하면서 사이버 세계에서 사용 빈도수가 가장 높은 사례가 되었다.

이모티콘	해석	이모티콘	해석
:-D	기뻐	T_T	눈물
:-(	기분 안 좋아	^(oo)^	돼지 머리속뜻은 '이 바보야' 정도의 의미
(=^_^=)	야옹이	= =b	식은땀 난다
:-P	혀 낼름	>3<	뽀뽀
:-*	입맞춤	Orz	졌다 졌어
(T_T)	눈물	≧◇≦	감동했어
?;-)	윙크	= =#	화나
:-x	닥쳐	(ˇ_ˇ)	불만이야
⌒(ʿ_ˋ)⌒	지나갑니다	(×_×)	기절하겠네
<※	꽃다발	|(-_-)|	못 들었어
:-O	놀람	(￣¬￣)	군침 돈다
\(^_^)/	힘내	ヽ(￣▽￣)ノ	양팔을 활짝 펴는 제스처
$_$	돈 보니 눈이 돌아가네	(￣(エ)￣)	곰
@_@	곤혹스러워	づ￣3￣)づ	손 키스 날려줄게
b(￣▽￣)d	엄지 척	(*+‿+*)~@	내가 못살아
>_<	미치겠어	囧	이럴 수도 저럴 수도 없어 난감하다는 표정

10 이모티콘 모음

또 부호 성격을 띤 한자로 '槑매화 매'가 있는데 '메이méi'라고 읽으며 이
는 '몫어리석을 태'가 두 개 합쳐진 것으로 매우 어리바리하다는 뜻이다. 인
터넷상에서 사람이 '아주 어리석다' '바보 같다' '천진하다'는 뜻을 표현
할 때 사용한다. 이렇게 두 개 이상의 글자를 모아 하나의 뜻을 표현하는
새로운 한자 표정 부호 조자법은 원래 한자의 개성적인 특징을 토대로
새로운 한자 표현을 만들어낸다. 그 외에 속으로 그림을 연상해서 글자
를 만드는 방법에 따라 전혀 새로운 한자를 디자인해내기도 한다. 예를
들면 犇달릴 분, 鑫기쁠 흠 모두 똑같은 글자 세 개를 겹쳐서 만든 글자인
데 이 방법에 따라 𡘋거칠 분을 세 개 겹치면 매우 멍청하다는 뜻이 된다.
　　각양각색의 인터넷 아이콘과 휴대폰 이모티콘이 문자를 대신해
더 생동감 넘치는 모습으로 뉴미디어가 전파하는 메시지 곳곳에 등장
하고 있다. 중성적인 의미의 '좋아요' 뒤에 웃는 표정의 이모티콘이 붙으
면 더 상냥하고 편안하며 정다운 느낌이 더해진다. 안부를 묻는 말 뒤에
'하트'나 '장미'를 붙이고 잘 자라는 말에 '키스를 날리는 이모티콘'을 붙

생일 축하해!

자동차

11 문자 부호가 일부 언어 기능을 대체했다.

12 Orz 부호

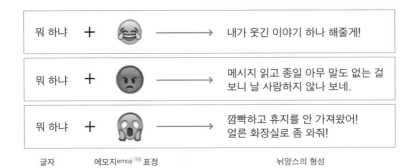

| 글자 | 에모지emoji[166] 표정 | 뉘앙스의 형성 |

13 같은 글자라도 다른 이모티콘이 붙으면 뉘앙스가 달라진다

이는 것이 다 이런 경우이다. 웃는 얼굴의 아이콘과 이모티콘의 탄생은 1980년대로 거슬러 올라가지만 휴대폰에 사용하기 시작한 것은 1990년 대였고 일본이 그 시작이었다. 당시 무선 호출기의 독특한 기능으로 이런 아이콘이 청소년들 사이에서 광범위한 사랑을 받았다. 그러다 2008년 무렵 이모티콘이 점차 통일되기 시작했다. 서로 다른 플랫폼 사이의 장벽을 낮추기 위해서였다. 2011년 애플도 이런 모델을 도입해 iOS5 오퍼레이팅 시스템에 추가했다.

이모티콘으로 표현하는 방식은 연구할 만한 가치가 있는 디자인 형식이다. 이는 단순히 유행과 흥미의 문제가 아니라 인터넷 시대에 문자 전파의 새로운 동향이며 도형이 문자 전파에 개입한 새로운 현상이다. 이 특징을 정리하면 다음과 같다. 첫째, 문자 표현에 어떤 뜻이 담긴 이모티콘이 더해지면 원문이 전하려는 의미에 그것을 전하려는 사람의 태도와 정서가 더해진다. 이는 메시지를 전하려는 사람의 뜻을 더 명확히 하는 데도 유리하다. 둘째, 대화하는 과정에서 딱히 할 말이 없을 때 또는 무슨 말을 해야 할지 모르겠는데 그렇다고 아무 말도 하지 않았다가 상대를 불쾌하게 하고 싶지 않을 때 웃는 표정의 이모티콘이나 다른

14 컴퓨터와 휴대폰에서 쓰는 이모티콘   15 휴대폰으로 이모티콘 입력하기

표정의 이모티콘을 하나 보내면 가뿐하게 응대할 수 있고 억울하게 욕 먹는 일도 피할 수 있다. 셋째, 분위기를 더 가볍게 만들 수 있다. 예를 들어 대화 중 민망함을 표현할 때 너무 민망하다는 말을 글자로 쳐 보낼 필요 없이 식은땀을 흘리는 이모티콘을 하나 보내면 된다. 생일 축하 메시지를 전할 때는 폭죽이나 생일 케이크가 그려진 도형 부호로 "생일 축하해!"라는 몇 글자보다 훨씬 더 좋은 분위기를 연출할 수 있다.^{그림 13~15}

    글자에 이모티콘을 더하거나 단순히 이모티콘만으로 의사소통을 하는 방식은 순식간에 전 세계로 퍼져나갔고 이모티콘은 하나의 문화적 현상이 되었다. 한 유명 누리꾼은 심지어 이모티콘으로 미국 가수 비욘세Beyonce의 〈드렁크 인 러브Drunk in Love〉를 번역했다. 또 최근 미국 소설가 허먼 멜빌Herman Melville의 소설 『모비딕Moby Dick』의 이모티콘 버전이 미국의회도서관Library of Congress에 소장되었다. 이로 말미암아 수많은 논쟁이 벌어졌다. 이를테면 이모티콘에서 다양한 인종 문제를 고려해야 한다든지 이모티콘으로 살해 위협을 했을 때 법률 전문가가 이를 법정 증언으로 보고 논의를 전개할 수 있는지 등의 문제가 있다. 심지어 어떤 사람은 이모티콘이 새로운 언어 문자로 진화할 것이라고 보기도 한다.

16 화성문

17 부호와 동물의 결합에서 영감을 얻었다. 지은이 작품

하지만 이모지트래커Emojitracker 사이트의 통계에 따르면 소셜 네트워크 서비스Social Network Service, SNS의 일종인 트위터Twitter에서 1초에 평균 발송되는 250-350개의 이모티콘 가운데 웃는 얼굴의 이모티콘과 하트 모양 이모티콘 등 스무 개 이모티콘 사용 빈도가 가장 높다고 한다. 이 이모티콘들이 가장 명확한 의미를 담고 있기 때문이다. 대다수 이모티콘은 분위기를 북돋우는 보조 도형 정도에 지나지 않아 복잡하고 깊은 내용을 표현하기 어렵고 심지어 이모티콘이 오해를 불러일으키는 경우가 종종 일어나기도 한다. 결국 전체 수가 너무 적다 보니 이모티콘은 문자를 보조하는 도형 부호 역할을 할 수밖에 없다.

    대표적 사례로 전에 한번 크게 유행한 화성문火星文이 있다. 화성문은 맨 처음 대만 지역에서 등장했고 곧이어 중국과 홍콩, 해외 화교 사회에서도 유행하면서 중국어권 인터넷상에서 유행이 되었다. 여기서 더 나아가 화성문 입력법 실시간 변환기가 적잖이 등장했으며 이를 인터넷 채팅에 사용하기도 했다. 화성문에서 가장 중요한 몇 가지 어법으로는 각각 상형표음象形表音, 합병과 분해, 인터넷 용어, 인터넷 게임 명칭 술어 등이 있다. 그래서 지구인은 알아볼 수 없는 글자라는 뜻으로 '화성문'이라는 이름을 붙인 것이다. 이런 문자는 입력기 부호, 번체 한자, 일본어, 한국어, 잘 쓰지 않는 글자, 해체한 한자 필획과 부수 등을 함께 섞어 부호화한 문자 체계로 이루어진다. 하위문화로 여겨지는 이런 문자는 젊은 세대가 개성을 표현하고 유행을 좇으면서 생긴 산물이다. 그림 16

맺음말

2013년, 불혹의 해였던 그해의 마지막 달. 드디어 고통스러우면서도 즐거웠던 집필 과정을 마친 뒤 원고를 넘겼고 마침내『한자의 유혹』이 출간되었다. 이 책은 '디자인 사고와 방법'이라는 독특한 관점에서 '한자의 진화 문맥文脈'을 거듭 주의 깊게 살펴본 첫 번째 학술 저작이다. 많은 개념을 새롭게 정리했고, 과거에는 주목받지 못한 지식을 다시금 한자 디자인 방법의 체계로 정리해 넣었으며, 우리에게 익숙하거나 낯선 지식을 새로운 발상으로 꿰어 여러 개의 실마리로 엮었다. 광범위한 지식과 독특한 시각 그리고 참신한 편집 체제 덕분에 이 책은 출간되자마자 지대한 관심을 불러일으키면서 삽시간에 품절되기에 이르렀고 인터넷에서는 책값을 몇 배나 올려 파는 현상까지 나타났다. 종이 책이 인터넷 뉴미디가 초래한 커다란 침체기를 겪고 있는 오늘날 보기 드문 일이었다.

2016년『한자의 유혹』은 도서 판권 수출의 첫발을 내디디며 대만 지역에서 번체자 버전으로 출간되었다. 저명한 학자이자 잡지 «한성» 발행인 황융쑹 선생은 이 책의 추천사를 써주며 크게 격려하고 칭찬해주셨다. 이 책의 대만 지역 출간 역시 한자의 강력한 매력을 다시 한번 보여주었다. 이 책은 출간 첫 주 대만 지역의 인터넷 서점 킹스톤 북 Kingstone Book 디자인 분야 베스트셀러 1위를 차지했고 에슬리트 서점 Eslite Bookstore 온라인 베스트셀러 7위, 보커라이博客來 신간 베스트 18위를 차지했다. 곧이어 정식 계약을 한 한국어판이 이제 출간을 앞두고 있다. 일본어판은 이미 계약을 맺었으며 프랑스어판도 계약 과정에 있다.

『한자의 유혹』출간 뒤 필자는 완성도를 높이기 위해 쉼 없이 수정 작업을 해왔다. 늘 경건하고 정성스럽게 그러면서도 부끄럽고 황송한 마음으로 광대한 한자 문화와 예술 디자인의 바다에서 끊임없이 공부하고 연구를 거듭했다. 관련 전문가와 학자들에게 다방면으로 가르침을 구했고 문헌을 찾아 살펴보았다. 3년의 시간을 들여 초판을 대량으로 증보하고 수정해 독자들에게 보다 더 완벽한 양서를 보여드리려 노력했다.

주로 조정한 내용은 다음 다섯 가지이다. 첫째, 정확도가 떨어지거나 논란이 있는 개별적인 내용을 고증하고 선별했다. 예를 들어 초판에서는 여서 관련 내용을 소수민족의 문자를 다룬 부분에 넣었는데 치밀함이 부족했다. 여서는 중국어와 한자의 일종의 돌연변이인 특수 사례임이 분명하며 결코 어떤 소수민족의 전유 문자가 아니다. 따라서 개정판에서는 이 부분의 제목을 '한자와 소수민족 문자의 관계 및 변이 형태'로 바꾸었다. 둘째, 초판 내용에서 몇 가지 개념과 정보를 보완해 완벽을 기했다. 이를테면 측자의 열 가지 상용 방법 분석의 경우 초판에서는 그중 일부만 열거했지만, 개정판에서는 전부 수록하고 열 가지 상용 방법의 사례를 디자인으로 풀어 설명했다. 셋째, 이미지와 도표를 보충했다. 예를 들어 '십이장문' 부분을 다룰 때 중화민국 초기 루쉰이 디자인에 참여한 국가 휘장 방안을 언급했는데 원래는 없던 이미지를 개정판에서는 첨부해넣었다. 넷째, 본문의 글자를 확인하고 수정했다. 이를테면 제2장 자법의 「문자놀이」 부분에서 소동파의 신지체 문자놀이 내용에 부정확한 글자와 오자가 일부 있었는데 개정판에서 이를 수정했다. 다섯째, 레이아웃 디자인을 적절히 수정했다. 주로 이미지를 축소하고 본문과 이미지, 각주의 관계를 조정했다. 예를 들면 전각 부분의 삽화를 보다 합리적으로 배열하고 텍스트를 더욱 알맞게 짝지어 배치했다. 또 이미지를 보다 합리적으로 축소하고 도표와 주석 등을 많이 보충했다.

마지막으로, 힘껏 지지해준 후베이미술출판사에 진심으로 고마움을 전하고 싶다. 특히 이 책의 편집 작업에 신경 써주신 천후이핑陳輝平 사장, 위산餘杉 총편집장께 감사드린다. 이 책의 성공은 책임 편집자인 장하오張浩 선생이 쏟아부은 노력이 없었다면 불가능했을 것이다. 매번 장하오 편집자와 이야기를 나눌 때마다 불꽃이 튀었다. 이에 대해서도 깊은 감사의 뜻을 전하고자 한다. 또한 이 책을 위해 심혈을 쏟은 모든 실무자와 사랑하는 학생들에게도 고마운 마음을 전하고 싶다. 이 책이 거둔 모든 성과는 우리가 다 함께 노력한 결과물이다.

주석

1   서한西漢 시대 말기인 기원전 30년에 사유史游가 편찬했다.

2   중국 고대 토기의 표면에 새겨져 있는 부호와 글자

3   은殷나라 때 글자를 새겼던 동물 뼛조각

4   고대 중국에서 종이를 발명하기 전 사용한 것으로, 목간은 나무를 쪼개 만들고
      죽간은 나무 중에서도 대나무를 쪼개서 만들었다.

5   거문고 연주 악보를 기록할 때 쓴 글자

6   둘 이상의 글자를 합해서 새로운 글자를 만드는 것

7   한자의 편偏, 방旁 등을 분석하거나 조합해서 길흉화복을 점치는 것

8   중국의 소수민족인 나시족納西族이 사용하는 문자

9   수족水族 고유의 상형문자

10   자음이 같거나 비슷한 글자를 빌려 와서 본래 글자를 대신하는 글자로,
      文은 본글자인 紋을 대신하는 통가자이다.

11   고대의 청동기

12   종이가 발명되기 전 글자를 기록하는 데 사용한 대나무 조각

13   나무 등에 조각하거나 글자를 새기는 것을 말한다.

14   북송北宋 시대 학자 심괄沈括이 평생 보고 듣고 알게 된 것을 저술한 수필 형식의 저작물

15   중국에 현존하는 최고最古의 각석문刻石文

16   기원전 219년진시황 28에 중국 산둥성山東省 타이안시泰安市 타이산泰山에 만들어진 석각石刻

17   고대 건축물에서 지붕의 맨 끝을 장식하는 기와로, 빗물이 스며들지 못하게 막는 역할을 한다.

18   '석각'은 석벽에 불상이나 글자, 그림 따위를 새긴 것을 말한다.

19   청나라 때 편찬한 백과사전

20   장식용으로 만든 글자체로 미술자美術字라고 많이 부른다.

21   흔히 간화자와 간체자를 혼용해서 쓴다. 하지만 간체자는 왕조시대에 일반 민중이 쓰던,
      필획을 줄여 간략화한 글자로 당시에 공식적으로는 인정받지 못했다. 그러다 현대에 와서
      문자 개혁으로 한자의 간소화를 이룬 글자가 간화자이다. 대부분의 간화자가 간체자에서
      나오기는 했지만, 간화자에 포함되지는 않으나 여전히 쓰이는 간체자도 있으므로
      반드시 '간화자=간체자'라고 할 수는 없다.

22   중국의 전통적인 장식 도안으로, 대부분 사람들의 아름다운 생활과 행복에 대한
      소망을 표현한 것이다.

23   판짜기라고도 하며 디자인 시안과 원칙을 바탕으로 원고를 배열하는 것이다.

24   '한자'라는 단어는 원나라 역사서 『금사』 권9卷九 본기本紀 제9 '장종章宗 1'에 처음으로 등장한다.
      내용은 다음과 같다. "18년 금원군왕金源郡王을 봉했다. 처음에는 금나라의 언어와 글자에 익숙해서
      한자 경서는 진사 완안광完顏匡과 사경 서효미徐孝美 등이 대신 읽어주었다." 이후에도 『금사』에는
      '한자'라는 단어가 여러 차례 등장한다. 다음과 같은 예가 있다. "여진은 처음에 문자가 없었는데
      요遼를 격파하고 거란과 한인漢人을 얻게 되자 비로소 거란 글자와 한자를 이해하고자
      모든 이가 배우게 되었다." "큰아들은 포휘布輝인데 여진과 거란에 대해 알고 한자를 읽을 수
      있었으며 말타기와 활쏘기에 능했다." 지은이 주

25 허신은『설문해자』에서 다음과 같이 썼다. "『주례』에 따르면 여덟 살이 되면 소학小學에
　　들어가는데 보保 씨는 나라의 아이들 육서를 먼저 가르쳤다. 첫째는 지사指事이다. 지사는 글자를
　　보면 식별할 수 있고 살피면 그 뜻을 볼 수 있으니 上윗 상과 下아래 하가 그렇다. 둘째는 상형이다.
　　상형은 사물을 그린 것으로 형체를 따라 구불거린다. 日일 일과 月달 월이 그렇다. 셋째는 형성이다.
　　형성은 사물로 이름을 삼고, 음이 비슷한 글자를 취해 조합한 것으로 江강 강과 河물 하가 그렇다.
　　넷째는 회의會意이다. 회의는 종류를 나란히 늘어놓고 뜻을 합쳐 가리키는 바를 나타내는 것으로
　　武호반 무와 信믿을 신이 그렇다. 다섯째는 전주轉注이다. 전주는 같은 부류의 글자를 한 수里에 세워
　　같은 뜻을 주고받는 것으로 孝효도 효와 老늙을 도가 그렇다. 여섯째는 가차假借이다. 가차는 본래
　　그 글자가 없어 소리에 따라 글자를 가져와 쓰는 것으로 令하여금 영과 長길 장이 그렇다.
　　오늘날 육서의 명칭은 상형, 지사, 회의, 형성, 전주, 가차로 정해졌다." 지은이 주

26 간쑤성甘肅省과 칭하이성青海省 지역에 기원전 3300~2000년 무렵까지 존재했던
　　신석기시대 후기 문화

27 노끈이나 새끼 따위의 매듭을 말하며, 매듭의 수나 간격으로 약속, 수량,
　　역사적 사실 따위를 기록한 일종의 고대 문자

28 한나라 때 유가 경전을 근거로 하여 주문, 왕의 정성에 감복해 하늘이 내린 상서로운 조짐과
　　점술의 영험함을 널리 알린 책으로, 책 제목은 경서經書에 대응해 지은 것이다. 지은이 주

29 하도는 전설 속의 신 복희伏羲가 황허강에서 가지고 나왔다는 그림으로
　　『주역周易』 팔괘의 근원이 되었다.

30 은나라의 중흥을 이끈 국왕

31 상나라 최고의 태평성대를 이끈 국왕

32 발이 달린 받침에 북을 얹은 형태의 아악기

33 한나라, 특히 후한後漢 시대에 유행한 한화상전은 그림을 새긴 벽돌로
　　당시 사당과 무덤을 만드는 데 사용했다.

34 현재의 국립대학교 총장에 해당하는 직책

35 하나의 한자를 구성하는 가장 작은 단위

36 임금이 왕세자, 왕세손, 비빈을 책봉하고 명령하던 제도

37 서주西周 말기의 청동기

38 한자 글씨체의 일종으로 획이 복잡하고 곡선이 많은 것이 특징이다.

39 구천鳩淺은 구천勾踐의 다른 이름이다.

40 춘추시대 말기부터 전국시대 초기까지 유행한 회화적 색채가 강한 글씨체이다. 새 모양으로
　　장식한 조서鳥書, 벌레 모양으로 장식한 충서蟲書가 있으며 이 둘을 합쳐 조충서라고 부른다.

41 조조의 위魏나라, 유비의 촉蜀나라, 손권의 오吳나라를 이른다.

42 당나라 말기에서 송나라 초기에 이르는 기간으로 다섯 왕조가 흥망성쇠를 거듭했다.

43 현재 허난성의 도시인 카이펑開封의 옛 이름

44 중국 주나라 때 천자가 도성에 건립한 일종의 대학

45 '기필'은 획의 시작을 뜻하고 '돈필'은 붓을 댄 즉시 누름을 뜻한다.

46 획의 끝부분을 누에머리 모양으로, 삐침의 끝부분을 제비 꼬리 모양으로 처리하는 것

47 파임과 붓끝의 방향 전환 등으로 생동감과 변화를 주는 것

48 절필할 때 붓끝을 접어 획의 처음과 끝에 붓끝의 흔적이 생기지 않게 하는 것

49 一자의 첫 부분을 누에머리처럼, 끝부분을 기러기 꼬리처럼 표현하는 것

50 가로획의 끝부분을 한 글자에 딱 한 번만 기러기 꼬리처럼 표현하는 것

51 누에머리는 두 개를 만들지 않는 것

52 묵직하면서도 산뜻하게 쓰는 것

53 정으로 쇠를 끊듯 강하게 쓰는 것

54 중국 고대 언어 문자학을 일컫는 전통적인 명칭

55 중국의 기보법記譜法으로 음을 적는 데 쓰던 방법

56 '爲'의 갑골문 자형은 사람이 한 손으로 코끼리를 끌고 가서 일을 시키는 모습을 나타낸 것이다.

57 정正은 정체자, 초草는 초서로 간소화해서 빨리 쓰는 글자, 음音은 한자의 소리를 표기하는 법,
    식飾은 한자의 장식성, 예술성을 뜻한다.

58 가로획에서 오른쪽 아래로 내려오다가 오른쪽으로 구부러지는 필획

59 만년필, 볼펜, 연필 등으로 쓰는 서예

60 예서에서는 획마다 너울거리는 물결 모양이 보이는데 이렇게 한 획에 큰 변화를 주어 파상
    곡선으로 나타내거나 물결이 한번 치솟았다가 미끄러져 내리는 듯한 필체를 파세라고 한다.

61 당시의 의료 기록물로 치료법, 약물과 한약 정제, 약 복용 방법, 침술 요법 등의 내용을 담고 있다.

62 간쑤성 북부 어지나강 유역에서 발견된 1만 여편의 목간

63 더는 분리되지 않는 단독 형태의 한자

64 비스듬히 치켜 올라감

65 가로선이 살짝 올라가 있고 세로선은 수직으로 내려오는 모양의 글자체.
    가로선이 왼쪽에서 오른쪽으로 15도 정도 올라가며 솟아오른다.

66 청나라 시대에 인쇄, 제책을 담당했던 무영전武殿의 수장 김간金簡의 지휘 아래 주조한 활자,
    즉 취진聚珍으로 무영전에서 간행한 서적의 총칭

67 중국에서 사용하는 종이 크기 규격 중 하나. A4보다 세로가 12mm 정도 짧다.

68 문서를 발송한 주 기관 외에 문서 내용을 집행하거나 문서 내용을 숙지하고 있어야 하는 기관

69 기름을 쓰지 않고 수성 안료만을 배합하는 중국 전통 목각화 인쇄

70 예부터 수족이 상례와 장례를 치를 때 사용한 경서

71 만리장성의 8대 관문 가운데 베이징 서북쪽에 있는 관문으로 올바른 표기는 '쥐융관'이다.

72 이 책에서 사용한 지도는 모두 국가측회지리신식국國家測繪地理信息局 공식 홈페이지의 표준 지도이며
    심의 일련번호는 GS (2016) 2954호이다. 지은이 주

73 문과 집 입구 양쪽에 대구對句로 써서 붙이거나 걸어둔 글

74 한자의 음을 나타낼 때 서로 다른 두 한자의 음을 반씩 따서 합치는 방법. 예를 들어
    '文' 자의 음은 無없을 무의 m과 分나눌 분의 un 발음을 합쳐 '문'이 되므로
    無分反무분방 또는 無分切무분절로 표기한다.

75 티베트 문명의 뿌리라고 하는 상웅 문명 또는 상웅 왕국의 문자

76 야오족의 한 파

77 엽전을 주조하기 위해 손으로 조각해서 만든 엽전 모형

78 한자의 왼쪽 획을 편, 오른쪽 획을 방이라고 하므로 편방은 곧 한자 좌우측의 부수를 뜻한다.

79 당대에 발간된 자양학字樣學에 관한 책으로 현존하는 책 중에서 해서楷書 자체를 변정辨正한 책으로
    가장 오래되었다. 과거시험에서 글자체 표준을 삼기 위해 당나라 초기 학자 안사고顔師古의
    4대손 안원손이 편찬했으며 1,656개의 글자체 즉 자양字樣을 석판에 새겨 활용했다.

80 "공자께서는 비현실적이고 초자연적이며 이성에 벗어나는 불가사의한 일, 괴이한 일, 괴상한
    변고나 사람에게 재앙과 축복을 준다는 귀신에 대해서는 일절 말씀하지 않으셨다."라는 뜻이다.

81 팔을 책상에 대지 않고 들어 올려 글씨를 쓰는 방법

82 왼 손등을 오른 손목 아래에 대거나 오른 손목을 책상 면에 두고 글씨를 쓰는 것

83 왼 팔꿈치를 베개 삼아 받치고 오른손에 붓을 쥐고 글씨를 쓰는 것

84 종이 위에 붓을 대는 것을 기필, 무겁게 눌러 느리게 쓰는 것을 돈필이라고 한다.

85 흰 바탕에 푸른빛의 잿물을 입힌 자기로 만든 연적

86 문방사우를 담아두던 가구

87 수승과 연적, 수주 모두 먹을 갈 때 벼루에 따를 물을 담아두는 그릇을 뜻하지만
수승은 수주라고도 부르는 연적과는 달리 주둥이가 없다.

88 필첨은 먹의 농도를 시험하거나 붓끝을 고르게 할 때 쓰는 그릇, 수승은 먹을 갈 때 벼루에 따를
물을 담아두는 그릇, 연병은 벼루 끝에 세워 먼지나 먹이 튀는 것을 막는 병풍, 문진은 종이가
날아가지 않게 눌러두는 물건을 뜻한다. 묵상은 먹을 올려두는 받침이고, 비각은 글씨 쓸 때
팔뚝을 놓아두는 데 쓰는 도구로 완침腕枕이라고도 한다. 인규는 도장 찍을 때 위치 잡는 데 쓰며,
방권은 습자용 문진을 말한다.

89 일반적으로 세계 최초의 금속활자는 1377년에 인쇄한 『백운화상초록불조
직지심체요절白雲和尙抄錄佛組直指心體要節』로 알려져 있다. 프랑스 파리 국립도서관에 소장되어 있던
이 『직지심체요절』이 공개되면서 『직지심체요절』이 세계 최초 금속활자로 공인된 계기가 되었다.
그러나 한 면이 금속활자로 인쇄된 『청량답순종심요법문』의 간행 연도가 1297-1298년으로
추정되는 까닭에 지은이는 이를 근거로 『청량답순종심요법문』을 최초의 금속활자로
설명한 것으로 보인다.

90 붓끝을 접어 획의 처음과 끝에 붓끝의 흔적이 남지 않게 쓰는 법

91 습자의 본보기나 감상용으로 쓰기 위해 옛사람의 글씨를 그대로 베낀 책

92 먹색이 짙고 글씨 크기가 고르며 네모반듯하고 깔끔한 명나라와 청나라 때 관청의 서체.
명나라 때는 대각체臺閣體라고 했다.

93 슬픔과 기쁨이 교차한다는 뜻

94 원둘레 위에서 반지름의 길이와 같은 길이인 호에 대응하는 중심각의 크기

95 물품을 끈으로 묶은 뒤 끈 위를 점토로 잘 밀봉하고 그 위에 눌러 찍은 도장으로
이후에 등장한 봉랍封蠟과 비슷함

96 『주례』는 주나라 왕실의 관직 제도와 전국시대 각국의 제도를 기록한 책으로 당시의 관명과
각 관직에서 행하는 직무의 범위를 설명하고 있다. 여기서 장절이 지금으로 치면
일종의 비자를 발급해주는 직무를 뜻한다.

97 염제는 중국 고대 불의 신으로 전설 속 제왕이고 형천은 염제 옆에서 음악을 담당한 거인이다.
황제가 염제를 무찌르자 형천이 황제에게 도전해 싸우다가 칼에 맞아 목이 떨어졌다.
목이 떨어진 형천은 젖꼭지를 눈으로, 배꼽을 입으로 삼아 끝까지 싸웠다고 전해진다.
'머리를 베어내다'라는 뜻의 '형천'이라는 이름이 여기서 유래했다.

98 다량의 탄소로 만들어진 불투명한 광물로 광택이 강하다.

99 각종 문서에 본인임을 알 수 있도록 자기 이름이나 직함 밑에 직접 쓴 일종의 서명

100 산시성 상인이 경영하던 개인 금융기관으로 주로 환어음을 취급했다.

101 화가이자 중앙공예미술학원中央工藝美術學院 교수였다. 현대 중국 장식 예술의 주춧돌을
쌓았다는 평가를 받는다.

102 문화대혁명 시기에 장칭江靑, 야오원위안姚文元, 왕훙원王洪文, 장춘차오張春橋 등 중국 공산당 지도자
사인방四人幇은 문예 작품에서 무산계급 영웅을 다룰 때 반드시 '높고 크고 완전한' 존재로 묘사해
긍정적인 이미지를 부각해야 한다고 주장했다.

103 한 문자가 하나의 단어를 가리키는 문자

104 '直' 자 안에 '目눈 목' 자가 들어 있다.

105 상징적인 부호로 글자의 뜻을 드러내는 조자 방법의 하나

106 일명 벽중서^{壁中書}라고 하는 『예기^{禮記}』『상서^{尚書}』『춘추^{春秋}』『논어^{論語}』『효경^{孝經}』에
      사용된 글자체를 말한다.

107 지금의 항저우^{杭州}

108 직음은 발음이 같은 다른 한자로 발음을 표시하는 방법이며 사성은 고대 중국어의 네 가지 성조인
      평성^{平聲}, 상성^{上聲}, 거성^{去聲}, 입성^{入聲}을 가리킨다. 번절은 반절^{反切}이라고도 하며 두 글자를 합쳐서
      한 글자의 음을 표기한다. 번절 이전에 사용한 방법이 직음이다.

109 중국어로는 鈞서른 근 균과 君임금 군의 발음이 같다.

110 천지개벽 이전 혼돈의 시대

111 언뜻 봤을 때는 '公' 자가 마치 八과 口로 구성된 것처럼 보인다. 그러나 口는
      옛날의 私사사 사를 가리키며 私의 옛 글자가 바로 厶이다.

112 국가에서 특별히 공인한 학문

113 왕안석에 대한 존칭

114 한자의 편과 방을 분석하거나 조합해 길흉화복을 점치는 방법

115 도사가 깨끗한 물 한 사발에 손가락으로 부호를 그리면서 주문을 외우면 물 위에 특이한 도안이
      만들어지는데 이 도안을 보고 특정인과 어떤 현상의 원인과 결과를 판단하는 것

116 도교에서 노자를 신격화해서 부르는 호칭으로 '태상노군' '태상노군신인'이라고도 한다.

117 도교에서 받드는 천제^{天帝}가 부리는 신. 이들은 바람과 우레를 일으킬 수 있고 귀신을 제압한다.
      육정은 정묘^{丁卯}, 정사^{丁巳}, 정미^{丁未}, 정유^{丁酉}, 정해^{丁亥}, 정축^{丁丑}으로 음신^{陰神} 즉 여신이고,
      육갑은 갑자^{甲子}, 갑술^{甲戌}, 갑신^{甲申}, 갑오^{甲午}, 갑신^{甲辰}, 갑인^{甲寅}으로 양신^{陽神} 즉 남신을 뜻한다.

118 뱀같이 생긴 몸에 넓적한 네 발을 가진 상상 속 동물

119 옛날에는 여성은 지위가 없는 것이나 마찬가지여서 일반적으로 모두 서 있었다. 따라서 옆으로
      서 있는 자는 여성이라고 풀이한 것이다. 이에 비해 남성은 여성보다 지위가 높았으므로
      대부분 똑바로 앉아 있었다. 따라서 옆으로 선 형태가 아니라 똑바로 앉아 있는 '念' 자의
      人을 보고 이 人이 여자가 아닌 남자라고 풀이한 것이다.

120 고대 중국에서 범인에게 형벌을 가하기 위해 목과 손발에 채우던 기구

121 고대 중국에서 남성이 입을 수 있는 최고 등급의 예복

122 고대 중국 황제의 의복에 넣은 열두 가지 장식 무늬

123 대궐이나 성 따위의 문 위에 사방을 볼 수 있게 다락처럼 지은 집

124 ①은 오행^{五行} ②는 팔괘^{八卦} ③은 한의학의 오계^{五季}, 한의학에서는 1년을 사계절이 아닌 춘, 하, 장하, 추,
      동 다섯 계절로 봄 ④는 오미^{五味} ⑤는 오색^{五色} ⑥은 오음^{五音} ⑧은 얼굴의 오관^{五官} ⑨는 오덕^{五德}을
      의미한다. 이를 통해 오음이 그냥 나온 것이 아니라 자연현상이나 인간사를 설명하는 전통 오행
      사상과 관련이 있음을 알 수 있다. ②가 팔괘이고 ⑦은 하나부터 아홉까지의 숫자라서 오행과는
      관련이 없을 것 같지만 위에서도 알 수 있듯 ②의 팔괘는 진선, 이, 곤간, 건태, 감 다섯 개로 다시
      묶이며 ⑦의 숫자는 3과 8, 2와 7, 5와 10, 4와 9, 1과 6 이렇게 다섯 개로 다시 묶인다.
      3과 8이 木의 숫자, 2와 7이 火의 숫자, 5와 10이 土의 숫자, 4와 9가 金의 숫자, 1과 6이 水의
      숫자이기 때문이다.

125 짠맛, 매운맛, 단맛, 쓴맛, 신맛 등 다섯 가지 맛

126 오른손만으로 줄을 튕길 때 나는 소리

127 한자 근체시의 하나

128 당나라 말기에 시작해 송나라 때 완성된 운문으로 음악의 가사로 불리다가
      시간이 가면서 노래는 사라진 채 읽고 감상하는 형태로 남았다.

129 중국어의 글말이었던 문언문文言文과 실제 입말 사이에 점차 괴리가 생기면서 문언문이 소수
지식인의 전유물로 전락하자 당나라와 송나라 때부터 당시 입말에 가까운 백화문이 출현하기
시작했다. 그 후로도 오랫동안 문언문은 절대적 지위를 누렸다. 백화문 운동은 1919년 5·4운동 때
활발해지기 시작해 1949년 이후 문언문을 대체하게 되었다.

130 중국 시 안에서의 '쉼 자리'

131 시가의 운율을 이루는 기본 단위

132 약하게 읽는 음절과 강하게 읽는 음절로 구성된 음보가 다섯 개 모여 이루어진 시행

133 평은 한자의 사성四聲 중 평평한 소리인 평성平聲을 의미하며 측은 기우는 소리인
상성上聲, 거성去聲, 입성入聲을 말한다. 평성과 측성을 조화롭게 배열해서 시의 음률감을
더하는데 이를 평측법이라고 한다.

134 중국 서예에서 사용하는 형식으로, 한 글자를 쓸 수 있는 네모 칸 안에 井우물 정 형태의
칸을 그으면 크기가 같은 아홉 칸이 그어지는데 이를 구궁격이라 한다.

135 한국, 중국, 일본 등의 전통 목조 건축물에서 사용하는 특유의 지붕 받침

136 중국에서는 싱웨이星位라고 부르는 바둑판 위 아홉 개의 점

137 바둑판에서 가로줄과 세로줄이 만나 생기는 모든 점

138 '삼정'은 얼굴을 상중하로 삼등분한 것으로 눈썹 사이 위부터 이마 전체를 상정上停, 눈썹 사이
아래부터 코끝까지를 중정中停, 코와 입술 사이부터 턱 밑까지를 하정下停이라 한다. '오안'은
얼굴형의 너비, 즉 한쪽 귀에서 다른 쪽 귀까지의 길이가 눈 길이의 다섯 배임을 의미한다.
'좌오'는 의자에 앉아 있는 성인 남자의 앉은키가 두상 길이의 다섯 배, '반삼'은 책상다리를 하고
바닥에 앉아 있을 때의 전체 길이가 두상 길이의 세 배, 행칠은 똑바로 서 있을 때 키가
두상 길이의 일곱 배임을 의미한다.

139 다리가 세 개 또는 네 개이고 귀가 두 개 달린 솥

140 복희가 천하를 다스릴 때 신비로운 짐승이 나타났는데 그 등에 난 쉰다섯 개의 점을 보고
천지창조와 만물 생성의 이치를 깨달아 팔괘를 그렸다고 한다. 이 쉰다섯 개의 점을 하도河圖라고
한다. 하도에는 1에서 10까지의 수가 있는데 그중 1, 2, 3, 4, 5를 만물의 근본으로
생명을 낳는 수라고 해서 '생수'라고 한다.

141 생수의 1은 북쪽, 2는 남쪽, 3은 동쪽, 4는 서쪽, 5는 중앙과 짝을 이루며 이는 다시 각각
오행의 수, 화, 목, 금, 토에 해당한다. 따라서 황색土은 5, 백색金은 4, 청색木은 3, 적색火은 2,
흑색水은 1이 되어 5 : 4 : 3 : 2 : 1의 비율이 나온다.

142 중국에서 가장 큰 협동조합 조직으로 한국의 농업협동조합과 유사하다.

143 중국어로 '명인'이 바로 '셀러브리티'라는 뜻이다.

144 중국의 유명한 북 디자이너 주잉춘朱贏椿이 자작 시집『설계시』에서 선보인 시로, 시각적인
화면으로 구성한 시, 회화적인 방식과 디자인 기법으로 표현한 시를 뜻한다.

145 이 독특한 이미지의 시와 이 시를 글자로만 옮겨놓은 원문을 비교해보자. 첫 줄에서는 長亭장정에
들어가야 할 長이 없고 亭정자 정을 길게 써놓았다. '석양이 드리운 긴 그림자'를 글자가 아닌 '亭'
자를 길게 쓰는 식으로 형상화한 것이다. 바로 이어 短景에 들어가야 할 자리에도 短짧을 단이 없고
작고 짧게 쓴 景만 있다. 그다음 시구에는 老大노대에서도 大 없이 老만 크게 써놓았다. 老大를
글자로 형상화한 것이다. 回首회수에서는 回돌아올 회 없이 首머리 수를 돌려 써서 回首를 형상화했다.
이어지는 斷雲단운에서는 斷끊을 단을 없애고 雲구름 운을 분해해 끊어진 구름 조각을 형상화했다.
또 暮저물 모의 日을 기울여 써서 지는 해를 표현했다. 굽이치는 강물을 이미지로 표현하기 위해
江의 工을 굽이치듯 쓰고, 거꾸로 담겨 비친다는 의미를 나타내기 위해 蘸담글 잠을 거꾸로 써으며,
기울어진 산봉우리는 峰봉우리 봉의 山을 기울여서 표현했다. 이렇듯 이 시는 글자의 의미를
시각적으로 이미지화해 시적 의미를 표현했다.

146 중국에서는 설 연휴에 '福' 자를 뒤집어 붙여놓은 풍경을 많이 볼 수 있다. 복이 뒤집어졌다는
　　　의미의 '福倒'와 복이 왔다는 의미의 '福到'가 발음이 같아서 축원의 의미로 '福' 자를 뒤집어
　　　붙이는 전통이 생겨났다.

147 이 그림에서 보이듯 福 윗부분에는 多많을 다가, 양옆과 아래에는 子아들 자, 才재주 재, 田밭 전,
　　　福, 壽가 포함되어 있다. 이는 자손이 번성하고 재주가 많으며 밭 같은 재산을 많이 얻고
　　　복을 많이 받으며 장수한다多子, 多才, 多田, 多福, 多壽는 의미로 이 福을 '천하제일복'이라고 부른다.
　　　중국 역사상 최고의 성군 중 하나로 손꼽히는 강희제의 글씨로 알려졌다.

148 중국 신화에 등장하는 네 마리 괴물 중 하나. 엄청난 식욕으로 무엇이든 먹어치우면서
　　　일은 하지 않고 다른 이의 소유물을 빼앗는다.

149 허신은 대전, 소전, 각부, 충서, 모인摹印, 조충서, 서서署書, 예서를 진서팔체라 했다.

150 그림이나 글씨 뒷면에 종이를 발라 꾸미고 나무 등으로 족자, 액자, 병풍 등을 만드는 것

151 '삼다'는 다복多福, 다수多壽, 다남자多男子를 이르는 말로 복을 많이 받고 장수를 누리며 아들을
　　　많이 낳는다는 뜻이다. '구여'는 아홉 개의 여如가 들어간 『시경詩經』의 〈천보天保〉라는 축가에서
　　　나왔는데 신하가 임금을 송축하는 말이다. '팔선'은 중국의 민간 전설에 등장하는 여덟 명의
　　　신선을 뜻한다. '칠교'는 견우성과 직녀성이 일 년에 한 번 오작교 위에서 만난다는 음력 7월
　　　7일과 관련된 것으로, 예부터 여자들이 매년 음력 7월 7일이 되면 칠저七姐에게 제사를 지내
　　　똑똑하고 재주 많은 좋은 남자를 만나게 해달라고 기원했는데 여기서 칠교가 유래했다고 한다.

152 옛날에 종鐘, 정鼎 등에 새겼던 글자

153 사서는 유교의 기본 경전인 『대학大學』 『논어論語』 『맹자孟子』 『중용中庸』을,
　　　오경은 『시경』 『서경書經』 『주역』 『예기禮記』 『춘추春秋』를 말한다.

154 군대를 동원할 때 본부를 알리기 위해 사령관 뒤에 높게 걸어두는 패로,
　　　'영令' 자가 쓰여 있어 영패라고 불렀다.

155 머리를 드니 경사스러운 일이 보인다는 뜻

156 옛날 군에서 명령을 내릴 때 사용한 증표

157 고대 중국인들의 천지관天地觀으로 하늘은 둥글고 땅은 평평하고 네모지다는 뜻

158 용문은 황허강 상류인 허난성의 위먼커우禹門口를 가리킨다. 전설에 따르면 봄에 잉어가 구름과
　　　비를 거슬러 이 문을 뛰어넘으면 용이 된다고 한다. 이 작품은 이 전설을 형상화한 것이다.

159 춤추고 노래하며 태평성세를 찬미한다는 의미

160 '태평유상'은 한족의 전통 길상 문양으로 천하가 태평하고 오곡이 풍성하다는 의미가 있다.
　　　보통 이 문양에는 화초가 담긴 진귀한 병을 등에 실은 코끼리가 들어간다.

161 바람이 고르게 불고 때에 맞춰 비가 알맞게 온다는 뜻으로 날씨가 좋아 농사짓기 좋다는 의미이다.

162 중국판 카카오톡에 해당하는 모바일 메신저

163 파라메트릭 디자인에서는 알고리즘을 토대로 컴퓨터의 매개변수를 바꿔가며 디자인 작업을 한다.
　　　알고리즘을 컴퓨터에 입력하면 구성 요소의 정보가 자동으로 변해 바로 적용되면서
　　　새로운 디자인 결과물이 나타난다.

164 베이징 올림픽 주경기장을 '냐오차오鳥巢'라고 부르기도 하는데 새둥지라는 뜻이다.

165 '囧rz'로 바뀌었으나 뜻은 'Orz'와 같다. 囧의 모양이 좌절한 사람의 표정과 닮아서
　　　'Orz'에 넣어 쓰게 된 것이다. 따라서 '囧' 자의 원래 뜻과 '囧rz' 사이에는 별 관계가 없다.

166 1990년대 일본에서 생겨난 신조어로 픽토그램그림문자을 뜻한다. 일본어로 그림을 뜻하는
　　　한자 繪그림 회를 '에', 문자文字를 '모지'라고 읽는 데서 비롯되었다.

참고 문헌

1 마루썬馬如森, 『은허갑골학殷墟甲骨學』, 상하이대학출판사上海大學出版社, 2007

2 쉬중수徐中舒, 『갑골문자전甲骨文字典』, 쓰촨사서출판사四川辭書出版社, 2003

3 왕잉王瑛, 『중국길상도안실용대전中國吉祥圖案實用大典』, 톈진교육출판사天津教育出版社, 1994

4 린쉰준林勛準, 『부호 언어符號語言』, 하이톈출판사海天出版社, 2007

5 스기우라 고헤이杉浦康平, 쾅보허庄伯和 옮김, 『아시아의 이미지 세계亞洲的圖像世界』,
   라이온아트출판사雄獅圖書股份有限公司, 2006

6 스기우라 고헤이, 송태욱 옮김, 『형태의 탄생かたち誕生』, 안그라픽스, 2019

7 장짜이싱張再興, 『한자의 기능漢字的功能』, 다샹출판사大象出版社, 2007

8 푸례핑濮例平, 궈옌핑郭燕平, 『중국 현대 서법에서 한자 예술 간략사까지中國現代書法到漢字藝術簡史』,
   쓰촨미술출판사四川美术出版社, 2005

9 아쓰지 데쓰지阿辻哲次, 『그림으로 설명하는 한자의 역사図説 漢字の歴史』, 다이슈칸서점大修館書店, 1989

10 야지마 후미오矢島文夫, 다나카 잇코田中一光, 『인간과 문자人間と文字』, 헤이본샤平凡社, 1995

11 리밍쥔李明君, 『역대문물장식문자도감歷代文物裝飾文字圖鑑』, 톈진인민미술출판사天津人民美术出版社, 2001

12 한원라이韓文來, 『중국역대초서펜습자첩中國歷代草書鋼筆習字帖』, 톈진인민미술출판사, 1989

13 둥위징董玉京, 『갑골문서법예술甲骨文書法藝術』, 다샹출판사大象出版社, 1999

14 세실리아 링크비스트Cecilia Lindqvist, 하영삼·김하림 옮김,
   『한자 왕국China: Empire of Living Symbols』, 청년사, 2002

15 천추성陳初生, 『금문상용자전金文常用字典』, 산시인민출판사陝西人民出版社, 2004

16 저우루창周汝昌, 『서법 예술 문답書法藝術問答』, 문화예술출판사文化艺术出版社, 1985

17 왕주룽王祖龍, 『초서법사草書法史』, 후베이미술출판사湖北美术出版社, 2013

18 위빙난余秉楠, 『미술 글자美術字』, 인민미술출판사人民美术出版社, 1980

19 랴오원하오廖文豪, 김락준 옮김, 『한자 나무漢字樹』, 아템포, 2015

20 둥톈칭董天慶, 『중국역대서법가초자선中國歷代書法家草字選』, 쓰촨인민출판사四川人民出版社, 1982

21 허신, 『설문해자 부검자說文解字 附檢字』, 중화서국中华书局, 1987

22 왕강王綱, 『서법자전: 신편본書法字典: 新編本』, 청두과기대학출판사成都科技大学出版社, 1993

23 린훙위안林宏元, 『중국서법대자전中國書法大字典』, 광화출판사光華出版社, 1980

24 천쑹창陳松長, 『한백서노자갑체漢帛書老子甲體』, 상하이서화출판사上海書畵出版社, 2001

25 조르주 장Georges Jean, 이종인 옮김, 『문자의 역사L'Ecriture Mémoire des Hommes』, 시공사, 1997

26 류정劉正, 『청동 병기 문자青銅兵器文字』, 문물출판사文物出版社, 2014

27 다이즈창戴志强, 『고전 문자古錢文字』, 문물출판사, 2014

28 덩싼무鄧散木, 『전각학篆刻學』, 인민미술출판사, 1979